INICIACIONES MÍSTICAS

MIRCEA ELIADE

INICIACIONES MISTICAS

Versión castellana
de
José Matías Díaz

taurus

Título original: *Birth and Rebirth*
© 1958 by Mircea ELIADE
Editor: HARPER & ROW, Publishers, Inc., Nueva York

Primera edición: 1975
Reimpresión: 1984

© 1973, de esta edición: TAURUS EDICIONES, S. A.
Príncipe de Vergara, 81, 1.º - 28006 MADRID
ISBN: 84-306-1134-7
Depósito Legal: M. 33.836-1984
PRINTED IN SPAIN

PROLOGO

Este librito reúne las «Haskell Lectures» que tuve el privilegio de pronunciar en la Universidad de Chicago, en el otoño de 1956, con el título de *Patterns of Initiation*. Antes de entregar el texto a la imprenta, he añadido una introducción, algunas notas e indicaciones bibliográficas, pero he conservado la presentación que el estilo oral exigía. Por el modo como fue concebido, este librito se dirige a cualquier lector no especialista, interesado por la historia espiritual de la humanidad. Ese es el motivo por el que me he limitado a trazar, a grandes rasgos, ese fenómeno complejo que es la iniciación; de no ser así, hubiera sido preciso un libro tres o cuatro veces más voluminoso. Por lo demás, ciertos aspectos quedan ya examinados en mis trabajos anteriores: *Le chamanisme et les techniques archaïques de l'extase* (París, 1951), *Le Yoga. Immortalité et liberté* (París, 1954), *Forgerons et Alchimistes* (París, 1956)*. El problema será tratado nuevamente en un libro en preparación, *Mort et Initiation*.

Quiero expresar aquí una vez más mi gratitud al Rector de la Universidad de Chicago, al Comité de las «Haskell Lectures» y al Decano de la Facultad de Teología de la Universidad de Chicago por haberme confiado el honor de las «Haskell Lectures» de 1956.

---

* De estos tres libros existen ediciones en castellano: *El chamanismo...*, México, Fondo de Cultura Económica, 1960; *Yoga...*, Buenos Aires, Kier; y *Herreros y alquimistas*, Madrid, Taurus Ediciones - Alianza Editorial, 1974.

El texto que ofrecemos al lector presenta algunas diferencias menudas con respecto a la versión inglesa publicada por Harper con el título de *Birth and Rebirth* (Nueva York, 1958). Como siempre, nuestro querido y erudito amigo, el doctor Jean Gouillard, se ha encargado de leer y corregir el manuscrito francés; para él igualmente nuestro más sincero agradecimiento.

MIRCEA ELIADE

París-Chicago
1956-1957

INTRODUCCION

Con frecuencia se ha afirmado que una de las características del mundo moderno es la desaparición de la iniciación. De capital importancia en las sociedades tradicionales, la iniciación es prácticamente inexistente en la sociedad occidental de nuestros días. Bien es verdad que las diferentes confesiones cristianas conservan, en diverso grado, vestigios de un Misterio iniciático. El bautismo es esencialmente un rito iniciático; el sacerdocio implica una iniciación. Pero no hay que olvidar que el cristianismo no ha triunfado precisamente ni ha llegado a ser una religión universal sino por haberse liberado del clima de los Misterios greco-orientales, proclamando ser una religión de salvación accesible a todos. Por otro lado, ¿tenemos aún derecho a llamar «cristiano» al mundo moderno en su totalidad? Si existe un «hombre moderno», es en la medida en que rehusa identificarse con la antropología cristiana. La originalidad del «hombre moderno», su novedad con respecto a las sociedades tradicionales, está precisamente en la voluntad de considerarse como un ser únicamente histórico, en el deseo de vivir en un Cosmos radicalmente desacralizado. En qué medida haya conseguido el hombre moderno realizar su ideal, es otro problema, del que no trataremos aquí. Pero sigue en pie el hecho de que este ideal no tiene ya nada en común con el mensaje cristiano, siendo, *a fortiori*, ajeno a la imagen que tenía de sí mismo el hombre de las sociedades tradicionales.

Pues bien, dicha imagen, el hombre de las sociedades tradicionales llega a conocerla y a asumirla a través de la iniciación. Existen, claro está, varios tipos e innumerables variantes de iniciación, correspondiendo a estructuras sociales diferentes y a horizontes culturales diversos. Pero lo importante es el hecho de que todas las sociedades pre-modernas —esto es, las que en Occidente han perdurado hasta la Edad Media, y en el resto del mundo hasta la primera guerra mundial— asignan una función de primer orden a la ideología y a las técnicas de iniciación.

Por iniciación se entiende generalmente un conjunto de ritos y enseñanzas orales que tienen por finalidad la modificación radical de la condición religiosa y social del sujeto iniciado. Filosóficamente hablando, la iniciación equivale a una mutación ontológica del régimen existencial. Al final de las pruebas, goza el neófito de una vida totalmente diferente de la anterior a la iniciación: se ha convertido en *otro*. Entre las diversas categorías de iniciación, la iniciación de pubertad es especialmente importante para entender al hombre premoderno. Allí donde existen, los ritos de admisión son obligatorios para todos los jóvenes de la tribu. Para tener derecho a ser admitido entre los adultos, el adolescente ha de afrontar una serie de pruebas iniciáticas: gracias a esos ritos y a las revelaciones que llevan consigo, podrá ser reconocido como miembro responsable de la sociedad. La iniciación introduce al novicio en la comunidad humana a la vez que en el mundo de los valores espirituales. Entra en conocimiento de las actitudes, técnicas e instituciones de los adultos, pero asimismo de los mitos y tradiciones sagradas de la tribu, nombres de los dioses e historia de sus obras; entra en contacto sobre todo con las relaciones místicas entre la tribu y los Seres sobrenaturales tal como fueron establecidas en el origen de los tiempos.

Toda sociedad primitiva posee un conjunto coherente de tradiciones míticas, una «concepción del mundo», y es esta concepción la que será gradualmente revelada al novicio en el curso de su iniciación. No se trata únicamente de una instrucción, en el moderno sentido de la palabra. El neófito no llega a hacerse digno de la enseñanza sagrada más que al término de una preparación espiritual. Pues todo lo que aprende acerca del mundo y de la existencia humana no constituye «conocimientos» en el sentido que hoy se da a esta palabra, informaciones objetivas, susceptibles de ser indefinidamente rectificadas y enriquecidas. El Mundo es obra de un Ser sobrenatural; obra divina y, por consiguiente, sagrada en su estructura misma. El hombre vive en un Universo que, sobrenatural por su origen, es asimismo sagrado en su «forma», a veces incluso en su sustancia. El Mundo tiene una «historia»: su creación por obra de los Seres sobrenaturales, más todo lo que siguió, a saber, la llegada del Héroe civilizador o del Antepasado mítico, sus actividades culturales, sus aventuras demiúrgicas, por último su desaparición.

Dicha historia sagrada —la mitología— es ejemplar: cuenta cómo las cosas han venido al ser, pero funda también todo patrón de conducta o actitud humana y toda institución social y cultural. Puesto que el hombre ha sido creado y civilizado por los Seres sobrenaturales, la suma de sus conductas y de sus actividades pertenece a la «historia sagrada»; una historia de esta índole importará conservarla cuidadosamente y transmitirla intacta a las nuevas generaciones. En el fondo, el hombre es como es, porque, en la aurora de los tiempos, le ocurrieron las cosas relatadas por los mitos. Así como el hombre moderno proclama ser un ente histórico, resultante de la historia toda de la humanidad, el hombre de las sociedades arcaicas se reconoce como la terminación de una historia mítica, de una serie de acontecimientos que tuvieron lugar *in illo tempore*, en el origen del Tiempo. Pero, mientras el hombre moderno ve en la historia que le ha precedido una obra puramente humana, y se cree, sobre todo, dueño de continuarla y perfeccionarla indefinidamente, para el hombre de las sociedades tradicionales todo lo que de significativo, es decir, creador y poderoso, ha tenido lugar, acaeció *en el comienzo*, en el Tiempo mítico.

En cierto modo, podríamos decir que, para el hombre de las sociedades arcaicas, la Historia está «cerrada», agotada en unos cuantos acontecimientos grandiosos del «comienzo». Al revelar a los polinesios, *in illo tempore*, las modalidades de la pesca en alta mar, el Héroe mítico agotó de una sola vez las posibles formas de esta actividad; desde entonces, cada vez que van a pescar, los polinesios repiten el gesto ejemplar del Héroe mítico: imitan a un modelo trans-humano.

11

Pero, bien mirado, esta historia conservada en los mitos sólo está «cerrada» en apariencia. Si el hombre de las sociedades primitivas se hubiera contentado con imitar *ad infinitum* los contados gestos ejemplares revelados por los mitos, no podrían explicarse las innumerables innovaciones que a lo largo del tiempo ha ido incorporando. No existen sociedades primitivas absolutamente cerradas. No se conoce ni una sola que no haya adoptado elementos culturales ajenos; ni que, como consecuencia de tales imitaciones, no haya cambiado ciertos elementos al menos en sus instituciones; que no tenga, en suma, una «historia». Sólo que, a diferencia de la sociedad moderna, todas las innovaciones han sido aceptadas como otras tantas «revelaciones» de origen sobrehumano. Los objetos o las armas que iban incorporando, las actitudes e instituciones que imitaban, los mitos o creencias que asimilaban —se tenían por cargados de poder mágico-religioso: tal era por lo demás la razón de fijarse en ellos, el motivo de que se hubieran tomado el trabajo de apropiárselos. Más aún: adoptaban todos esos elementos porque los antepasados habían recibido de los Seres sobrenaturales las primeras revelaciones culturales. Y como quiera que las sociedades tradicionales no tienen memoria «histórica», propiamente hablando, bastaban algunas generaciones, a veces menos, para que una innovación reciente fuera investida del prestigio de las revelaciones primordiales. En resumidas cuentas, podríamos decir que, estando «abiertas» a la historia, las sociedades tradicionales tienen tendencia a proyectar toda nueva adquisición en el tiempo primordial, a referir todos los acontecimientos al mismo horizonte atemporal de los «comienzos» míticos. También las sociedades primitivas son modificadas por la historia, si bien en grado a veces ínfimo; pero lo que las distingue radicalmente de la sociedad moderna es la falta de conciencia histórica. Ausencia, por lo demás, inevitable, habida cuenta de la concepción del Tiempo y de la antropología peculiares de toda la humanidad prejudaica.

A esta ciencia tradicional, pues, es a la que van a tener acceso los novicios. Instruidos durante largo tiempo por tutores, asisten a ceremonias secretas, soportan una serie de pruebas, siendo éstas, sobre todo, las constitutivas de la experiencia de la iniciación: el encuentro con lo sagrado. La mayor parte de las pruebas iniciáticas implican, de manera más o menos transparente, una muerte ritual a la que seguirá una resurrección o nuevo nacimiento. El momento central de toda iniciación viene representado por la ceremonia que simboliza la muerte del neófito y su vuelta al mundo de los vivos. Pero el que vuelve a la vida es un hombre nuevo, asumiendo un modo de ser distinto. La muerte iniciática significa al mismo tiempo fin de la infancia, de la ignorancia y de la condición profana.

Para el pensamiento arcaico, nada mejor que la muerte para expresar la idea de «término», de acabamiento definitivo de algo —así como nada mejor que la cosmogonía para expresar la idea de «creación», de «hacer», de «construir». El mito cosmogónico sirve de modelo ejemplar para toda clase de «hacer». Nada asegura mejor el éxito de una «creación» cualquiera (un poblado, una casa, un hijo) que el copiarla de la creación por excelencia, la cosmogonía. Es más: puesto que la cosmogonía representa ante todo, a los ojos de los primitivos, la manifestación del poder creador de los dioses y, por consiguiente, una prodigiosa irrupción de lo sagrado, será periódicamente reiterada a fin de regenerar el mundo y la sociedad humana. La repetición simbólica de la creación implica una reactualización del acontecimiento primordial, la presencia, por tanto, de los dioses y de sus energías creadoras.

La vuelta al comienzo revierte en una reactivación de las fuerzas sagradas que en aquel entonces se manifestaron por primera vez. Al restaurar el Mundo tal cual era en el momento en que acababa de nacer, al reproducir los gestos que los dioses hicieron por primera vez *in illo tempore*, la sociedad humana y el cosmos todo volvían de nuevo a ser lo que entonces habían sido: puros, poderosos, eficientes, con sus virtualidades intactas.

Toda repetición ritual de la cosmogonía viene precedida por una regresión simbólica al «Caos». Para que pueda ser nuevamente creado, el viejo mundo ha de ser previamente aniquilado. Los diferentes ritos practicados con ocasión del Año Nuevo pueden clasificarse en dos categorías principales: 1.ª Los que significan el regreso al Caos (extinción del fuego, expulsión del «mal» y de los pecados, cambio profundo de la manera habitual de comportarse, orgías, retorno de los muertos, etc.). 2.ª Los que simbolizan la cosmogonía (acto de encender fuego

13

nuevo, partida de los muertos, repetición de los gestos con los que los dioses crearon el Mundo, solemne predicción del tiempo que va a hacer durante el año que empieza, etc.). En el contexto de los ritos iniciáticos, la «muerte» corresponde a la vuelta provisional al «caos»; constituye, de ese modo, la expresión ejemplar del *término de un modo de ser:* el de la ignorancia y la irresponsabilidad infantil. La muerte iniciática hace posible la *tabula rasa* en la que vendrán a inscribirse las revelaciones sucesivas, destinadas a formar un hombre nuevo. Más adelante hablaremos de las diferentes modalidades del nacimiento a la nueva vida espiritual. Digamos desde ahora que esta vida nueva se concibe como la auténtica existencia humana, por cuanto se halla abierta a los valores del espíritu. A la «cultura», englobando bajo este término genérico todas las actividades del espíritu, sólo tienen acceso los iniciados. En resumen, la participación en la vida espiritual queda posibilitada gracias a las experiencias religiosas provocadas durante la iniciación.

Todos los ritos de re-nacimiento o de resurrección, junto con los símbolos que llevan consigo, indican que el novicio ha alcanzado un modo distinto de existencia, inaccesible a los que no han afrontado las pruebas iniciáticas, a los que no han conocido la muerte. Fijémonos en esta particularidad de la mentalidad arcaica: la creencia de que no es posible modificar un estado sin abolirlo previamente: en el caso presente, sin que el niño muera a la infancia. Nunca se subrayará bastante la importancia de esta obsesión del «comienzo», la obsesión en suma del comienzo absoluto: la cosmogonía. Para hacer bien una cosa será preciso proceder como se hizo *la primera vez;* ahora bien, la «primera vez», dicha cosa —tal clase de objetos, tal animal, tal actitud— no existía: cuando, *in illo tempore*, ese objeto, ese animal, esa institución, vinieron a la existencia, fue como si, por el poder de los dioses, el *ser* surgiera del *no-ser*.

La muerte iniciática resulta indispensable en el «inicio» de la vida espiritual. Su función ha de entenderse en relación con lo que prepara: el nacimiento a un modo superior de ser. Como más adelante veremos, la muerte iniciática viene a menudo simbolizada por las tinieblas, por la Noche cósmica, por la matriz telúrica, por la cabaña, el vientre de un monstruo, etc. Todas esas imágenes expresan regresión a un estado preformal, a una modalidad latente (complementaria del «caos» pre-cosmogónico), más que aniquilación total (en el sentido en que, por ejemplo, un miembro de las sociedades modernas concibe la muerte). Dichas imágenes y símbolos de la muerte ritual están vinculados a la germinación, a la embriología: indican que una nueva vida está preparándose. Como más adelante veremos, existen asimismo otras valorizaciones de la muerte iniciática: así, acceder a la compañía de los muertos y de los antepasados. Pero también ahí podemos descubrir el mencionado simbolismo del *comienzo:* comienzo de la vida espiritual, posibilitado en este caso merced al encuentro con los espíritus.

Para el pensamiento arcaico, por lo tanto, el hombre es *hecho:* no se hace él solo. Son los iniciados veteranos, los maestros espirituales, quienes le «hacen». Mas ellos aplican lo que en el comienzo de los tiempos les fue revelado por los Seres sobrenaturales. No son sino representantes de estos últimos; muchas veces, incluso los encarnan. Esto viene a decir que para llegar a ser efectivamente hombre es preciso asemejarse a un modelo mítico. El hombre se reconoce como tal en la medida en que deja de ser un «hombre natural», en la medida en que es «hecho» por segunda vez, conforme a un canon ejemplar y transhumano. El «nuevo nacimiento» iniciático no es «natural», aunque venga a veces expresado por símbolos obstétricos. Dicho «nacimiento» implica unos ritos instituidos por Seres sobrenaturales: es, por tanto, obra divina, creada por la voluntad y el poder de los Seres sobrehumanos; no pertenece a la «Naturaleza» (en el sentido moderno, secularizado del término), sino a la Historia sagrada. El segundo nacimiento, iniciático, no repite el primero, biológico. Para conseguir el modo de ser del iniciado, será preciso conocer realidades que no pertenecen ya a la «Naturaleza», sino a la biografía de los Seres sobrenaturales y, por lo tanto, a la Historia sagrada conservada por los mitos.

Incluso cuando parece que los mitos hablan únicamente de los fenómenos naturales —del curso del sol, por ejemplo—, se refieren a una realidad que no es ya la de la «Naturaleza», tal como la conoce hoy día el hombre moderno. Para el primitivo, la Naturaleza no es simplemente «natural»: es al mismo tiempo Sobre-Naturaleza, es decir, manifestación de fuerzas sagradas y ámbito en que se cifran realidades trascendentes. Conocer los mitos no es —como en el siglo pasado se creyó— entrar en conocimiento de la regularidad de ciertos fenómenos cósmicos (el curso del sol, el ciclo lunar, el ritmo de la vegetación, etc.); es, ante todo, conocer *lo que realmente ha acaecido en el Mundo,* lo que los Dioses y los Héroes civilizadores *han hecho:* sus obras, sus aventuras, sus dramas. Es conocer, pues, una *historia divina* —que no por ello es menos «historia», es decir, una serie de acontecimientos imprevisibles, aunque coherentes y significativos.

En términos modernos podríamos decir que la iniciación pone fin al «hombre natural», introduciendo al novicio en la cultura. Pero, según las sociedades arcaicas, la «cultura» no es obra humana, es de origen sobrenatural. Más aún: es a través de la «cultura» como el hombre restablece el contacto con el mundo de los Dioses y de los demás Seres sobrenaturales, participando así de su energía creadora. El mundo de los Seres sobrenaturales es el mundo en que *las cosas sucedieron por primera vez.* El mundo en que vinieron al ser el primer árbol y el primer animal, donde un gesto —desde entonces religiosamente repetido— se llevó a cabo por vez primera (caminar en determinada postura, arrancar una raíz comestible determinada, ir de caza en cierta época del año, etc.); donde los Dioses y los Héroes tuvieron tal o cual encuentro, sufrieron una malandanza, pronunciaron determinadas palabras, proclamaron ciertas normas, etc. Los mitos nos introducen en un mundo que no puede ser «descrito», sino únicamente «narrado», por cuanto está constituido por la historia de acciones libremente emprendidas, de decisiones imprevisibles, de transformaciones fabulosas, etc. En una palabra, la historia de todo lo significativo que *ha tenido lugar* desde la Creación del mundo, de todos los *acontecimientos* que han contribuido a *hacer* al hombre tal como es hoy. El novicio que a través de la iniciación es introducido en las tradiciones mitológicas de la tribu, es introducido en la historia sagrada del Mundo y de la humanidad.

He ahí por qué es tan importante la iniciación para el conocimiento del hombre premoderno. Nos revela la gravedad, en los confines del terror, con la que el hombre de las sociedades arcaicas asumía la responsabilidad de recibir y transmitir los valores espirituales.

16

Capítulo primero

RITOS DE PUBERTAD E INICIACIONES TRIBALES EN LAS RELIGIONES PRIMITIVAS

Notas preliminares

En este librito querríamos presentar los tipos más importantes de iniciación, intentando descubrir, sobre todo, su sentido profundo, que es siempre religioso: por cuanto el cambio del régimen existencial se opera gracias a una experiencia religiosa. El iniciado se transforma en otro hombre por haber tenido una revelación religiosa acerca del Mundo y de la existencia. De ahí que sea nuestra intención el tratar este importante y difícil problema dentro de la perspectiva de la historia de las religiones, y no, como normalmente se hace, dentro de la perspectiva de la antropología cultural o de la sociología. Existen excelentes trabajos escritos desde esta óptica: basta recordar *Altersklassen und Männerbünde* (Berlín, 1902), de Heinrich Schurtz, y *Primitive Secret Societies* (Nueva York, 1908), de Hutton Webster. El historiador de las religiones podrá siempre utilizar, y con gran provecho, los resultados obtenidos por el etnólogo y por el sociólogo, pero se ve obligado a completar dichos resultados y a integrarlos en una perspectiva distinta, más amplia. El etnólogo se ocupa únicamente de las sociedades llamadas «primitivas», mientras que el historiador de las religiones abarca con su campo de investigación toda la historia religiosa de la humanidad, desde los primeros cultos del paleolítico de los que hay noticia hasta los movimientos religiosos modernos.

17

Para entender el sentido y la función de la iniciación, el historiador de las religiones ha de recurrir no sólo a los rituales de los primitivos, sino también a las ceremonias de los Misterios greco-orientales o a las del tantrismo indo-tibetano, a los ritos iniciáticos de los *berserkir* escandinavos o a las pruebas iniciáticas observables en las experiencias de los grandes místicos.

El historiador de las religiones se aparta igualmente del sociólogo en la medida en que se preocupa ante todo por entender la experiencia religiosa de la iniciación e interpretar el sentido profundo de los simbolismos que presentan los mitos y los ritos iniciáticos. La ambición, en suma, del historiador de las religiones es llegar hasta la situación existencial asumida por el hombre religioso en la experiencia de la iniciación y presentar dicha experiencia primordial de modo inteligible para nuestros contemporáneos.

En términos generales, se distinguen tres grandes categorías —o tipos— de iniciación en la historia de las religiones. La primera comprende los rituales colectivos por los que se efectúa el paso de la infancia, o de la adolescencia, a la edad adulta, siendo obligatorios para todos los miembros de la sociedad. La literatura etnológica designa estas ceremonias con los términos de «ritos de pubertad», «iniciación tribal» o iniciación de «clase de edad». Las demás iniciaciones se distinguen de las de pubertad por no ser obligatorias para todos los miembros de la comunidad y porque la mayor parte de ellas se llevan a cabo individualmente o para grupos bastante reducidos. La segunda categoría de iniciación reúne los distintos tipos de ritos de entrada a una sociedad secreta, a un *Bund* o a una cofradía. Estas sociedades secretas están reservadas a un solo sexo y son muy celosas de sus respectivos secretos. La mayor parte de las cofradías son masculinas, constituyen *Männerbünde*, pero existen igualmente sociedades secretas femeninas. En las culturas primitivas son contadas las sociedades accesibles a ambos sexos: cuando aparecen se trata generalmente de un fenómeno de degeneración. Pero en el mundo mediterráneo y en el antiguo Cercano Oriente, ambos sexos tenían acceso a los Misterios —y, aunque no sean del mismo tipo, podemos clasificar los Misterios greco-orientales dentro de la categoría de las cofradías secretas.

Se puede distinguir, por último, una tercera categoría de iniciación: la que caracteriza a la vocación mística, es decir, por lo que hace a las religiones primitivas, la vocación del «hombre-medicina» o del chamán. Una de las notas peculiares de esta tercera categoría consiste en la importancia que adquiere la experiencia personal. En general, podríamos decir que aquellos que se someten a las pruebas propias de esta tercera categoría de iniciación están destinados —quiéranlo o no— a ser partícipes de una experiencia religiosa más intensa que aquella a la que tiene acceso el resto de la comunidad. Decimos: quiéranlo o no, porque el *medicine-man*, o el chamán, puede llegar a serlo como fruto de la decisión personal de querer hacerse con poderes religiosos (lo que se llama «búsqueda»), pero también por vocación (o «llamamiento»), es decir, viéndose forzado a ello por seres sobrehumanos.

Debemos precisar que estas dos últimas categorías —la iniciación indispensable para entrar en las cofradías secretas o la iniciación necesaria para la obtención de una condición religiosa superior— se hallan en realidad bastante próximas una de otra. Podríamos incluso considerarlas como dos variantes de una misma clase. Se distinguen sobre todo por el elemento extático, muy importante en las iniciaciones chamánicas. Hemos de añadir que existe entre las distintas categorías de iniciación una especie de afinidad estructural que hace que se asemejen todas, si se las ve en una perspectiva determinada. Pero era preciso trazar desde el comienzo algunas líneas de orientación en este campo sumamente vasto, a falta de lo cual corríamos el riesgo de extraviarnos. A lo largo de nuestra exposición tendremos ocasión de completar y matizar estas notas preliminares.

Al estudiar la iniciación, no hemos de perder de vista que el propósito de nuestro trabajo es, en el fondo, el conocimiento del hombre. De modo que nuestra actitud no podría ser la del naturalista. Estudiar al hombre como uno estudia los insectos, no es solamente inmoral; es, sobre todo, anticientífico. La iniciación constituye uno de los fenómenos espirituales más significativos de la historia de la humanidad. Es un acto que no pone en juego únicamente la vida religiosa del individuo, en el sentido moderno del término «religión»: pone en juego su vida total. Es a través de la iniciación como el hombre, en las sociedades primitivas y arcaicas, llega a ser lo que es y lo que debe ser: un ser abierto a la vida del espíritu, que por lo tanto participa en la cultura. La iniciación de pubertad trae consigo, ante todo, la revelación de lo sagrado, y esto significa, en el mundo primitivo, tanto lo que hoy día entendemos por religión, como también el conjunto de tradiciones mitológicas y culturales de la tribu. Con mucha frecuencia, los ritos de pubertad implican, de una manera o de otra, la revelación de la sexualidad, pero también ésta, en todo el mundo premoderno, pertenece a la esfera de lo sagrado. En resumen, por medio de la iniciación se supera el modo natural, el del niño, teniendo acceso al modo cultural, es decir, que se es introducido a los valores espirituales. Podríamos casi decir que, en el mundo primitivo, es la iniciación la que confiere a los hombres su estatuto humano; antes de la iniciación no participan plenamente aún de la condición humana, precisamente por no tener aún accceso a la vida religiosa. La iniciación constituye así una experiencia decisiva en la vida del individuo perteneciente a las sociedades premodernas: es una experiencia existencial fundamental, pues gracias a ella llega el hombre a ser capaz de asumir plenamente su modo de ser.

Como en seguida veremos, la iniciación de pubertad comienza con un acto de ruptura: el niño o el adolescente es separado de la madre, haciéndose a veces esta separación de manera un tanto brutal. Pero la iniciación no concierne únicamente a los jóvenes novicios. La ceremonia compromete al conjunto de la tribu. Se instruye a una nueva generación haciéndola digna de ser integrada en la comunidad de los adultos; y con tal motivo, toda la comunidad se regenera, mediante la reactualización de los ritos tradicionales. Por eso, en las sociedades primitivas, las ceremonias de iniciación se cuentan entre las fiestas religiosas más importantes.

INICIACIONES AUSTRALIANAS: EL TERRENO O «CAMPO» SAGRADO

Los ritos de pubertad australianos constituyen una forma de iniciación bastante arcaica; de ellos vamos a tomar los primeros ejemplos. Por lo general, toma parte en la ceremonia un número de tribus bastante grande; de ahí que la preparación de una fiesta de iniciación requiera mucho tiempo. Desde el momento en que se decide reunir a las tribus hasta el comienzo propiamente dicho de la ceremonia, transcurren varios meses. El jefe de la tribu invitante envía mensajeros —portando bramaderas— ante los otros jefes, para anunciarles la decisión de iniciar a los jóvenes. Dado que las tribus australianas se hallan divididas en dos «*intermarrying classes*», la clase A se encarga de la iniciación de los jóvenes de la clase B, y viceversa [1]. Así pues, los novicios serán iniciados por sus hipotéticos suegros [2].

No es preciso recordar todos los detalles referentes a la preparación de la *bora*, como llaman a esta ceremonia las tribus de Australia oriental. Diremos únicamente que se lleva a cabo procurando por todos los medios que no se percaten de ello las mujeres. *Grosso modo*, la ceremonia de la iniciación comprende los momentos siguientes: 1) preparación de un «campo» sagrado, donde los hombres se aislarán durante el tiempo de la fiesta; 2) separación de los novicios de sus madres y, en general, de las mujeres; 3) segregación de aquéllos, aislándolos en la espesura del bosque, o en un campamento especial, apartado, para ser allí adoctrinados sobre las tradiciones religiosas de la tribu; 4) se someten a determinadas operaciones; las más frecuentes son la circuncisión, la extracción de un diente, la subincisión, pero también la escarificación o el arrancado de mechones de pelo. Durante el tiempo de la iniciación, los novicios han de observar un comportamiento especial, afrontando cierto número de pruebas y sometiéndose a numerosos tabús y prohibiciones de carácter alimenticio. Todos los elementos de este complejo cuadro iniciático tienen significación religiosa. Y serán estas significaciones y su articulación dentro de una visión religiosa del mundo, las que vamos a poner aquí de manifiesto.

Como decíamos, la *bora* implica siempre la preparación previa de un campo sagrado. Los Yuin, los Wirad-

---

[1] A. W. HOWITT, *The Native Tribes of South-East Australia* (Londres, 1904), p. 512.

[2] HUTTON WEBSTER, *Primitive Secret Societies. A Study in Early Politics and Religion* (Nueva York, 1908), p. 139, n. 2.

21

juri, los Kamilaroi, algunas tribus de Queensland, acotan un terreno circular, en el que han de tener lugar las ceremonias preliminares, y, a poca distancia, un pequeño recinto sagrado. Ambas construcciones se comunican por un sendero, a lo largo del cual disponen los hombres de la tribu invitante diversas imágenes y emblemas sagrados. A medida que los grupos van llegando, se invita a los hombres a pasar por el sendero, mostrándoles las imágenes. Todas las noches hay danzas, prolongándose esto a veces durante varias semanas, hasta la llegada del último contingente[3].

Mathews nos ha proporcionado una descripción bastante detallada del campo sagrado de los Kamilaroi. Consiste éste en dos círculos: el más grande, de veinte metros de diámetro, tiene en el centro un poste de tres metros, en cuya punta hay un puñado de plumas de emú[4]. En el otro círculo, más pequeño, hincan en tierra dos árboles jóvenes, con las raíces hacia arriba. Tras la separación ritual de las mujeres, dos ancianos —presentándose a veces como hechiceros— se suben a dichos árboles cantando las tradiciones de la *bora*[5]. Esos árboles, untados con sangre humana[6], encierran un simbolismo del que nos ocuparemos más tarde. Los dos círculos están comunicados entre sí por un sendero. A ambos lados del sendero se hallan, dibujadas en el suelo o modeladas en arcilla, cierto número de figuras. La más grande —de cuatro metros y medio aproximadamente— es la del Ser supremo Baiamai. Una pareja representa a los antepasados míticos, y un grupo de doce personas, a los jóvenes que estaban con Baiamai en su primer campamento. Otras figuras representan animales y nidos. Los neófitos no están autorizados a mirar estas imágenes, que serán cuidadosamente destruidas antes de finalizar la iniciación. Pero podrán examinarlas durante la *bora* siguiente[7]. Este detalle es interesante: nos

---

[3] A. W. Howitt, *op. cit.*, pp. 516 ss.

[4] Al igual que para muchas tribus australianas, el poste tiene una función ritual importante: lo dejan caer en la dirección en que se ha decidido llevar a cabo la ceremonia Bora; *cf.* R. H. Mathews, «The Bora or Initiation Ceremonies of the Kamilaroi Tribe», (*Journal of the Royal Anthropological Institute*, XXIV, 1895, 411-427; XXV, 1896, 318-339), p. 327.

[5] R. H. Mathews, *The Bora* (primer artículo), p. 422.

[6] R. H. Mathews, *op. cit.* (segundo artículo), p. 325.

[7] *Ibid.* (primer artículo), p. 414 ss.

revela que la instrucción religiosa no termina completamente con la iniciación, sino que supone grados.

Según Mathews, «el campo *bora* representa el primer campamento de Baiamai, a los que allí estaban con él y los dones que les había concedido»[8]. Lo que equivale a decir que, con motivo de la ceremonia de iniciación, se reactualiza la época mítica en que la *bora* tuvo lugar por primera vez. No solamente el campo sagrado es imitación del modelo ejemplar, el primer campamento de Baiamai, sino que el ritual que allí se celebra reitera los gestos y las acciones de Baiamai. Se trata, en resumen, de una reactualización de la obra creadora de Baiamai, y, por consiguiente, de una regeneración del Mundo. El campo sagrado es a la vez una *imago mundi* y un mundo sacralizado por la presencia del Ser divino. Durante la *bora*, se vuelve al tiempo mítico, sagrado, cuando Baiamai estaba presente en la Tierra e instituía los Misterios que ahora se celebran. Los participantes se convierten en cierto modo en contemporáneos de la primera *bora*, aquélla que tuvo lugar *in illo tempore*, en los «Tiempos del Sueño» (tiempos *bugari* o *alchera*), según la expresión de los australianos. De ahí que sean tan importantes las ceremonias de iniciación en la vida de los autóctonos: al celebrarlas, reviven el Tiempo sagrado del origen, la presencia de Baiamai y de los demás seres míticos, y, en última instancia, regeneran el Mundo; pues el Mundo se renueva reproduciendo su modelo ejemplar, el primer campamento de Baiamai.

Como quiera que las ceremonias de iniciación fueron instituidas por los Seres divinos o por los Antepasados míticos, su celebración permite volver al Tiempo primordial. Esto es válido para los australianos, pero también para todo el mundo primitivo, pues se trata de una concepción fundamental de las religiones arcaicas: la repetición de un ritual establecido por los Seres divinos trae consigo la reactualización del Tiempo original, cuando el rito se celebró por primera vez. He ahí la razón por la que el rito es eficaz: participa de la plenitud del Tiempo sagrado, primordial. El rito actualiza el mito. Todo lo que el mito narra acerca del *illud tempus*, los «tiempos *bugari*», el rito lo reactualiza, lo propone como realizándose ahora, *hic et nunc*. Cuando los Bâd,

---

[8] *Ibid.* (primer artículo), p. 418.

23

tribu del Kimberley occidental, preparan la iniciación de los jóvenes, se retiran a la selva los ancianos en busca del árbol *ganbor* «bajo el cual Djamar» —el Ser supremo— «descansó en los tiempos antiguos». El que hace de mago marcha a la cabeza con la misión de descubrir el árbol. Una vez hallado, lo rodean los hombres cantando y lo cortan con cuchillos de sílex [9]: el árbol mítico se ha hecho presente.

Todos los gestos y operaciones que se desarrollan durante la iniciación no son sino la repetición de los modelos ejemplares, es decir, los gestos y operaciones efectuados por los fundadores de las ceremonias en los tiempos míticos. De ahí que sean sagrados, y su periódica reiteración regenera toda la vida religiosa de la comunidad. El sentido de algunos gestos parece a veces haberse olvidado, pero se continúan repitiendo porque fueron efectuados por los Seres míticos en el momento de instituir la ceremonia. En un momento de la ceremonia, entre los Arunta, una mujer levanta en hombros al novicio; la explicación es que con este gesto imita lo que hicieron las mujeres Unthippa en el Tiempo mítico (*alcheringa*) [10].

Volviendo a nuestro tema: el campo sagrado tiene un papel esencial en las ceremonias de iniciación australianas, pues representa la imagen del Mundo primordial, tal como era cuando el Ser divino se encontraba en la Tierra. A las mujeres, a los niños y a los no iniciados se les mantiene alejados, y los propios novicios no lo conocerán sino superficialmente. Sólo una vez iniciados, con motivo de la siguiente *bora*, podrán examinar las imágenes dispuestas a lo largo del sendero que enlaza los dos círculos. Una vez instruidos en la mitología de la tribu, estarán ya capacitados para entender los símbolos.

---

[9] P. E. WORMS, «Djamar, the Creator» (*Anthropos*, 45, 1950, 641-658), pp. 650-651 y nota 80. Esta costumbre religiosa es común a todos los pueblos de cultura arcaica. En Australia, el iniciado que toma parte en las ceremonias religiosas «se percata, así como los demás asistentes, de que ya no es él mismo: es el gran héroe de los "Tiempos del Sueño", cuyo papel reitera él ahora, por unos minutos». (A. P. ELKIN, *Aboriginal Men of High Degree*, Sydney, 1946, p. 13). *Cf.* también M. ELIADE, *Le Mythe de l'Éternel Retour* (París, 1949), p. 60 ss.

[10] B. SPENCER y F. J. GILLEN, *The Arunta* (Londres, 1927), I, página 188.

La separación de los novicios de sus madres se lleva a cabo de manera más o menos dramática, según las tribus. La menos dramática es la de los Kurnai, cuya ceremonia de iniciación es por lo demás bastante sencilla. Se sientan las madres detrás de los novicios, y los hombres, avanzando en tropel, los separan. Los instructores levantan en el aire a los novicios, a la vez que éstos extienden sus brazos hacia el Cielo todo lo que pueden. El significado de este gesto es claro: es la consagración de los neófitos al Dios celeste. A continuación son conducidos al cerco sagrado: se tumban boca arriba, con los brazos sobre el pecho y se les cubre con mantas. No ven ni oyen ya nada más. Con una canción monótona se duermen, retirándose luego las mujeres. «Si una mujer —decía un jefe Kurnai a Howitt— viera estas cosas u oyera lo que decimos a los muchachos, yo mismo la mataría» [11].

Los Yuin —como también otras tribus australianas— ponen a cada novicio bajo la custodia de dos guardianes. Durante todo el tiempo de la iniciación, éstos le preparan la comida, le traen agua y le instruyen revelándole los mitos y las leyendas tradicionales, los poderes de los «medicine-men» y les dan a conocer sus deberes para con la tribu. Una noche se enciende una gran hoguera y los guardianes traen a hombros a los novicios. Les ordenan mirar el fuego sin hacer movimiento alguno, pase lo que pase. A poca distancia detrás de ellos, toman asiento sus madres, completamente tapadas con ramas. Durante diez o doce minutos, los muchachos serán «tostados» al fuego [12]. Cuando el jefe estima que esta

---

[11] HOWITT, *op. cit.*, p. 626.
[12] HOWITT, *op. cit.*, p. 526. También entre los Wotjobaluk el novicio es «tostado» ante el fuego; *cf.* HOWITT, p. 615. El fuego tiene una importante función en las ceremonias de iniciación de otras tribus australianas; *cf.* B. SPENCER y F. J. GILLEN, *The Northern Tribes of Central Australia* (Londres, 1904), p. 389 ss.; ÍD., *The Arunta*, I, p. 295 ss.; W. L. WARNER, *A Black Civilization* (Nueva York, 1937), p. 325; F. SPEISER, «Ueber Initiationen in Australien und Neuguinea» (*Verhandlungen der Naturforschenden Gesellschaft in Basel*, 1929, pp. 56-258), pp. 216-218; GÉZA ROHEIM, *The*

primera prueba iniciática ha durado bastante, y que los novicios están suficientemente «tostados», hace zumbar la bramadera detrás de la fila de mujeres. A dicha señal, los guardianes obligan a los muchachos a correr hacia el cerco sagrado, en donde les ordenan echarse rostro a tierra, cubriéndoles con pieles de opossum y con mantas. Poco después, se autoriza a las mujeres a levantarse, y se alejan algunas millas para instalar un nuevo campamento. Con esto termina la primera ceremonia iniciática, que se compone de la separación de las mujeres y de la prueba de fuego. A partir de esa noche, los novicios participan exclusivamente de la vida de los hombres [13].

Entre los Murring, la separación es más brusca y dramática: las madres, tapadas con mantas, se sientan en el suelo, teniendo a sus hijos ante ellas. En un determinado momento, los hombres, que llegan corriendo, se apoderan de los novicios y huyen [14].

Los Wiradjuri llaman a las ceremonias de iniciación *Guringal*, «lo que pertenece a la espesura de la selva». El cuadro es el mismo: según Howitt, las mujeres se cubren con ramas y con mantas, los guardianes arrebatan a los novicios, llevándoselos a la selva, donde se les frota con ocre rojo [15]. Mathews nos da una descripción más animada: desde el cerco sagrado llega un grupo haciendo zumbar las bramaderas, golpeando el suelo con palos y arrojando ramas ardiendo. Mientras tanto, unos hombres se apoderan sin hacer ruido de los muchachos, llevándoselos a cierta distancia. Una vez que a las mujeres y a los niños se les concede autorización para mirar, no ven a su alrededor más que cenizas y ramas ardiendo; díceseles que Daramulun intentó quemarlos cuando vino a llevarse a los novicios [16].

Eternal Ones of the Dream (Nueva York, 1945), p. 113 ss. El «tostamiento ritual» aparece asimismo en ciertas iniciaciones de los *medicine-men*; cf. A. P. ELKIN, *Aboriginal Men of High Degree*, p. 91 (entre los Kattang), 129 (entre los Maitakudi).

[13] HOWITT, *op. cit.*, p. 525 ss. Como explica un explorador de Cabo York, los novicios son «robados a su madre»; Donald F. THOMSON, «The Hero-Cult, Initiation and Totemism on Cape York» *(The Journal of the Royal Anthropological Institute*, LXIII, 1933, pp. 453-537), p. 474.

[14] HOWITT, *op. cit.*, p. 530.

[15] *Ibid.*, p. 584 ss.

[16] R. H. MATHEWS, «The Burbung of the Wiradjuri Tribes»

El sentido de esta primera fase de la ceremonia —la separación de las madres— está bastante claro. Se trata de una ruptura, un tanto violenta algunas veces, con el mundo de la infancia —a la vez que mundo maternal y femenino, estado de irresponsabilidad y de felicidad infantil, de ignorancia y de asexualidad. La ruptura se efectúa de manera que produzca una fuerte impresión tanto en las madres como en los novicios.

Así, en casi todas las tribus australianas, las mujeres están convencidas de que una divinidad hostil y misteriosa va a matar y devorar a sus hijos, divinidad de la que desconocen incluso el nombre, de la que sólo han oído la voz: el aterrador zumbido de las bramaderas. Les aseguran, claro está, que la divinidad no tardará en resucitar a los novicios en forma de hombres adultos, es decir, iniciados. Pero, de todos modos, los novicios *mueren a la infancia*, y las madres presienten que nunca más volverán a recuperarlos como eran antes de la iniciación: *sus* hijos. Cuando vuelvan definitivamente al campamento, irán las madres a tocarlos para cerciorarse de que son efectivamente sus hijos. En algunas tribus australianas, al igual que en otros pueblos, las madres lloran a los novicios como son llorados los muertos.

Por lo que a los novicios se refiere, la experiencia es aún más decisiva. Conocen por primera vez el miedo y el terror religioso, porque les han advertido que van a ser arrebatados y muertos por los Seres divinos. Mientras se les trataba como a niños, no tomaban parte alguna en la vida religiosa de la tribu. Si, por casualidad, habían oído alusiones a los Seres misteriosos o algún fragmento de los mitos y leyendas, no se percataban de qué podría tratarse. Habían visto quizá a hombres muertos, pero no habían pensado que la muerte tuviera algo que ver con ellos. Era para ellos «algo» exterior, un acontecimiento misterioso que les ocurría a los otros, sobre todo a los ancianos. Pero, de pronto, se ven arrancados de su despreocupada inconsciencia infantil, puestos sobre aviso de que van a morir, de que la divinidad va a matarlos. Ya en el acto de la separación de las madres presienten la muerte, pues se ven arrebatados por

(*Journal of the Royal Anthropological Institute*, XXV, 1896, páginas 295-318; XXVI, 1897, pp. 272-285), espec. I, p. 307 ss.; II, 272 ss.

unos hombres desconocidos, con frecuencia enmascarados, y alejados de su paisaje familiar, echados al suelo y cubiertos de ramas. Por primera vez se enfrentan con una experiencia de las tinieblas que no les es familiar. Ya no se trata de la oscuridad que hasta ahora conocían, del fenómeno natural de la noche —una noche nunca opaca, con su luna, sus estrellas, sus fogatas—, sino de las tinieblas absolutas y amenazantes, pobladas de seres misteriosos y sobre todo terroríficas por la cercanía de la divinidad anunciada por las bramaderas.

La experiencia de las tinieblas, de la muerte y de la proximidad de los Seres divinos va a ser continuamente repetida y ampliada durante toda la iniciación. Como veremos más adelante, gran parte de los ritos y de las pruebas iniciáticas reactualizan el motivo de la muerte en las tinieblas y a manos de los Seres divinos. Pero conviene subrayar desde ahora que el primer acto de la ceremonia implica ya la experiencia de la muerte, al verse los novicios violentamente arrojados a un mundo desconocido, en el que la presencia de los Seres divinos se hace sentir por el terror. El universo maternal era el del mundo profano. El universo en que se adentran ahora los novicios es el del mundo sagrado. Entre ambos hay ruptura, solución de continuidad. El paso del mundo profano al mundo sagrado supone, de un modo u otro, la experiencia de la Muerte: es morir a una determinada existencia para acceder a otra. En el ejemplo que nos ocupa, es morir a la infancia y a la irresponsabilidad de la existencia infantil, es decir, profana, para acceder a una existencia superior: la que hace posible la participación en lo sagrado.

EL «JERAEIL» DE LOS KURNAI

Todo esto resultará aún más claro cuando veamos lo que ocurre con los novicios una vez que los instructores se han hecho cargo de ellos. Para captar mejor la articulación de los distintos momentos rituales e ideológicos en el marco de una ceremonia iniciática, mostraremos algunas de ellas en su integridad, es decir, sin fragmentarlas para analizar separadamente los motivos que comprenden. Esto acarreará fatalmente algunas repeticiones, pero no hay otro modo de hacer ver la sucesión de los momentos rituales, para así poner de manifiesto la estructuración de las diferentes ceremonias iniciáticas. Empezaremos por la más sencilla y menos dramática, la de los Kurnai. Recordemos que, echados en el suelo en el cerco sagrado, y cubiertos con mantas, se duermen los novicios bajo el efecto de una canción monótona. Al despertar, se les provee de un «cinturón de madurez» y comienza la instrucción. El misterio central de la iniciación se llama «Mostrar al Abuelo». Un día, echándose los novicios nuevamente en el suelo, se les cubre la cabeza con mantas. Los hombres se aproximan agitando las bramaderas. El jefe ordena a los novicios desprenderse de las mantas y mirar hacia el cielo, y acto seguido hacia los portadores de bramaderas. Entonces, dos ancianos les dicen: «No deberéis hablar nunca de esto. No hablaréis de ello ni a vuestra madre, ni a vuestra hermana, ni a nadie que no sea *jeraeil*», esto es, que no esté iniciado. Les muestran las dos bramaderas, una grande, la otra más pequeña —llamadas «hombre» y «mujer»—, y el jefe les cuenta el mito del origen de la iniciación.

Hace mucho tiempo vivía en la Tierra un Ser divino: Mungan-Ngaua. Fue él quien civilizó a los Kurnai. Su hijo Tundum es además el antepasado directo de aquéllos. Mungan-Ngaua instauró los misterios de la iniciación y su hijo los dirigió por primera vez, utilizando las dos bramaderas que llevan el nombre suyo y el de su mujer. Pero un traidor descubrió los misterios *jeraeil* a las mujeres. Mungan-Ngaua, enojado, provocó un cataclismo cósmico en el que perecieron casi todos los humanos, y subió poco después al Cielo [17]. Su hijo Tundum y su mujer se transformaron en marsopas. Al tiempo que les cuentan este mito, los viejos entregan a los neófitos las bramaderas invitándoles a hacerlas girar. Tras la revelación de este misterio, vuelven al campamento, pero la instrucción continúa. Les explican sobre todo los deberes del adulto. Los neófitos asisten tam-

---

[17] Notemos de paso que esta desaparición de Mungan-Ngaua en el Cielo equivale a su transformación en *deus otiosus*, fenómeno bastante frecuente entre los Dioses creadores de las religiones primitivas. *Cf.* M. ELIADE, *Traité d'Histoire des Religions* (París, 1949), p. 53 ss. [Hay trad. española con el mismo título, Madrid, Instituto de Estudios políticos, 1954.]

bién a un cierto número de representaciones dramáticas, que ilustran los acontecimientos de los Tiempos míticos. El rito final presenta un nuevo acto de separación de la madre: ella pide a su hijo que le dé de beber, pero éste la salpica con agua. Las mujeres se retiran entonces a su campamento. Howitt vio a una madre llorando a su hijo como si estuviera muerto. Los neófitos, por su parte, permanecerán unos meses más en la selva con sus tutores [18].

Lo esencial de esta ceremonia estriba en comunicar el nombre y el mito del Ser supremo, y en la revelación de su relación con las bramaderas y el misterio de la iniciación. El *jeraeil* de los Kurnai no incluye ninguna mutilación ritual. La iniciación se limita a una instrucción religiosa, moral y social. Esta forma de iniciación se ha venido considerando como la más sencilla y más antigua, a la vez, de Australia [19]. Llama la atención, en efecto, la ausencia de pruebas violentas y, en general, el carácter pacífico de la ceremonia.

DARAMULUN Y LA INICIACIÓN ENTRE LOS YUIN

En otras tribus australianas, los elementos dramáticos adquieren mayor relevancia. Veamos, por ejemplo, cómo se desarrolla la ceremonia entre los Yuin y los Murring, después de separar a los novicios de sus ma-

---

[18] HOWITT, *op. cit.*, p. 628 ss.

[19] Esa es la opinión de WILHELM SCHMIDT, *Der Ursprung der Gottesidee*, vol. III (Münster, 1931), pp. 621-623. La simplicidad de la iniciación, es decir, la ausencia de toda mutilación ritual (extracción del incisivo, circuncisión, etc.), es igualmente una característica de ciertas tribus del Norte. Véase la descripción de las ceremonias iniciáticas de los habitantes de la isla Melville, de las poblaciones de Port-Essington, de los Kakadu y de los Larakia, en B. SPENCER, *Native Tribes of the Northern Territory* (Londres, 1914), p. 91 ss., 115 ss. F. SPEISER estima que las iniciaciones realizadas en el Northern Territory, y sobre todo la de la isla Melville, constituyen la forma original y más antigua de las iniciaciones australianas (*cf.* «Ueber Initiationen in Australien und Neuguinea», pp. 59-71, 247; Speiser coloca la iniciación de los Kurnai inmediatamente después del tipo del Northern Territory, *ibid.*, p. 249). La clasificación de Speiser no se impone, ya que el Northern Territory, y sobre todo la isla Melville, han sufrido fuertes influencias melanesias. Véase más adelante pp. 52, 88.

30

dres. Los hombres agitan las bramaderas y con el brazo en alto señalan al Cielo: este gesto significa «El Gran Maestro» (*Bimban*), el Ser supremo, cuyo verdadero nombre, ignorado por las mujeres y por los no iniciados, es Daramulun. Los instructores cuentan a los novicios los mitos de Daramulun, ordenándoles no mencionar nunca tales cosas ante las mujeres y los niños. Poco después, se dirigen todos en procesión hacia la montaña[20]. En cada alto del camino ejecutan danzas mágicas. Los hombres-medicina transmiten su influencia mágica a los novicios para que éstos sean agradables a Daramulun. Cerca ya de la montaña, los guardianes y los novicios se reúnen en un campamento aparte, mientras los demás hombres preparan en la selva un terreno despejado. En cuanto está dispuesto, los tutores conducen allí a los novicios. Como de costumbre, éstos sólo miran al suelo. Cuando súbitamente les ordenan levantar la vista, ven ante sí a unos hombres disfrazados y enmascarados, y, al lado, tallada en un árbol, la figura de Daramulun, de tres pies de alta. Luego los guardianes les tapan los ojos y el jefe de los hombres-medicina se acerca danzando, sujeta la cabeza de cada novicio y le salta un diente incisivo con un buril y un martillo pequeño. El muchacho no debe escupir la sangre; de lo contrario no se cerrará la herida.

Los novicios soportan generalmente esta prueba iniciática con admirable indiferencia. A continuación, les conducen junto al árbol que lleva la imagen de Daramulun, y les revelan el gran misterio. Daramulun vive más allá del Cielo, desde donde mira lo que hacen los hombres. El es quien cuida del hombre después de la muerte. El es quien instituyó la ceremonia de iniciación y la enseñó a los antepasados. Los hombres-medicina reciben su poder de Daramulun. «El es el Gran Maestro que puede hacer cuanto quiere e ir donde le plazca; él es quien dio las leyes tribales a los padres, quienes las transmitieron de generación en generación hasta hoy»[21]. El hombre-medicina advierte a los novicios que los matará si reproducen la efigie de Daramulun en el campamento principal. Cada novicio recibe un cinturón viril, hecho de

---

[20] El camino recorrido procesionalmente, desde el campamento hasta la montaña, corresponde al sendero que une los dos círculos del campo sagrado; *cf.* Howitt, p. 536.

[21] Howitt, p. 543.

piel de opossum. Tras lo cual regresan todos al campamento menor, en la entrada de la espesura, donde tendrán lugar gran número de danzas y pantomimas, imitando el comportamiento de diversos animales. Como señalaron Spencer y Gillen a propósito de los Arunta, dichas danzas y pantomimas tienen una profunda significación religiosa, «pues cada actor representa a un antepasado que vivía en los tiempos *Alchera*»[22]. Se realizan, pues, los acontecimientos míticos para que los nuevos iniciados puedan asimilar la herencia religiosa de la tribu. Las danzas pueden durar tres horas, repitiéndose al día siguiente.

Una última pantomima simboliza la muerte y la resurrección. En una fosa se entierra a un hombre-medicina, mientras se entonan las invocaciones a Daramulun. De repente, el hombre-medicina se levanta de la tumba, con unas «sustancias mágicas» *(joia)* en la boca, que dice haber recibido en aquel instante de Daramulun. A mediodía, va todo el grupo a bañarse a un arroyo. «Todo lo que guarda relación con lo ocurrido en la selva (*i. e.* la iniciación) queda borrado, de manera que las mujeres no puedan saber nada del asunto»[23]. Entonces, muestran a los iniciados las bramaderas, dirigiéndose luego todos al campamento principal. Untados con ocre rojo, los iniciados se asemejan ahora a los otros hombres. Las mujeres los esperan, «llevando cada madre una raya de arcilla blanca a través del rostro, en señal de duelo»[24]. Los jóvenes iniciados vivirán en adelante en la selva, sustentándose únicamente de algunos animales pequeños, pues se encuentran sometidos a múltiples prohibiciones de tipo alimentario. Seis o siete meses permanecerán en la selva, continuamente vigilados por los tutores, quienes de vez en cuando van a visitarlos[25].

En esta larga y animada ceremonia, llaman en primer lugar nuestra atención algunas notas: se observa una

---

[22] B. SPENCER y F. J. GILLEN, *The Arunta*, I, p. 187. La recapitulación dramática y coreográfica de los acontecimientos primordiales es tema común a todas las iniciaciones australianas. *Cf.* también DONALD F. THOMSON, «The Hero Cult, Initiation and Totemism on Cape York», p. 488, y *passim;* RALPH PIDDINGTON, «Karadjeri Initiation» (*Oceania*, III, 1932-33, pp. 46-87), 70 ss.

[23] HOWITT, *op. cit.*, p. 557.

[24] *Ibid.*, p. 559.

[25] HOWITT, *op. cit.*, pp. 527-562.

acentuación del secreto y sobre todo la dramatización del ritual. Este se compone de varios momentos principales: danzas de los hombres-medicina y exhibición de sus poderes mágicos; revelación dramática del nombre y del mito del Ser supremo, extirpación violenta del incisivo del novicio. El papel que desempeña Daramulun es capital: el Ser divino está presente a un tiempo en el zumbido de las bramaderas y en la imagen tallada en el árbol. En cuanto a la pantomima de la muerte y de la resurrección del hombre-medicina, nos hace ver a un tiempo que es Daramulun quien le resucita y quien le recibe personalmente para darle «sustancias mágicas». En ninguna otra ceremonia de pubertad desempeña el Ser supremo una función tan importante. Todas las pruebas a las que el novicio ha de someterse se sufren en nombre de Daramulun, y todas las revelaciones se refieren a sus gestos y poderes.

SIMBOLISMO DE LA MUERTE INICIÁTICA

La función del Ser supremo es también importante en las ceremonias de iniciación de los Wiradjuri [26]. Una vez en la selva, los novicios son adoctrinados por los tutores y asisten a las danzas de los hombres-medicina, quienes, embadurnados con polvo de carbón, hacen alarde de sus poderes mágicos, exhibiendo objetos que dicen haber extraído de sus entrañas. Una de las representaciones más espectaculares es la siguiente: El jefe de los hombres-medicina desaparece, volviendo al cabo de unos momentos cubierto con ramas y follaje y dice haberlo cogido en el campamento de Baiame. Para los Wiradjuri, Daramulun no es, como para los Yuin, un Ser supremo, sino el hijo o el servidor de Baiame, Dios supremo por excelencia. Daramulun tiene, sin embargo, el papel principal en el rito de la extracción del incisivo. Según la descripción de Mathews [27], a los novicios se les cubre con mantas, diciéndoles que Daramulun va a quemarlos. Mientras les saltan el diente, se oye la bramadera. Des-

[26] *Ibid.*, p. 585 ss.
[27] R. H. MATHEWS, «The Burbung of the Wiradjuri Tribes» (*Journal Anthrop. Inst.*, XXV, 1896), p. 311.

tapándolos bruscamente, les señalan con el dedo dicho objeto, gritando: «¡He ahí a Daramulun!» Se les da autorización para tocar las bramaderas, que inmediatamente son destruidas o cuidadosamente quemadas. Según un mito resumido por Mathews [28], Daramulun decía a su padre, o señor, Baiame, que durante la iniciación él mataba a los muchachos, los cortaba en trozos, los quemaba y después los devolvía a la vida, como «seres nuevos, pero con un diente menos». Según otras variantes, los tragaba y, al cabo de cierto tiempo, los vomitaba vivos.

De este importantísimo motivo iniciático —engullimiento por un Ser divino o un monstruo— hablaremos más adelante. De momento, digamos que, también para otras tribus, es Daramulun quien mata y resucita a los neófitos durante la iniciación. Los Wonghibon, una de las tribus Wiradjuri, dicen que Thurmulun coge al novicio, le mata, a veces le fracciona en trocitos, y le resucita luego quitándole un diente [29]. Entre los Turbal, cuando de noche se oye la bramadera, creen las mujeres y los niños que los hombres-medicina devoran a los novicios [30]. En este ejemplo se confunde a los hechiceros con el Ser mítico encarnado en la bramadera y autor del rito. Según Spencer y Gillen, entre los Unmatjera y los Kaitish, y entre los Binbinga del golfo Carpentaria, las mujeres y los niños están convencidos de que el zumbido de las bramaderas es la voz del Espíritu que come a los novicios, o que los mata y los resucita [31]. Subrayemos de momento esta conexión entre la muerte iniciática llevada a cabo por un Ser divino y el zumbido de la bramadera. Más adelante veremos que dicho zumbido es el símbolo de una divinidad dispensadora de la vida, la sexualidad y la fecundidad, así como de la muerte.

Volviendo al tema de los Wiradjuri, Howitt consignó un detalle muy significativo en relación con la permanencia en la selva: los hombres desprenden de la corteza

---

[28] *Ibid.*, *op. cit.*, p. 297.

[29] A. L. P. CAMERON, «On some Tribes of New South Wales» (*Journ. Anthrop. Inst.*, XIX, 1885, p. 344 ss.), pp. 357-58; *cf.* también HOWITT, *op. cit.*, 588-89. Mito y ritual similares entre los Euahlayi; *cf.* K. L. PARKER, *The Euahlayi Tribe* (Londres, 1905), páginas 62-64.

[30] HOWITT, *op. cit.*, p. 596.

[31] B. SPENCER y F. J. GILLEN, *The Northern Tribes of Central Australia*, pp. 343, 347, 366.

de un árbol un trozo cortado en espiral, que representa, según ellos, el camino entre el Cielo y la Tierra. Se trata, a nuestro parecer, de una reactivación mística de los lazos que unen el mundo humano con el mundo celeste, divino. Según los mitos, el primer hombre creado por Baiame subía al Cielo por un sendero y conversaba con su creador [32]. Así se explica el papel que desempeña la espiral de corteza de árbol durante las fiestas de iniciación: la espiral, símbolo de ascensión, refuerza los lazos de unión con el mundo celeste de Baiame. Luego veremos que el simbolismo de la ascensión celeste se encuentra presente en otros tipos de iniciación en Australia. Para concluir la descripción de la ceremonia de los Wiradjuri, añadiremos que, cuando los novicios regresan al campamento principal, las madres los miran como a seres extraños. Los golpean con una rama y ellos huyen de nuevo a la selva, donde esta vez permanecerán casi un año. Es la separación definitiva de la madre. Vigilados por sus guardianes, los novicios se encuentran sujetos a numerosos tabús alimentarios. Se les prohíbe acercarse al campamento, mirar a las mujeres y acostarse antes de que la «Vía Láctea cruce del todo el Cielo» [33].

SIGNIFICACIÓN DE LAS PRUEBAS INICIÁTICAS

Insistiremos en un detalle: los novicios Wiradjuri no pueden acostarse sino bastante tarde. Se trata ahí de una prueba específicamente iniciática, prácticamente universal, que se da incluso en las religiones bastante evolucionadas. No dormir, no es únicamente vencer el cansancio físico, es sobre todo dar muestras de voluntad y fuerza espiritual: permanecer despierto indica que se es consciente, presente en el mundo, responsable. Los Yuri-ulu zarandean continuamente a los novicios para que no puedan dormir [34]. Los Narriniyeri conducen a los jóvenes a media noche a la selva, donde durante tres

---

[32] HOWITT, op. cit., p. 502. Véanse otros ejemplos en M. ELIADE, Le Chamanisme et les techniques archaïques de l'extase (París, 1951), p. 134 ss.
[33] HOWITT, op. cit., pp. 587-588.
[34] Ibid., p. 654.

días no comen ni duermen. Y durante el resto de su segregación no se les permite beber agua más que «aspirándola por una caña» [35]. Costumbre indudablemente muy arcaica, puesto que la encontramos en las iniciaciones de pubertad de los habitantes de la Tierra de Fuego [36]. Quieren acostumbrar al muchacho a beber muy poco; de igual modo, las innumerables prohibiciones alimentarias tienen como fin prepararle para una vida difícil. Todas esas pruebas de resistencia física [37] —prohibición de dormir, de beber, de comer durante los tres o cuatro primeros días— se encuentran también entre los Yamana de la Tierra de Fuego [38] y en las tribus de California occidental [39]. Lo cual significa que forman parte probablemente de un fondo cultural muy arcaico.

Pero las prohibiciones de alimentos tienen también una función religiosa bastante compleja, que no tenemos intención de tratar aquí. Baste señalar que en algunas tribus se van levantando las prohibiciones alimentarias a medida que el novicio, gracias a los mitos, a las danzas y pantomimas, llega a conocer el origen religioso de cada especie alimenticia. También existe la prohibición ritual de tocar los alimentos con los dedos. Entre los Ngarigo, por ejemplo, durante los seis meses que el novicio permanece en el bosque, es el guardián quien le mete la comida en la boca [40]. De esto se puede concluir

---

[35] *Ibid.*, p. 674. *Cf.* la prohibición de beber durante el día entre los candidatos a la iniciación del Cabo York: THOMSON, página 483.

[36] Entre los Yamana, los Halakwulup y los Selknam, los candidatos a la iniciación se ven obligados a beber con un hueso de ave. *Cf.* JOSEF HAEKEL, «Jugendweihe und Männerfest auf Feuerland. Ein Beitrag zu ihrer kulturhistorischen Stellung» (*Mitteilungen der Österreichischen Gesellschaft für Anthropologie, Ethnologie und Prähistorie,* LXXIII-LXXVII, Viena, 1947, pp. 84-114), páginas 91, 114.

[37] «Antes de llegar a su destino, se obliga a los jóvenes a atravesar malezas y cañas y a trepar a árboles pequeños para poner a prueba su fuerza física»: JOHN NILLES, «The Kuman of the Chimbu Region, Central Highlands, New Guinea» (*Oceania,* XXI, 1950, pp. 25-65), p. 37.

[38] JOSEF HAEKEL, *loc. cit.;* cf. WILHELM SCHMIDT, *Der Ursprung der Gottesidee,* vol. II (Münster, 1929), p. 949.

[39] W. SCHMIDT, *Ursprung,* V (1935), p. 78; VI (1937), p. 132.

[40] HOWITT, *op. cit.,* p. 563. Otra prohibición ritual consiste en no tocarse el cuerpo con los dedos: el neófito debe utilizar un rascador; *cf.* THOMSON, *op. cit.,* p. 483. Encontramos idéntica

que, al estar considerado como un recién nacido, el novicio es incapaz de alimentarse solo. Más adelante veremos que algunas ceremonias de pubertad asimilan al novicio a un niño de pecho que no puede servirse de sus manos ni hablar. En otras regiones del mundo, la prohibición de servirse de los dedos obliga a los novicios a coger la comida directamente con la boca, como lo hacen algunos animales y, según creen ellos, las almas de los muertos. Esto se explica por el hecho de que, aislados en el bosque los novicios están considerados efectivamente como muertos, como seres similares a espectros. Señalaremos desde ahora el simbolismo ambivalente de la segregación en la jungla: se trata de una muerte a la condición profana, entendida a la vez como transformación en «espíritu» y como comienzo de una nueva vida —comparable, por tanto, a la de los recién nacidos.

En el doble sentido de muerte y de regresión a la primera infancia, puede interpretarse también la prohibición de hablar. El neófito es o un «muerto», o un «recién nacido» —más exactamente, un ser que está naciendo. Resulta ocioso citar ejemplos: en Australia, casi en todas partes los novicios están obligados al silencio. Unicamente se les permite responder a las preguntas de quienes les instruyen. En algunas tribus, echados en el suelo —por tanto, simbólicamente muertos— no están los novicios autorizados a utilizar la palabra: no pueden sino emitir sonidos imitando los gritos de los animales y de los pájaros. Los novicios Karadjeri emiten un sonido especial, precisando después mediante gestos aquello que necesitan [41]. En un sentido análogo debemos interpretar las diversas prohibiciones visuales. Efectivamente, los candidatos a la iniciación sólo pueden mirar al suelo, caminan siempre con la cabeza baja, o cubiertos con ramas y mantas, o les vendan los ojos. Las tinieblas son un símbolo del *Otro Mundo*, tanto de la muerte como del estado fetal. Sea cual fuere la significación atribuida a la segregación en la selva —sea que la consideremos como muerte o como regreso al estado prenatal—, lo cierto es que el novicio no se encuentra ya en un mundo profano.

---

costumbre entre los habitantes de Tierra de Fuego; *cf.* W. Schmidt, *Ursprung*, VI, 132-133.

[41] Ralf Piddington, «Karadjeri Initiation», p. 67.

Mas todas esas prohibiciones —privación de alimentos, mutismo, vida en las tinieblas, no poder ver o ver solamente el suelo— constituyen asimismo ejercicios ascéticos. El novicio se ve obligado a concentrarse, a meditar. Las distintas pruebas físicas tienen, pues, también una significación espiritual. Al neófito se le prepara para las responsabilidades de la vida adulta a la vez que se le despierta progresivamente a la vida del espíritu. Las pruebas y las restricciones corren parejas con la instrucción por medio de mitos, danzas, pantomimas. Las pruebas físicas tienen una finalidad espiritual: introducir al niño en la cultura, «abrirle» a los valores del espíritu. A los etnólogos les ha llamado la atención el máximo interés con que los novicios escuchan las tradiciones míticas y participan en la vida ceremonial. «Los neófitos —escribe N. B. Tindale— dan muestras de extraordinaria avidez por la vida ceremonial y la revelación del significado escondido de las tradiciones mitológicas y de las prácticas de la tribu» [42]. Antes o después de la circuncisión, emprende el novicio largos viajes en compañía de sus guardianes, siguiendo el itinerario de los Seres míticos —debiendo evitar durante todo ese tiempo el encuentro con los seres humanos, sobre todo con las mujeres [43]. En algunos casos, al no tener el novicio autorización para hablar, agita su bramadera para avisar a eventuales transeúntes [44]. Como dicen los aborígenes de Musgrave Ranges, el novicio es un *Wangarapa*, «un muchacho que se esconde» [45].

Entre las pruebas iniciáticas australianas, conviene señalar aún dos ceremonias: 1) el acto de arrojar fuego por encima de las cabezas de los novicios; 2) el lanzamiento de los novicios al aire. Esta última ceremonia es peculiar de los Arunta, para quienes constituye el primer acto de una larguísima iniciación que durará varios

---

[42] NORMAN B. TINDALE, «Initiation among the Pitjandjara Natives of the Mann and Tomkinson Ranges in South Australia» (*Oceania*, VI, 1935, pp. 199-224), pp. 222-223.
[43] SPENCER y GILLEN, *The Northern Tribes of Central Australia*, p. 365; W. LLOYD WARNER, *A Black Civilization*, pp. 260-285; R. PIDDINGTON, «Karadjeri Initiation», p. 67; G. ROHEIM, *The Eternal Ones of the Dream*, p. 13.
[44] *Cf.*, p. ej., TINDALE, *op. cit.*, p. 220.
[45] CHARLES P. MOUNTFORD, *Brown Men and Red Sand* (Melbourne, 1948), p. 33.

años [46]. El hecho de arrojar fuego es probablemente un rito purificador en relación con el rayo, pero tiene también un significado sexual. Por lo que se refiere al lanzamiento de los novicios al aire, admite dicho rito un doble significado: ofrenda del neófito al Dios del Cielo, o símbolo de ascensión. Pero ambos son complementarios; se trata, en suma, de la presentación del novicio al Ser celeste. Esta ceremonia está en relación con los otros ritos de ascensión que se encuentran en las ceremonias de iniciación. Así, durante la ceremonia *Umba,* ha de trepar el novicio a un árbol joven, previamente despojado de sus ramas. Cuando llega a la punta, todos los de abajo estallan en hurras [47]. Los Kurnai, inmediatamente antes de regresar al campamento, proceden a lo que ellos llaman el juego del opossum. Con un árbol de unos veinte pies, sin ramas, construyen un mástil, y, uno tras otro, trepan a él los instructores al modo como lo hace el opossum [48]; pero esta explicación es probablemente secundaria. Entre los Wiradjuri [49] encontramos una costumbre análoga.

Para los Karadjeri, la subida al árbol constituye una ceremonia iniciática particular, llamada *laribuga:* en la selva, mientras los hombres entonan una canción sagrada, el iniciado trepa a un árbol. Piddington nos dice que el tema de la canción guarda relación con un mito del árbol, pero los Karadjeri han olvidado su significado [50]. Se puede adivinar, sin embargo, el sentido del ritual: el árbol simboliza el eje cósmico, el Arbol del Mundo: subiendo por él, el iniciado entra en el Cielo. Por tanto, se trata probablemente de una ascensión, tal

---

[46] SPENCER y GILLEN, *The Arunta,* I, p. 175 ss. Para los Pitjandjara, *cf.* TINDALE, p. 213.

[47] HOWITT, p. 609. Entre los Arunta, después de la subincisión, los novicios besan el poste sagrado (SPENCER y GILLEN, *The Northern Tribes,* p. 342). Ahora bien, para algunos de los clanes Arunta —p. ej., los Achilpa— el poste sagrado *(kauwaauwa)* es un símbolo del *Axis Mundi; cf.* SPENCER y GILLEN, *The Arunta,* I, p. 378 ss. Acerca de la función ritual y de la significación cosmológica del poste sagrado de los Achilpa, véase E. DE MARTINO, «Angoscia territoriale e riscato culturale nel mito. Achilpa delle origini» (*Studi e Materiali di Storia delle Religioni,* XXII, 1951-1952, pp. 51-66).

[48] HOWITT, *op. cit.,* p. 631.

[49] R. H. MATHEWS, «The Burbung of the Wiradjuri Tribes» (*Journ. Anthrop. Inst.,* XXVI, 1897), p. 277.

[50] R. PIDDINGTON, «Karadjeri Initiation», p. 79.

como muchas veces la practican a su vez los hombres-medicina, durante las ceremonias iniciáticas. Así, durante la *bora*, los Chepara llevan a cabo el siguiente ritual: hincan un árbol joven en el suelo, con las raíces hacia arriba, y colocan a su alrededor algunos árboles, descortezados, pintados con ocre y unidos entre sí con tiras de corteza. Encima del árbol invertido se sienta un hombre-medicina, saliéndole una cuerda por la boca. Dice representar al Ser Supremo, Maamba. Los Chepara creen que, durante la noche, aquél sube al Cielo para ver a Maamba y tratar con él de los asuntos de la tribu. Los hombres-medicina muestran a los novicios un cristal de cuarzo que han recibido, según ellos, de Maamba y que transmite la virtud de poder volar al Cielo a todo aquel que traga un trozo de dicho cristal [51].

Subir al Cielo por un árbol, volar en virtud de un cristal de cuarzo, constituyen otros tantos motivos propiamente chamánicos, bastante frecuentes en Australia, pero existentes también en otros lugares [52]. Examinaremos más de cerca dichos motivos al hablar de las iniciaciones chamánicas. Por el momento notemos que el simbolismo de la ascensión, tal como se presenta en los ritos del lanzamiento al aire de los novicios y de la subida a los árboles domina ciertas ceremonias de pubertad australianas. Dos conclusiones se desprenden, a nuestro parecer, de todo ello: 1.º, los Seres supremos celestes debieron tener, en el pasado, una función bastante importante en dichas ceremonias, ya que los ritos de as-

---

[51] HOWITT, *op. cit.*, pp. 581-582. Acerca de la cuerda mágica de los *medicine-men* de Australia del sureste, A. P. Elkin nos da la siguiente información: «Dicha cuerda concede la virtud de llevar a cabo proezas maravillosas; por ejemplo, al *medicine-men* la de emitir fuego de su vientre, a la manera de un cable eléctrico. Más interesante aún es el uso que se hace de la cuerda para trasladarse hacia el Cielo, o a la punta de los árboles, o en el espacio. En la fiesta de la iniciación, en pleno entusiasmo ceremonial, se echa el hechicero boca arriba debajo de un árbol, hace elevarse la cuerda y trepa por ella hasta un nido situado en la punta del árbol; pasa luego a otros árboles, y, al ponerse el sol, desciende a lo largo del tronco» (A. P. ELKIN, *Aboriginal Men of High Degree*, p. 64). Acerca de la «cuerda mágica», *cf.* nuestro estudio: «Remarques sur le "rope-trick"» (*Mélanges Paul Radin*). Sobre los ritos y simbolismos de la ascensión, véanse capítulos IV y V.

[52] Véanse algunos ejemplos en M. ELIADE, *Le Chamanisme et les techniques archaïques de l'extase*, p. 125 ss., 134 ss.

censión conservan un carácter arcaico, habiéndose oscurecido en la actualidad, como acabamos de ver, su significado original, cuando no ha sido totalmente olvidado; 2.º, los hombres-medicina reciben sus poderes mágicos de los Seres celestes, a quienes representan con frecuencia en las ceremonias, y son ellos los encargados de revelar a los novicios las tradiciones concernientes a esos Seres divinos, que se retiraron al Cielo. En otras palabras, los símbolos ascensionales que vemos en los ritos de pubertad parecen indicar que, antiguamente, hubo relaciones más estrechas entre los Dioses celestes y las ceremonias de iniciación.

INICIACIÓN Y REGENERACIÓN COLECTIVA

Las tribus en las que hasta ahora hemos escogido los ejemplos de ritos de pubertad no practican, como operación iniciática, más que la extracción del incisivo. Pero en gran parte de Australia el rito tribal propio es la circuncisión, a la que la mayoría de las veces sigue una nueva operación, la subincisión. Hay otras mutilaciones iniciáticas en Australia: el tatuaje, el arrancado de mechones, la escarificación de la piel de la espalda. Como quiera que la circuncisión y la subincisión están cargadas de significados bastante complejos, y llevan consigo la revelación de los valores religiosos de la sangre y de la sexualidad, serán tratadas en el capítulo siguiente. Completaremos a la vez el análisis de los ritos de pubertad, presentando ejemplos escogidos en otras religiones primitivas, y poniendo de relieve el simbolismo del renacimiento místico. A sabiendas hemos insistido sobre todo en el simbolismo de la muerte, a fin de no complicar demasiado esta primera exposición. Convenía subrayar que los ritos de pubertad, precisamente porque operan la introducción del neófito en la zona de lo sacro, implican la muerte a la condición profana, es decir, la muerte a la infancia.

Pero ya hemos visto cómo esta muerte iniciática de los niños da lugar al mismo tiempo a una festividad intertribal que regenera la vida religiosa colectiva. Las iniciaciones australianas se inscriben, pues, en un Misterio cósmico. Los hombres ya iniciados y los novicios abandonan el paisaje familiar del campamento común para revivir —en el cerco sagrado o en la selva— los acontecimientos primordiales, la historia mítica de la tribu. Reactualizar los mitos del origen implica, como hemos podido ver, la participación en los «Tiempos del Sueño», en el Tiempo santificado por la presencia mística de los Seres divinos y de los antepasados. Por lo que a nuestro estudio respecta, poco importa que los Seres Supremos celestes no aparezcan continuamente en primer plano en las ceremonias de iniciación: ni que su función, como luego veremos, sea atribuida en algunas poblaciones a los Antepasados o a otras Figuras míticas con aspecto, a veces, «demónico». Lo importante es que estos Seres sobrehumanos, sea cual fuere su estructura, representan para la tribu respectiva, el mundo de las realidades trascendentes y sagradas. Importante asimismo es el hecho de que las ceremonias iniciáticas reactualicen los tiempos míticos en los que los Seres divinos estaban ocupados en crear u organizar la Tierra; dicho de otro modo, la iniciación se considera como efectuada por los Seres divinos o en presencia de ellos.

La muerte mística de los novicios no tiene, pues, un carácter negativo. Por el contrario, esta muerte a la infancia, a la asexualidad, a la ignorancia, a la condición profana en suma, es ocasión de una regeneración total del Cosmos y de la colectividad. Al repetir sus gestos creadores, Dioses, Héroes civilizadores, Antepasados míticos se tornan de nuevo presentes y activos en la Tierra. La muerte mística de los niños y su despertar a la comunidad de los hombres iniciados, forma parte de una grandiosa reiteración de la cosmogonía, de la antropogonía y de todas las «creaciones» que caracterizaron la época primordial, los «Tiempos del Sueño». La iniciación recapitula la historia sagrada de la tribu, y por lo tanto, en definitiva, la historia sagrada del Mundo. Merced a esta recapitulación, el Mundo entero es de nuevo santificado. Los niños mueren a la condición profana para resucitar a un mundo nuevo; tras las revelaciones recibidas durante la iniciación, el mundo se concibe como obra sagrada, como creación de los Seres sobrenaturales.

Hemos de subrayar este hecho, que constituye un motivo fundamental, existente en todos los tipos de iniciación: la experiencia de la muerte y de la resurrección iniciáticas no sólo modifican radicalmente la condición ontológica del neófito, sino que al mismo tiempo le revelan la santidad de la existencia humana y del Mundo, al revelarle este gran misterio, común a todas las religiones: el hombre, el Cosmos, todas las formas de Vida, son creación de los Dioses o de los Seres sobrehumanos. Ahora bien, esta revelación viene comunicada por los mitos de origen. Al conocer de qué modo las cosas vinieron al ser, conoce a la vez el neófito que él es creación de Otro, resultado de tal o cual acontecimiento primordial, consecuencia de una serie de acontecimientos mitológicos, de una «historia sagrada» en suma. El hombre se encuentra vinculado a una «historia sagrada» exclusivamente comunicable a los iniciados: en este descubrimiento reside el punto de partida de una duradera floración de formas religiosas.

CAPÍTULO II

RITOS DE PUBERTAD E INICIACIONES TRIBALES EN LAS RELIGIONES PRIMITIVAS

(Continuación)

PRUEBAS INICIÁTICAS: LA BRAMADERA
Y LA CIRCUNCISIÓN

En aquellos lugares de Australia en los que no se practica la extirpación del incisivo, la iniciación de la pubertad comprende generalmente la circuncisión, a la que sigue, algo después, una nueva operación, la subincisión [1]. Algunos etnólogos consideran la circuncisión australiana como un fenómeno cultural reciente [2]. Según W. Schmidt y F. Speiser, esta costumbre habría sido traída a Australia por una corriente cultural proveniente de Nueva Guinea [3]. Sea cual fuere su origen, la circuncisión constituye el rito de pubertad por excelencia lo mismo en Oceanía entera que en Africa, siendo asimismo conocido en algunas poblaciones de América del Norte

---

[1] Véase la lista de tribus que, practicando la circuncisión, ignoran la subincisión, en F. SPEISER, «Ueber Initiations in Australien und Neuguinea», pp. 82-84, y en AD. E. JENSEN, *Beschneidung und Reifezeremonien bei Naturvölkern* (Stuttgart, 1933), página 105.

[2] *Cf.* F. GRAEBNER, «Kulturkreise in Ozeanien» (*Zeitschrift für Ethnologie*, 1905, pp. 28-53, 764-766), p. 764; F. SPEISER, «Ueber Initiationen», p. 197.

[3] W. SCHMIDT, «Die Stellung der Aranda» (*Zeitschrift für Ethnologie*, 1908, pp. 866 ss.), espec. pp. 898-900; F. SPEISER, «Ueber die Beschneidung in der Südsee» (*Acta Tropica*, I, 1944, páginas 9-29), p. 27. Speiser ve en la circuncisión un elemento cultural austronesio, difundido —partiendo de Indonesia— en Melanesia y en Australia.

y del Sur [4]. Como rito iniciático de pubertad, la circuncisión conoce una vastísima difusión, casi universal. No vamos a ocuparnos de este problema en toda su amplitud, limitándonos por fuerza a algunos de sus aspectos, en especial a la relación entre el rito de la circuncisión y la revelación de las realidades religiosas.

Lo que primero llama la atención, tanto en Australia como en otros lugares, es el hecho de que la circuncisión sea considerada no como efectuada por hombres, sino por Seres divinos o «demónicos». No es la simple repetición de un acto instituido por los Dioses o los Héroes civilizadores en los tiempos míticos. Implica la *presencia activa* de los Seres sobrehumanos. Cuando las mujeres y los niños Arunta oyen las bramaderas, creen que se trata de la voz del Gran Espíritu Twanyirrika que viene a llevarse a los jóvenes. En efecto, al ir a circuncidar a los muchachos, les dan a éstos bramaderas *(churinga)* [5]: creen, pues, que el propio Gran Espíritu es quien lleva a cabo la operación. Según nos notifica Strehlow, los Arunta se imaginan que la ceremonia ocurre de la manera siguiente: el novicio es conducido ante Twanjiraka, el cual le dice: «¡Mira hacia las estrellas!» Cuando el muchacho levanta la cabeza, el Gran Espíritu le corta la cabeza. Se la vuelve a colocar al día siguiente, cuando aquélla empieza a descomponerse, y le resucita [6]. En la tribu de los Pitjandjara, un hombre surge de la selva con una lasca de sílex, circuncida a los novicios, y desaparece inmediatamente [7]. Los Karadjeri circuncidan al neófito con los ojos vendados y taponados los oídos;. inmediatamente después de la operación, le enseñan las bramaderas, y una vez que la sangre de su herida está ya seca, los instrumentos de sílex con los que fue operado [8]. Los Kukata efectúan la circuncisión mientras las bramaderas

---

[4] *Cf.* AD. E. JENSEN, *Beschneidung*, p. 21 s., 73 (Africa), páginas 115-128 (las dos Américas).

[5] SPENCER y GILLEN, *The Arunta*, I, p. 202 ss.; *cf.* también *The Northern Tribes of Central Australia*, pp. 334 ss., 342 ss. La bramadera encarna la mitología del Ser sobrenatural Djamar: cuando zumba la bramadera, Djamar se hace presente; *cf.* WORMS, «Djamar, the Creator», p. 657.

[6] C. STREHLON, *Die Aranda-und Loritja-Stämme in Zentralaustralien*, IV (Frankfurt a. Main, 1920), p. 24 ss.

[7] N. B. TINDALE, «Initiation among the Pitjandjara Natives», páginas 218-219.

[8] R. PIDDINGTON, «Karadjeri Initiation», p. 71 ss.

zumban y escapan aterrados las mujeres y los niños[9]. Las mujeres Anula creen que el zumbido de las bramaderas es la voz del Gran Espíritu Gnabaia, que se traga a los novicios para vomitarlos luego, ya iniciados[10].

Resulta ocioso multiplicar los ejemplos[11]. En resumen, la circuncisión se presenta como un acto sagrado, ejecutado en nombre de los Dioses o de los Seres sobrehumanos encarnados en, o representados por, los operadores y sus instrumentos rituales. El zumbido de las bramaderas antes o después de la circuncisión, señala la presencia de los Seres divinos. Recuérdese que para los Yuin, los Kurnai y las demás tribus del sudeste australiano, donde la circuncisión no se practica, el misterio central de la iniciación implica, entre otras cosas, la revelación de la bramadera como instrumento o voz del Dios celeste o de su hijo o servidor. Esta identificación del zumbido de la bramadera con la voz del Dios es una idea religiosa sumamente antigua: se encuentra en las tribus de California y entre los pigmeos Ituri, es decir, en zonas histórico-culturalmente situadas dentro de la *Urkultur*[12]. La idea complementaria de que el zumbido de la bramadera representa el Trueno, está aún más extendida, pudiendo ser constatada en numerosas poblaciones de Oceanía, de Africa, de las dos Américas, y de igual modo en la antigüedad griega, en la que el rombo era considerado como el «Trueno de Zagreo»[13]. Parece, pues, muy probable que en la teología y mitología de la bramadera estamos ante una de las concepciones religiosas más viejas de la humanidad. El hecho de que, en el sudeste australiano, se hallen presentes las bramaderas en las iniciaciones efectuadas bajo el signo de los Seres supremos celestes, constituye una prueba más del arcaísmo de esta forma de iniciación[14].

---

[9] H. BASEDOW, *The Australian Aboriginal* (Adelaide, 1925), página 241 ss.
[10] SPENCER y GILLEN, *The Northern Tribes of Central Australia*, p. 501.
[11] Acerca de las bramaderas en Australia, *cf.* OTTO ZERRIES, *Das Schwirrholz. Untersuchung über die Verbreitung und Bedeutung des Schwirrens im Kult* (Stuttgart, 1942), pp. 84-125.
[12] O. ZERRIES, *op. cit.*, p. 176 ss., 193, etc.; W. SCHMIDT, *Ursprung der Gottesidee*, vol. IV, pp. 61, 86, 200.
[13] Acerca de la difusión de este motivo, véase O. ZERRIES, *op. cit.*, p. 188 ss. Acerca de la bramadera en Tracia y en la Grecia antigua, *cf.* R. PETTAZZONI, *I Misteri* (Bolonia, 1924), pp. 19-34.
[14] Hemos de añadir que, si es verdad que la bramadera se

Pero acabamos de ver que en las ceremonias de circuncisión australiana, la bramadera significa la presencia del Ser sobrehumano que efectúa la operación. Y como la circuncisión equivale a una muerte mística, al neófito se le considera como muerto víctima de dicho Ser sobrehumano. La estructura de estos Maestros de iniciación indica ya con bastante claridad que no pertenecen a la clase de los Seres supremos celestes del sureste australiano. Son considerados ya sea como hijos o servidores de los Seres supremos, ya como Antepasados míticos de las tribus, manifestándose algunas veces con forma animal. El rito iniciático de circuncisión se presenta, pues, en Australia integrado en una mitología más compleja, más dramática y, al parecer, más reciente que las mitologías de otras formas de iniciación de las que está ausente la circuncisión. Llama sobre todo la atención el carácter terrorífico de estos Maestros de iniciación que señalan su presencia por medio del sonido de las bramaderas.

Hallamos una situación similar fuera de Australia: los Seres divinos que intervienen en las ceremonias de iniciación y que se anuncian por el zumbido de las bramaderas son imaginados la mayoría de las veces en forma de fieras salvajes, leones o leopardos, animales iniciáticos por excelencia en Africa; jaguares en América del Sur, cocodrilos y monstruos marinos en Oceanía. Desde la perspectiva histórico-cultural, la conexión entre los animales Maestros de iniciación y la bramadera, sería

halla vinculada a la iniciación, la recíproca no es cierta: la iniciación no implica necesariamente la bramadera. En Australia existen iniciaciones sin bramaderas (cf. SPEISER, «Ueber Initiationen in Australien», p. 156). En un principio, pues, la iniciación de pubertad no exigía la presencia ritual de las bramaderas (F. SPEISER, «Ueber die Beschneidung in der Südsee», p. 15; O. ZERRIES, op. cit., p. 183). La bramadera fue traída probablemente a Australia por corrientes de cultura melanesia; cf. F. SPEISER, «Kulturgeschichtliche Betrachtungen über die Initiationen in der Südsee» (Bulletin der Schweizerischen Gesellschaft für Anthropologie und Ethnologie, XXII, 1945-46, pp. 28-61), pp. 50 ss. En las diferentes religiones primitivas, la bramadera fue valorada de diverso modo; entre los Arunta y los Loritja, se trata del cuerpo secreto de los antepasados míticos; en Africa, en la península de Malasia, en Nueva Guinea, etc., el zumbido de las bramaderas representa la voz de los antepasados (ZERRIES, p. 184); para los Pomo, simboliza la voz de los muertos que retornan periódicamente a este mundo con motivo de las iniciaciones (ZERRIES, p. 186).

una prueba de que este tipo de iniciación es creación de la cultura arcaica de pueblos cazadores [15]. Esto es claro en las ceremonias iniciáticas africanas: aquí también equivale la circuncisión a la muerte, y los operadores visten pieles de león y de leopardo; encarnan a las Divinidades con forma animal que realizaron por primera vez en los Tiempos míticos el homicidio iniciático. Los operadores se hallan provistos de garras de fiera y sus cuchillos están guarnecidos con garfios. Dirigen sus ataques contra los órganos genitales de los novicios, lo que manifiesta con toda claridad su intención de matarlos. La circuncisión simboliza la destrucción de los órganos genitales hecha por el animal Maestro de iniciación. A los operadores se les denomina a veces «leones», y la circuncisión se expresa con el verbo «matar». Mas poco después, los novicios se visten a su vez con pieles de leopardo o de león, para significar que se apropian la esencia divina del animal iniciático, y que resucitan por consiguiente en él [16].

De este tipo de iniciación africana utilizando la circuncisión, conviene retener los elementos siguientes: 1.º, los Maestros de la iniciación son divinidades con forma animal, lo cual convierte en probable la tesis de que el ritual pertenece por su estructura a una arcaica cultura de cazadores; 2.º, las Fieras divinas están encarnadas por los operadores, los cuales «matan» a los novicios; 3.º, este homicidio iniciático viene justificado por un mito de origen en el que interviene un Animal primordial que mataba a los seres humanos para luego resucitarlos; dicho animal terminó siendo él mismo abatido, y este acontecimiento que tuvo lugar *in illo tempore* se reitera ritualmente en la circuncisión de los novicios; 4.º, «matado» por la fiera salvaje, el neófito resucita, sin embargo, al revestirse con su piel, de modo que termina siendo a la vez la víctima y el verdugo; la iniciación equivale, en

---

[15] HERMANN BAUMANN ya había sugerido esta conclusión (*cf. Schöpfung und Urzeit der Menschen im Mythos der afrikanischen Völker*, Berlín, 1936, pp. 377, 384), y OTTO ZERRIES lo ha establecido acerca de otras culturas (*op. cit.*, p. 182 ss.).
[16] HELMUTH STRAUBE, *Die Tierverkleidungen der afrikanischen Naturvölker* (Wiesbaden, 1955), p. 8 ss., y *passim*. En algunas tribus africanas la bramadera es denominada «león» o «leopardo» (*cf.* ZERRIES, *op. cit.*, p. 178), dándonos la secuencia: Seres míticos con forma animal-bramadera-circuncisión-muerte mística-iniciación.

suma, a la revelación de este acontecimiento mítico, permitiendo de este modo al neófito participar de la doble naturaleza, así de la víctima humana del Animal primordial, como de ese mismo Animal, el cual es víctima a su vez de otras Figuras divinas [17]. Por consiguiente, en Africa también es un Ser primordial, encarnado por el operador, quien efectúa la circuncisión, siendo ésta la reiteración ritual de un acontecimiento mítico.

Todos estos hechos referentes a la función ritual de las bramaderas, a la circuncisión y a los Seres sobrenaturales considerados como los realizadores de la iniciación, indican la existencia de un tema mítico-ritual, cuyos elementos esenciales pueden resumirse así: a) Unos Seres míticos, identificados con las bramaderas, o manifestándose a través de ellas, matan, tragan o queman al novicio; b) le resucitan, pero transformado en un «hombre nuevo»; c) estos Seres se manifiestan también con formas animales o se hallan vinculados a una mitología animal; d) su destino es, en definitiva, idéntico al de los iniciados [18], puesto que también ellos, cuando se encontraban en la tierra, fueron muertos y resucitados, fundando con su resurrección un modo nuevo de existencia. Tropezamos aquí con un tema mítico-ritual de capital importancia para entender los fenómenos de la iniciación, que continuamente iremos encontrando a lo largo de nuestro estudio.

El sufrimiento provocado por la circuncisión —operación, a veces, sumamente dolorosa— es una expresión de la muerte iniciática. Conviene, sin embargo, subrayar que el verdadero terror es de naturaleza religiosa: proviene del miedo a morir víctima de los Seres divinos. Pero es precisamente el Ser divino quien resucita a los neófitos, que no vuelven ya a su vida infantil, sino que participan de una existencia superior, abierta al conocimiento, a lo sagrado y a la sexualidad. La correspondencia entre iniciación y madurez sexual es evidente. A los no iniciados se les cuenta entre los niños y las doncellas, considerándolos por consiguiente como ineptos para la concepción —en algunos pueblos, sus hijos no son aceptados en el clan [19]. En las poblaciones africanas Mag-

---

[17] STRAUBE, op. cit., p. 198 ss.
[18] O. ZERRIES, op. cit., pp. 194, 231.
[19] Cf. algunos ejemplos en AD. E. JENSEN, Beschneidung und Reifezeremonien, p. 130.

wanda y Bapedi, el maestro de la iniciación dirige a los novicios estas palabras: «¡Hasta ahora estabais en las tinieblas de la infancia; erais como mujeres y no sabíais nada!»[20]. Con frecuencia, en Africa y en Oceanía sobre todo, los jóvenes iniciados gozan después de la circuncisión de una gran libertad sexual[21]. Pero no debemos llamarnos a engaño acerca de tales excesos de libertinaje; no se trata de una libertad sexual en el sentido moderno, desacralizado, del término. Al igual que las demás funciones vitales, la sexualidad, en las sociedades premodernas, se halla cargada de sacralidad. Es un medio para participar en el misterio fundamental de la vida y de la fecundidad. Gracias a la iniciación, el novicio ha accedido a lo sagrado; ahora sabe que el mundo, la vida y la fecundidad son realidades sagradas, pues son obra de los Seres divinos. Por consiguiente, ser introducido en la vida sexual equivale para el novicio a participar en la sacralidad del mundo y de la existencia humana.

SIMBOLISMO DE LA SUBINCISIÓN

En Australia, como antes dijimos, a cierto intervalo de la circuncisión —cinco o seis semanas entre los Arunta, dos o tres años para los Karadjeri— tiene lugar la subincisión. Para el etnólogo y para el psicólogo, esta misteriosa operación plantea cierto número de problemas que no vamos a tratar aquí. Nos limitaremos a dos significados religiosos de la subincisión: el primero es la idea de la bisexualidad, el segundo es el valor religioso de la sangre. Según Winthuis, la subincisión tendría por objeto dotar simbólicamente al neófito de un órgano sexual femenino, a fin de hacerle semejante a las divinidades, quienes, según el mismo autor, serían bisexuales[22]. Antes que nada hemos de decir que la bisexualidad divina no se halla reseñada en los estratos más antiguos de la cultura australiana, puesto que, en estas culturas arcaicas, los Dioses reciben el nombre de «Padres». La bisexualidad divina tampoco se conoce en otras

---

[20] JUNOD, citado por JENSEN, *op. cit.*, p. 55.
[21] Véanse ejemplos en JENSEN, pp. 27, 104, etc.
[22] J. WINTHUIS, *Das Zweigeschlechterwesen* (Leipzig, 1928), página 29 ss. y *passim*.

religiones primitivas. El concepto de la bisexualidad divina parece bastante reciente: en Australia fue probablemente introducido por corrientes de cultura melanesia
e indonesia [23]. Pero hay algo que hemos de tener en cuenta en la hipótesis de Winthuis: se trata de la idea de la
totalidad divina, idea que aparece en muchas religiones
primitivas, y que implica evidentemente la existencia
simultánea de todos los atributos divinos, y por consiguiente, también la acumulación simbólica de los sexos [24].

Por lo que respecta a la transformación simbólica
del neófito en mujer por medio de la subincisión, sólo
se han encontrado algunos casos precisos en Australia.
Así, W. H. Roth observó que los Pitta-Pitta y los Bubia
del Central-Queensland en el noroeste, identifican la herida de la subincisión con la vulva y llaman al neófito
que acaba de ser operado «el que tiene una vulva» [25].
Estudiando el culto Kunapipi en el norte de Australia,
R. M. Berndt da idéntica interpretación: «Simbólicamente, el miembro subincidido representa a la vez los
órganos femenino y masculino, indispensables en el proceso de fecundación» [26]. Hemos de precisar que, en este
último ejemplo, se trata, al parecer, de una idea más
reciente, llegada a Australia con las oleadas de cultura
melanesia, ya que la mayoría de las tribus australianas
ignoran la relación causal existente entre el acto sexual
y la concepción [27].

---

[23] *Cf.* H. Baumann, *Das doppelte Geschlecht. Ethnologische
Studien zur Bisexualität in Ritus und Mythos* (Berlín, 1955), página 212. Sobre otras figuras divinas bisexuales en el norte australiano, véase A. Lommel, *Die Unambal* (Hamburgo, 1952), página 10 ss.

[24] *Cf.* M. Eliade, «La Terre-Mère et les hiérogamies cosmi-
ques» (en el volumen *Mythes, rêves et mystères*, París, 1957, página 206 ss.), p. 233 ss.

[25] W. E. Roth, *Ethnological Studies among the North-West-
Central Queensland Aborigines* (Brisbane y Londres, 1897), p. 180.
H. Klaatsch relata creencias similares entre los Niol-Niol, po-
blación del noroeste australiano; *cf.* H. Baumann, *Das doppelte
Geschlecht*, p. 214, n. 15.

[26] R. M. Berndt, *Kunapipi* (Melburne, 1951), p. 16.

[27] *Cf.* M. F. Ashley-Montagu, *Coming into being among the
Australian Aborigines. A Study of the procreative beliefs of
the Native Tribes of Australia* (Nueva York, 1938), *passim;*
A. P. Elkin, *The Australian Aborigines* (Sydney, 1938), p. 158, n. 1;
id., recensión del libro de Ashley-Montagu, *Oceania*, VIII, pp. 376-
380; Phyllis M. Kabberry, *Aboriginal Woman, sacred and profane* (Filadelfia, 1939), p. 43. Hemos de añadir que algunos etnó-

Para entender estos hechos australianos, conviene precisar que la transformación ritual del neófito en mujer durante la iniciación es un fenómeno bastante extendido en otras áreas culturales. Así, los Massai, los Nandi, los Nuba y otras poblaciones de Africa, visten de mujer núbil a los novicios, y entre los Sotho de Africa del Sur las muchachas en período de iniciación se visten de hombre[28]. Del mismo modo, los novicios iniciados en la sociedad Arioi de Tahití se visten de mujer[29]. Según W. Schmidt[30] y P. Wirz[31], la transformación ritual en mujer se practica también en Nueva Guinea, y Haddon la ha encontrado en el estrecho de Torres[32]. La costumbre incluso —bastante extendida— de la desnudez ritual durante la segregación en la selva puede interpretarse como un símbolo de la asexualidad del neófito. El sentido religioso de todas estas costumbres es, a nuestro entender, el siguiente: existe mayor probabilidad de obtener efectivamente una modalidad específica de ser —por ejemplo, hacerse un hombre, o una mujer— si previamente llega uno a ser simbólicamente una *totalidad*. Para el pensamiento mítico, el modo peculiar de ser viene precedido necesariamente por un modo *total* de ser. El andrógino es considerado precisamente como superior a ambos sexos porque encarna la *totalidad*, y por

---

logos ponen en duda esta ignorancia entre los australianos acerca de la verdadera causa de la concepción; *cf.* W. L. Warner, *A Black Civilization*, pp. 23-24, 595; D. F. Thomson, «Fatherhood in the Wik-Monkam Tribe» (*American Anthropologist*, n. s., XXXVIII, 1936, pp. 374-393); Géza Roheim, «The Nescience of the Aranda» (*British Journal of Medical Psychology*, XVII, 1938, páginas 343-560); R. M. Berndt y Catherine H. Berndt, *Sexual Behaviour in Western Arnhem Land* (Nueva York, 1951), p. 80 ss. Pero véase también Ashley-Montagu, «Nescience, Science and Psycho-Analysis» (*Psychiatry*, IV, 1941, pp. 45-60).

[28] H. Baumann, *op. cit.*, p. 57; Ad. E. Jensen, *Beschneidung*, páginas 33 (Africa), 129 ss. (los novicios se visten de mujer, quemando los vestidos después de la iniciación).

[29] W. Ellis, *Polynesian Researches* (2.ª edic., Londres, 1831), I, p. 324; W. E. Muhlmann, *Arioi und Mamaia* (Wiesbaden, 1955), páginas 43 ss., 77.

[30] W. Schmidt, «Die geheime Junglingsweihe der Karesau-Insulaner, Deutsch-Neu-Guinea» (*Anthropos*, II, 1907, pp. 1029-1056).

[31] P. Wirz, *Die Marind-Anim* (Hamburgo, 1922 ss.), II, 3, página 43 ss.; Baumann, *op. cit.*, p. 228.

[32] A. C. Haddon, «The Secular and Ceremonial Dances of Torres Straits» (*Intern. Archiv. f. Ethnologie*, VI, 1893, p. 131 ss.), página 140 ss.

lo tanto la perfección. Cabe, pues, interpretar la transformación de los novicios en mujer, por medio del disfraz o de la subincisión, como un deseo de recuperar una situación primordial de totalidad y perfección.

Pero en Australia y regiones adyacentes, la subincisión iniciática parece tener como fin sobre todo la obtención de sangre fresca. La sangre es un símbolo universal de la fuerza y de la fecundidad. Lo mismo en Australia que en otros lugares, los novicios son tiznados con ocre rojo —sustituto de la sangre— o bien son rociados con sangre fresca. Así, entre los Dieiri, los hombres se abren las venas y dejan correr la sangre sobre el cuerpo de los novicios para que éstos se hagan valerosos[33]. Entre los Karadjeri, los Itchumundi y otras tribus australianas, el novicio, además, bebe sangre[34], costumbre que también se encuentra en Nueva Guinea, recibiendo allí la siguiente explicación: el neófito debe fortalecerse con sangre masculina, pues la que hasta ahora poseía era exclusivamente la de su madre[35]. En este último ejemplo tropezamos con dos ideas distintas, pero conectadas entre sí: 1.º, al nutrirse el feto con la sangre materna, el niño no dispone más que de sangre femenina; 2.º, por consiguiente, la iniciación —que le separa definitivamente de la madre— ha de proporcionarle sangre masculina. En el nordeste de Nueva Guinea se practica la incisión del órgano sexual durante la iniciación —operación que sustituyó a la subincisión- explicando a los novicios que de esta manera se elimina la sangre de la madre, para que puedan ellos adquirir belleza y fuerza[36]. Los

---

[33] HOWITT, *Natives Tribes*, p. 658 ss. La ceremonia se halla bastante extendida en Australia; cf. R. PIDDINGTON, «Karadjeri Initiation», p. 71; MOUNTFORD, *Brown Men and Red Sand*, p. 32; G. ROHEIM, *The Eternal Ones of the Dream*, p. 218, etc.; R. BERNDT, *Kunapipi*, p. 36 (la apertura de una vena del brazo equivale a abrir de nuevo la incisión uretral).

[34] PIDDINGTON, *op. cit.*, p. 72; HOWITT, *op. cit.*, p. 676 (Itchumundi); WARNER, *A Black Civilization*, p. 274 ss.; D. BATES, *The Passing of the Aborigines* (1939), pp. 41 ss., 144 ss.; G. ROHEIM, *op. cit.*, pp. 227 ss., 230 ss.

[35] MARGARET MEAD, *The Mountain Arapesh* (American Museum of Natural History, Anthropological Papers, Nueva York, 1940), II, p. 348 ss.

[36] ALBERT ANFINGER, «Einige ethnographische Notizen zur Beschneidung in Neuguinea» (*Ethnos*, VI, 1941, pp. 25-39), p. 37 ss. Idéntica costumbre en Wogeo, una de las islas Schouten, en el territorio de Nueva Guinea: «Las mujeres se purifican automá-

Vangla-Papua del archipiélago Bismarck evacuan la sangre de la madre perforando la nariz [37], operación que corresponde simbólicamente a las mutilaciones genitales. Igual costumbre puede observarse entre los Kuman de Nueva Guinea, donde la principal operación iniciática consiste en la perforación del tabique nasal del candidato. Como explicaba un indígena a John Nilles, «lo hacemos para expulsar la sangre mala acumulada desde que se encontraba en el vientre de su madre, su herencia femenina»[38].

F. Ashley-Montagu cree haber encontrado en creencias de este tipo la explicación de la subincisión [39]. Según Ashley, los hombres habrían observado que las mujeres eliminan la «sangre mala» por medio de los menstruos, y habrían tratado de imitarlas provocando una herida genital que asimila el órgano genital masculino al femenino. En ese caso se trataría no tanto de expulsar la sangre de la madre cuanto de regenerar la sangre mediante una eliminación periódica, como ocurre entre las mujeres. La subincisión permite a los hombres obtener una determinada cantidad de sangre abriendo periódicamente sus heridas. Por lo demás, esto tiene lugar en circunstancias graves, o con motivo de las iniciaciones [40].

---

ticamente por el proceso de la menstruación, pero los hombres, para defenderse contra las enfermedades, se ven obligados a hacer periódicamente una incisión en el pene, dejando correr cierta cantidad de sangre. Esta operación se menciona con frecuencia con el nombre de menstruación de los hombres.» (I. HOGBIN, *Oceania*, V, 1935, p. 330.)

[37] ALPHONS SCHAEFER, «Zur Initiation im Wagi-Tal» (*Anthropos*, XXXIII, 1938, pp. 401-423), p. 421 ss.

[38] JOHN NILLES, «The Kuman of the Chimbu region, Central Highlands, New Guinea» (*Oceania*, XXI, 1950, pp. 25-65), p. 37.

[39] ASHLEY-MONTAGU, *op. cit.*, p. 302 ss. Volveremos sobre este problema en nuestra obra *Mort et Initiation*.

[40] *Cf.*, p. ej., N. B. TINDALE, «Initiation among the Pitjandjara», p. 208; G. ROHEIM, p. 229 ss. Véase también BRUNO BETTELHEIM, *Symbolic wounds. Puberty rites and the envious male* (Glencoe, Illinois, 1954), p. 173 ss. Acerca de la cronología cultural de Australia, *cf.* D. S. DAVIDSON, *The chronological Aspects of certain Australian Social Institution* (Filadelfia, 1928); *id.*, «Archaeological Problems in Northern Australia» (*Journal Royal Anthrop. Institute*, LXV, 1934, pp. 145-184); *id.*, «North-Western Australia and the Question of Influences from the East Indies» (*Journal American Orient. Soc.*, LVIII, 1938, pp. 61-80); F. D. MCCARTHY, «The Prehistoric Cultures of Australia» (*Oceania*, XIX, 1949, pp. 305-319); *id.*, «The Oceanic and Indonesian Affiliations

El fenómeno de la subincisión es demasiado complejo para que podamos solventarlo en unas cuantas páginas. Un hecho sobresale ante todo en el tema que nos ocupa: el novicio es iniciado al misterio de la sangre; recibe la revelación de los lazos, a la vez místicos y psicológicos, que le atan todavía a la madre, y el ritual por el que le será posible transformarse en hombre. Como quiera que la sangre femenina es el producto de la alimentación femenina, el novicio habrá de someterse, como ya vimos antes, a numerosas prohibiciones dietéticas. La relación mística entre alimento, sangre y sexualidad constituye un motivo iniciático específicamente melanesio e indonesio [41], pero conocido también en otras partes. Hemos de hacer hincapié en el hecho de que el novicio sale de estas mutilaciones cruentas radicalmente regenerado. En definitiva, todas estas operaciones hallan explicación y justificación en el plano religioso, puesto que la idea de regeneración es una idea religiosa. No debemos, pues, llamarnos a error acerca del aspecto aberrante de ciertas mutilaciones o torturas iniciáticas. No olvidemos que en las culturas primitivas, como en las más evolucionadas, lo excesivo, lo extraño, lo enorme, son expresiones utilizadas corrientemente para mejor poner de relieve la transcendencia del Espíritu.

La iniciación en Tierra del Fuego

El acceso a la vida espiritual, considerado como primera consecuencia de la iniciación, viene proclamado por múltiples símbolos de regeneración y de nuevo nacimiento. Una costumbre muy frecuente consiste en dar al neófito un nombre nuevo inmediatamente después de la iniciación. Costumbre arcaica, puesto que puede encontrarse en las tribus australianas del sureste; se halla, por lo demás, universalmente extendida [42]. Ahora bien,

---

of Australian Cultures (*Journal of the Polinesian Society*, LXII, 1953, pp. 243-261).
[41] *Cf.* F. Speiser, «Ueber Initiationen in Australia und Neuguinea», espec., pp. 219-223, 247 ss.; H. Baumann, *op. cit.*, p. 216 ss.
[42] *Cf.* Howitt, *Native Tribes*, pp. 592, 603, 657, etc.; Mathews, «The Burbung of the Wiradjuri Tribes» (*Journ. Anthrop. Inst.*, 1896), p. 310; W. Schmidt, *Ursprung der Gottesidee*, vol. III, pá-

para todas las sociedades premodernas, el nombre equivale a la verdadera existencia del individuo; a su existencia en tanto que ser espiritual. Es interesante constatar que el simbolismo iniciático del nuevo nacimiento es conocido incluso en las poblaciones más primitivas, como los Yamana y los Halakwulup de Tierra del Fuego, cuyos ritos de pubertad son de una sencillez extrema. En efecto, según las investigaciones de Gusinde y de W. Koppers, la iniciación de los Yamana y de los Halakwulup sería un curso de instrucción moral, social y religiosa, más que una ceremonia secreta que comprende pruebas más o menos dramáticas. Las muchachas son iniciadas juntamente con los muchachos, si bien cada sexo recibe, además, por parte de tutores de edad provecta —hombres y mujeres—, enseñanzas distintas. Entre los Halakwulup no existe el secreto iniciático. W. Schmidt considera esta iniciación colectiva de ambos sexos como la forma más antigua que existe, haciendo hincapié en el hecho de que no lleva consigo ninguna mutilación corporal, limitándose aquélla a las instrucciones concernientes al Ser supremo [43]. La iniciación de los Yamana y de los Halakwulup, también según Schmidt, presentaría una forma aún más antigua que la de los Kurnai australianos, debido a que los Yamana no practican la separación de sexos [44].

No es asunto nuestro tener que pronunciarnos acerca de este problema cronológico, ni tampoco zanjar la cuestión de si la extrema sencillez de la iniciación de los Yamana y de los Halakwulup refleja un estado de cosas primitivo o, por el contrario, se explica por un proceso de empobrecimiento. Pero es de señalar el hecho de que encontremos en estas tribus de Tierra del Fuego un cua-

ginas 1062-180 (tribus de Australia del sureste); WEBSTER, *Primitive Secret Societies*, pp. 40-41 (Australia, Melanesia); JENSEN, *Beschneidung*, pp. 26, 39, 100 ss. (Africa, Melanesia), etc.

[43] W. SCHMIDT, *Ursprung der Gottesidee*, VI, p. 458 ss. Debemos precisar, sin embargo, que, según Gusinde, las revelaciones referentes al Ser supremo se hacen más bien por alusiones, y que en las iniciaciones de los Yamana, el papel principal viene representado por el Espíritu de la Tierra, Yetaita; *cf.* GUSINDE, *Die Yamana* (Mödling, 1937), p. 940 ss. *Cf.* también más adelante, p. 58 ss.

[44] R. LOWIE, recensionando la obra de Gusinde, estima que la ceremonia de pubertad de los Yamana en un principio estaba reservada a los muchachos (*cf. American Anthropologist*, 1938, página 499 ss.).

dro iniciático perfectamente articulado, comprendiendo ya los motivos de la segregación, de la muerte y resurrección místicas, y de la revelación del Ser supremo. La iniciación se desarrolla lejos del poblado; aquella en que tomaron parte Gusinde y Koppers en 1922, tuvo lugar «en una región solitaria de la isla de Navarino»[45]. Sustraídos a la tutela de los padres —es decir, en primer lugar, de la madre— quedan los novicios bajo la autoridad de los tutores. Deben someterse a cierta disciplina física y moral en la que es fácil reconocer la estructura de las pruebas iniciáticas: los neófitos tienen que ayunar, guardar determinada postura corporal, hablar muy poco y en voz baja, mirar al suelo y, sobre todo, velar durante largas horas. Que los Yamana consideran la iniciación como un re-nacimiento, puede asimismo deducirse de que W. Koppers recibiera, con motivo de la ceremonia a la que había asistido, un nombre nuevo, indicando así que había «re-nacido» en la tribu[46].

Según noticias de Gusinde, la iniciación de los Yamana presenta algunos momentos esotéricos. La segregación de los jóvenes tiene lugar en una cabaña, desempeñando un papel muy importante un Espíritu malo, Yetaita, el Espíritu de la Tierra. Tiene fama de comerse a los hombres. Durante la ceremonia, Yetaita viene representado por uno de los instructores, pintado de rojo y blanco. Surgiendo de detrás de una cortina, ataca a los novicios, los maltrata, los arroja al aire, etc.[47]. Los instructores imponen el más estricto secreto sobre la aparición y comportamiento de Yetaita, y en general acerca de todo lo que ocurre en la cabaña. Bien es verdad que, durante el período de iniciación, los instructores hacen continuas alusiones al Ser Supremo, Watauineiwa, a quien además consideran como fundador de la ceremonia; pero el papel de Yetaita es, desde el punto de vista ritual,

---

[45] WILHELM KOPPERS, *Primitive Man and his World Picture* (Londres, 1952), p. 140. Además de este trabajo de vulgarización acerca de las iniciaciones de los fueguinos, es aconsejable consultar las monografías de MARTIN GUSINDE (*Die Selknam*, Mödling, 1931; *Die Yamana*, 1937), el primer tomo del *Handbook of South American Indians* (Boletín 143, Bureau of American Ethnology, Washington, 1945) y el artículo de JOSEF HAEKEL, «Jugendweihe und Männerfest auf Feuerland. Ein Beitrag zu ihrer kulturhistorischen Stellung».
[46] W. KOPPERS, *op. cit.*, p. 140 ss.
[47] M. GUSINDE, *Die Yamana*, p. 942 ss.; HAEKEL, p. 89.

más dramático. Con frecuencia se otorga igual poder a ambas Figuras sobrenaturales. Podemos presumir que antes de convertirse en el Espíritu de la Tierra como es hoy, era Yetaita el Antepasado mítico de la tribu [48] —por consiguiente, el Maestro de iniciación por excelencia—, habiendo recibido su carácter agresivo de la fiesta de las «Sociedades de hombres» de los Selknam.

En efecto, entre los Selknam la iniciación de pubertad se transformó hace ya mucho tiempo en una ceremonia secreta exclusivamente masculina [49]. Cuenta un mito de origen que, bajo la dirección de Kra, Mujer-Luna y poderosa hechicera, las mujeres empezaron aterrorizando a los hombres porque poseían la virtud de metamorfosearse en «espíritus», es decir, sabían fabricar y utilizar máscaras. Pero Kran, esposo de Kra, Hombre-Sol, descubrió un día el secreto de las mujeres e informó de ello a los hombres. Estos, furiosos, exterminaron a todas las mujeres menos a las niñas, y es entonces cuando organizaron ceremonias secretas, con máscaras y rituales dramáticos, con el fin de aterrorizar a su vez a las mujeres. Esta fiesta dura de cuatro a seis meses y durante las ceremonias, Xalpen, el Espíritu femenino malo, tortura a los iniciados y los «mata»; pero otro Espíritu, Olim, poderoso hechicero, los resucita [50].

En Tierra del Fuego, pues, al igual que en Australia, apreciamos en los ritos de pubertad la tendencia a hacerse cada vez más dramáticos y sobre todo a agravar el carácter terrorífico de todo el cuadro de la muerte iniciática. Pero la elaboración dramática de los rituales y la aparición de mitologías sobrecogedoras, verdaderamente impresionantes, no se realiza en nombre de los Seres supremos. Por el contrario, tales innovaciones terminan disminuyendo la importancia de los Seres supremos,

---

[48] HAEKEL, op. cit., p. 100.

[49] Ceremonias secretas de esta índole exclusivamente masculinas existen también entre los Yamana y los Selknam; cf. HAEKEL, op. cit., p. 94.

[50] La misma ceremonia se encuentra entre los Yamana. Mitos similares se conocen en otras tribus de América del Sur (cf. A. MÉTRAUX, «A Myth of the Chamacoco Indians and its Social Significance», Journal of American Folklore, LVI, 1943, páginas 113-119), y, esporádicamente, en Australia y Melanesia (cf. nuestra Mort et Initiation). Cf. el análisis histórico-cultural de las tradiciones sudamericanas relativas a la «atemorización de las mujeres» en HAEKEL, p. 106 ss.

e incluso eliminando casi completamente su presencia activa en el culto. Quedan suplantados por Seres «demónicos» y, en general, por Figuras míticas relacionadas de alguna manera con un momento terrible, pero decisivo, de la historia de la humanidad. Estos Seres revelaron determinados misterios sagrados o determinadas actitudes sociales que modificaron radicalmente el modo de existir de los hombres y por lo tanto sus instituciones religiosas y sociales. Si bien son sobrenaturales, estos Seres míticos vivieron, *in illo tempore*, una existencia en cierto modo comparable a la de los hombres; para decirlo con mayor exactitud, conocieron la tensión, los conflictos, el drama, la agresividad, el sufrimiento y, generalmente, la muerte —y fue realizando tales experiencias *por primera vez en la Tierra* como fundaron la actual manera de ser de los hombres. La iniciación revela a los novicios estas aventuras primordiales, y los novicios reactualizan ritualmente los momentos más dramáticos de la mitología de dichos Seres sobrenaturales.

Este fenómeno de elaboración dramática de la iniciación se perfila aún con mayor claridad si abandonamos las zonas extremas de la *ecumene* —Australia, Tierra del Fuego— para estudiar las regiones de Melanesia, Africa y América del Norte. Los ritos adquieren mayor complicación y una gran diversidad; las pruebas son más impresionantes, el sufrimiento físico alcanza los horrores de la tortura, la muerte mística viene sugerida por una agresividad ritual con ocasión de la separación del novicio de su madre. Así, entre los Hotentotes, el iniciado puede insultar e incluso maltratar a su madre[51]; será una señal de que se ha emancipado de su tutela. En algunos lugares de Papua, el novicio pisará el cuerpo de la madre, procurando poner el pie encima de su vientre[52]; de esta manera confirma su separación definitiva.

CUADRO DE LA MUERTE INICIÁTICA

Los ritos de la muerte iniciática ganan en amplitud convirtiéndose a veces en verdaderos montajes dramá-

[51] WEBSTER, *op. cit.*, p. 24.
[52] G. LANDTMAN, *The Kiwai-Papuas of British New-Guinea* (Londres, 1927), p. 96.

60

ticos. En el Congo y en Costa Loango, los niños de diez a doce años deben absorber una bebida que les priva del conocimiento. Entonces se les traslada a la jungla para ser circuncidados. Refiere Bastian que los novicios son enterrados en «la casa de los fetiches», y que, al despertarse, parecen haber olvidado su vida pasada. Durante su reclusión en la jungla, se les pinta de blanco —signo cierto de que se han convertido en espectros—, tienen derecho a robar, son instruidos en las tradiciones secretas de la tribu y aprenden una lengua nueva[53].

Debemos subrayar algunas notas peculiares: la muerte simbolizada por la pérdida del conocimiento, por la circuncisión y el entierro; el olvido del pasado; la asimilación de los novicios a los espectros; el aprendizaje de una nueva lengua. Cada uno de estos motivos se encuentra en numerosos ritos de pubertad africanos, de Oceanía y América. Ante la imposibilidad de citarlos todos, recordaremos algunos ejemplos referentes al olvido de la vida anterior a la iniciación. En Liberia, cuando los novicios —a quienes se supone que ha dado muerte el Espíritu de la Selva— resucitan a una vida nueva, tatuados y habiendo recibido un nombre nuevo, parecen haberlo olvidado todo acerca de su vida pasada. Ya no reconocen ni a su familia ni a sus amigos, no se acuerdan ni siquiera de su propio nombre y se conducen como si hubieran olvidado los gestos más elementales, como lavarse[54]. De igual modo, los novicios de ciertas sociedades secretas del Sudán olvidan su lengua[55]. Los novicios Makua, después de pasar algunos meses en una choza lejos del poblado, reciben un nombre nuevo; pero al regresar no recuerdan ya su parentesco. En efecto, como explica Karl Weule, por su retiro en la selva, el novicio muere a los ojos de su madre[56]. El olvido es un símbolo de la muerte, pero puede interpretarse también como el signo de la niñez. Así, por ejemplo, los Patasiva del Ceram occidental muestran a las mujeres las lanzas ensangrentadas con las que el Espíritu habría matado a los

---

[53] HERBERT WARD, citado por AD. E. JENSEN, *Beschneidung*, página 31; AD. BASTIAN, *Die deutsche Expedition an der Loangoküste* (Iena, 1875), II, p. 18; JENSEN, *ibid.*

[54] JENSEN, *op. cit.*, p. 39.

[55] LEO FROBENIUS, *Masken und Geheimbünde Afrikas* (Halle, 1898), p. 145.

[56] KARL WEULE, citado por JENSEN, p. 57.

novicios. Cuando éstos regresan al poblado, se comportan como niños recién nacidos: no hablan y cogen los objetos al revés [57]. Sea cual fuere su sinceridad, tales comportamientos y actitudes tienen un fin preciso: proclamar ante la comunidad entera que los novicios son «seres nuevos».

Nos percatamos mejor de la estructura dramática de algunos ritos de pubertad cuando podemos disponer de descripciones detalladas y precisas. Este es el caso de los Pangwe, cuyos ritos iniciáticos han sido estudiados por Günter Tessmann. Cuatro días antes de la ceremonia marcan a los novicios, y la marca se llama «consagración a la muerte». El día de la fiesta les dan a beber una bebida nauseabunda, y el que la vomita es perseguido por el poblado al grito de: «¡Morirás!» A continuación llevan a los novicios a una casa llena de hormigueros, y, mientras les gritan: «¡Vamos a matarte, ahora vas a morir!», les obligan a permanecer durante cierto tiempo en la casa, siendo presas de terribles picaduras. Los instructores conducen a los novicios «hacia la muerte», a una cabaña en la jungla, donde, durante un mes, vivirán completamente desnudos y en soledad absoluta. Estos anuncian su presencia por medio de un xilofón, para que nadie corra el riesgo de encontrarse con ellos. Al cabo de un mes, pintan a los novicios de blanco y les autorizan a volver al poblado para participar en las danzas, pero tiene que dormir en la cabaña de la selva. Tienen prohibido comer a la vista de las mujeres, porque «naturalmente —escribe Tessmann—, los muertos no comen». No abandonan la selva sino después de otros tres meses. Entre los Pangwe meridionales, la ceremonia es aún más dramática. Con una figura de arcilla, generalmente en forma de máscara, cubren una fosa, que representa la tumba. La fosa representa el vientre de la divinidad cultual, y los novicios pasan por encima para significar así su nuevo nacimiento [58].

Estamos ante un cuadro bastante elaborado, que comprende varias fases: la consagración a la muerte; la tortura iniciática; la muerte propiamente dicha, simbolizada por la segregación en la selva y la desnudez ritual;

---

[57] O. D. TANERN, *Patasiva und Patalima* (Leipzig, 1918), p. 145 y ss.; JENSEN, p. 78.

[58] GÜNTER TESSMANN, *Die Pangwe*, I-II (Berlín, 1913), II, páginas 39-94; resumen en JENSEN, pp. 33-35.

la imitación de la actitud de los espectros (pues piensan que los novicios se encuentran en el más allá, asimilándoles a los muertos), y, por último, el ceremonial del nuevo nacimiento y el regreso al poblado. Es probable que un número considerable de poblaciones, africanas y no africanas, hayan conocido hasta estos últimos tiempos cuadros iniciáticos tan ricos como el de los Pangwe. Pero los exploradores, sobre todo en el siglo XIX, no consignaron los detalles de las ceremonias. Se contentaron generalmente con decirnos que se trataba de un ritual de muerte y de resurrección.

En Africa se pueden observar muchas ceremonias de iniciación en las que el elemento dramático tiene una función capital. Veamos, por ejemplo, el testimonio de Torday y Joyce acerca de los ritos de pubertad de los Bushongo: en una zanja larga se disponen unos huecos en los que se esconden cuatro hombres disfrazados respectivamente de leopardo, de guerrero, de herrero y de mono. Los novicios han de cruzar la zanja, cayendo en un momento dado a un foso lleno de agua. Una segunda ceremonia, llamada Ganda, es todavía más terrorífica. Un hombre desaparece por un túnel y sacude con fuerza unos postes cuyas puntas pueden verse desde muy lejos. Los novicios creen que, en el túnel, el hombre ha sido atacado por unos espíritus y está luchando por su vida. En efecto, después de frotarse furtivamente el cuerpo con sangre de cabra, sale el hombre del túnel dando la impresión de haber sido gravemente herido y de hallarse desfallecido. Cae a tierra, siendo inmediatamente transportado por los demás hombres lejos de allí. Entonces obligan a los novicios a penetrar en el túnel uno después de otro. Pero, aterrorizados, piden generalmente que se les dispense de entrar. Nyimi —el rey, que al mismo tiempo es el Maestro de la iniciación— consiente en ello a cambio del pago de un rescate [59].

Se trata, en definitiva, de una ambientación terrorífica que pone a prueba el valor de los novicios. Este rito de pubertad de los Bushongo está probablemente influenciado por las ceremonias iniciáticas de las sociedades secretas, tan importantes en Africa. Cabe suponer

---

[59] E. TORDAY y T. A. JOYCE, *Les Bushongo* (Bruselas, 1910), p. 82 ss. Un mes más tarde tiene lugar la tercera y última *Dina* (prueba), que implica la subida a un árbol (*ibid.*, pp. 84-85).

influencias de este tipo en todos los lugares en que las iniciaciones de pubertad presentan un carácter dramático, con la intervención de máscaras. Así ocurre, por ejemplo, entre los Elema de Nueva Guinea, quienes aíslan a los muchachos, hacia la edad de diez años, en la Casa de Hombres (eravo), mientras invaden el poblado unos hombres enmascarados, precursores de Kovave, el Dios de la Montaña [60]. Agitando las bramaderas durante la noche, las máscaras aterrorizan literalmente al poblado; tienen derecho incluso a matar a las mujeres y a los no iniciados que osaran descubrir su identidad. Durante ese tiempo, los demás hombres hacen grandes reservas de alimentos, sobre todo de carne de cerdo, y cuando Kovave hace su aparición, todos se retiran a la selva. Cierta noche, conducen a los novicios ante Kovave. Estos oyen una voz en las tinieblas que les revela los secretos y amenaza de muerte a quienes los delataran. A continuación se les encierra en cabañas, debiendo éstos someterse a tabús de alimentación. Les está prohibida toda relación con las mujeres. Cuando, excepcionalmente, dejan las cabañas para dar un paseo, no pueden hablar [61]. La iniciación comprende varios grados, lo cual indica ya, en Nueva Guinea, la influencia de las sociedades secretas. La atmósfera en la que se desarrollan estos ceremoniales de pubertad, con la aparición de las máscaras y el terror de las mujeres y de los no iniciados, recuerda más bien la tensión característica de las sociedades secretas melanesias.

La ceremonia Nanda, practicada en otros tiempos en algunas regiones de las islas Fidji, es un ejemplo excelente de rito de pubertad dramatizado. El ritual comenzaba con la construcción, lejos del poblado, de un recinto de piedra, a veces de más de treinta metros de largo por quince de ancho. El muro de piedra podía alcanzar un metro de altura. La construcción se llamaba Nanda, lite-

---

[60] La Casa de Hombres es una nota característica del cuadro cultural melanesio, pero esta institución puede observarse en otras partes del mundo, y siempre en relación con los ritos de pubertad. Cf. WEBSTER, op. cit. (cap. I, «The Men's house»), pp. 1-19; HEINRICH SCHURTZ, Alterklassen und Männerbünde, pp. 202-317. Véase también ERHARD SCHLESIER, Die Erscheinungsformen des Männerhauses und das Klubwesen in Mikronesien (La Haya, 1953).

[61] J. HOLMES, «Initiation Ceremonies of Natives of the Papuan Golf» (Journ. Anthrop. Inst., XXXII, 1902, pp. 418-425).

ralmente «lecho» [62]. Podemos pasar por alto algunos aspectos de la ceremonia, tales como su relación con la cultura megalítica, y su mito de origen, según el cual dos extranjeros, pequeños y muy negros, el uno con el rostro pintado de rojo y el otro de blanco, habrían comunicado la Nanda a los Antepasados. La Nanda representa evidentemente el campo sagrado. Dos años separan su construcción de la primera iniciación, y dos años transcurren entre ésta y la segunda ceremonia, tras la cual los neófitos son por fin considerados como «hombres». Poco antes de esta segunda ceremonia, acumulan grandes reservas de comida y construyen cabañas en las cercanías de la Nanda. El día señalado, los novicios, conducidos por un sacerdote, se dirigen en fila india hacia la Nanda, con una maza en una mano y una lanza en la otra. Los ancianos los esperan cantando ante el cercado. Los novicios arrojan a sus pies las armas, como presentes, retirándose después a las cabañas. El quinto día se dirigen de nuevo, guiados por el sacerdote, hacia el cerco sagrado, pero al llegar ante los muros no encuentran ya a los ancianos. Entonces se les hace entrar en la Nanda. Allí «yace una fila de muertos, cubiertos de sangre, con los cuerpos en apariencia abiertos, saliéndoseles las entrañas». El sacerdote-guía camina por encima de los cadáveres y los aterrorizados novicios le siguen hasta llegar al otro extremo del recinto, donde el gran sacerdote los espera. «De pronto, suelta éste un alarido, y se incorporan bruscamente los muertos, corriendo al río a lavarse la sangre y la suciedad con que están embadurnados» [63].

Esos hombres representan a los antepasados, resucitados gracias al poder misterioso del culto secreto —poder administrado por el gran sacerdote, pero del que participan todos los demás iniciados—. Este cuadro no

[62] A. RIESENFELD, *The Megalithic Culture of Melanesia* (Leiden, 1950), p. 591. *Cf. ibid.*, p. 593 ss., el análisis de los elementos megalíticos de la ceremonia Nanga.

[63] LORIMER FISON, «The Nanga, or sacred Stone enclosure of Wainimala, Fiji» (*Journ. Anthrop. Inst.*, XIV, 1885, pp. 14-30, espec. 19-26), p. 22; A. B. JOSKE, «The Nanga of Viti Lewu» (*Intern. Archiv. f. Ethnog.*, II, 1889, pp. 254-271) ofrece una descripción similar, con algunas variantes (p. ej., pp. 264-65, uno de los instructores grita a los novicios que son ellos los responsables de la muerte de los hombres que yacen en el recinto). *Cf.* también BASIL THOMSON, *The Fijians* (Londres, 1908), páginas 148-157.

tiene únicamente como finalidad aterrorizar a los novicios, sino también mostrarles que en el cerco sagrado se desarrolla el misterio de la muerte y de la resurrección. En efecto, el gran sacerdote revela a los neófitos los secretos merced a los cuales la muerte vendrá siempre acompañada por la resurrección.

Este ejemplo muestra claramente la importancia que adquieren los Antepasados en las ceremonias de pubertad. Se trata, en suma, de un retorno periódico de los muertos al mundo de los vivos con vistas a la iniciación de los jóvenes. Este tema mítico-religioso está ampliamente atestiguado en otras partes; por ejemplo, en el Japón protohistórico y entre los antiguos germanos[64]. Por lo que a nosotros respecta, lo importante es que a la idea de muerte y de resurrección, fundamental en todas las formas de iniciación, se añade una idea nueva: el retorno de los Antepasados. El misterio revelado durante la iniciación es precisamente éste: la muerte nunca es definitiva, puesto que los muertos vuelven. Como luego veremos, esta idea va a desempeñar un papel esencial en las sociedades secretas.

ENGULLIDOS POR UN MONSTRUO

Las fuertes emociones, el miedo, el terror, tan hábilmente provocados por los cuadros escénicos que acabamos de recordar, han de considerarse como otros tantos ejemplos de torturas iniciáticas. A lo largo de nuestra exposición hemos subrayado algunos ejemplos de pruebas crueles; su número y variedad son evidentemente mucho más considerables. En el sureste africano, los instructores golpean sin piedad a los novicios, no debiendo manifestar éstos ninguna señal de dolor[65]. Excesos de esta índole acarrean a veces la muerte del muchacho. En ese caso, a la madre sólo se le informa al final del período de segregación en la selva[66], diciéndole

---

[64] *Cf.* ALEX SLAWIK, Kultische Geheimbünde der Japaner und Germanen (*Wiener Beiträge zur Kulturgeschichte und Linguistik, IV*, Viena, 1936, pp. 675-764), p. 739 ss.

[65] JENSEN, *Beschneidung*, p. 53.

[66] Véanse algunos ejemplos africanos en JENSEN, p. 29.

entonces que su hijo ha sido víctima del Espíritu [67], o que, tragado por un Monstruo, como los demás novicios, no logró salir del vientre de aquél. Las torturas son, por lo demás, un equivalente de la muerte ritual. Los golpes que recibe, las picaduras de insectos, la comezón provocada por determinadas plantas venenosas, las mutilaciones —todas estas múltiples formas de tortura significan precisamente que el Animal mítico Maestro de iniciación mata al neófito, descuartizándole y triturándole entre sus fauces, «dirigiéndole» en su vientre.

La identificación de las torturas iniciáticas con los sufrimientos del neófito engullido y «digerido» por el monstruo, viene confirmada por el simbolismo de la cabaña donde quedan aislados los jóvenes. Muchas veces la cabaña representa el cuerpo o las fauces abiertas de un monstruo marino [68], de un cocodrilo, por ejemplo, o de una serpiente [69]. En algunas regiones del Ceram, la abertura por donde entran los novicios se llama precisamente «fauces de serpiente». Estar encerrado en la choza equivale a encontrarse prisionero en el vientre del monstruo. En la isla de Rook, tras el aislamiento de los novicios en una cabaña de la jungla, unos hombres enmascarados informan a las mujeres de que sus hijos están siendo devorados por un Ser terrible, llamado Marsaba [70]. A veces, la penetración en el cuerpo del monstruo implica una verdadera puesta en escena. En algunas tribus del sureste de Australia, echado el neófito en una cavidad o en una fosa, colocan los hombres ante él un trozo de madera partido en dos, que simboliza las mandíbulas de la Serpiente Maestra de iniciación [71].

Pero es en Nueva Guinea donde el simbolismo de la cabaña iniciática se hace particularmente elocuente. Para la circuncisión de los jóvenes se construye una choza especial, que tiene la forma del monstruo Barlun, considerado como el devorador de los novicios [72]: presenta

[67] JENSEN, op. cit., p. 36.
[68] JENSEN, p. 94.
[69] P. ej., en Ceram; ZERRIES, Schwirrholz, p. 44. Acerca de este motivo, véase M. ELIADE, «Mystère et Régénération», en el volumen Mythes, rêves et mystères, p. 294, n. 2.
[70] WEBSTER, op. cit., p. 103.
[71] A. R. RADCLIFFE-BROWN, «The Rainbow-Serpent Myth in South-East Australia» (Oceanía, I, 1930, pp. 342-347), p. 344.
[72] H. SCHURTZ, Altersklassen und Männerbünde, p. 224.

aquélla un «vientre» y una «cola» [73]. La entrada del neófito en la cabaña equivale a la penetración en el vientre
del monstruo. Entre los papúes del norte (costa septentrional de Nueva Guinea) los novicios son engullidos y
más tarde vomitados por un Espíritu cuya voz tiene el
sonido de la flauta. Plásticamente, el Espíritu viene figurado tanto por máscaras como por pequeñas chozas
de hojas en las que entran los candidatos [74]. Las cabañas
iniciáticas de los Kai y de los Jabim tienen dos entradas:
la primera —figurando las fauces de un monstruo— bastante ancha, la otra, mucho más pequeña, simboliza la
cola [75].

Un rito equivalente consiste en entrar en un muñeco
que semeja un monstruo acuático (cocodrilo, ballena, pez
enorme). Así, por ejemplo, los papúes de Nueva Guinea
construyen con rafia un maniquí monstruoso llamado
Kaiemunu; durante la iniciación, el joven entra en el
vientre del monstruo. Pero actualmente se ha perdido el
sentido iniciático: el novicio entra dentro de *Kaiemunu*
mientras su padre está aún terminando de confeccio-
narlo [76].

Más adelante volveremos sobre el simbolismo de la
entrada en el vientre de un Monstruo —motivo iniciático
enormemente difundido y continuamente reinterpretado
en múltiples contextos culturales. Digamos desde ahora
que el simbolismo de la cabaña es más complejo de lo
que puede parecer en estos primeros ejemplos. La cabaña
iniciática representa, además del vientre del Monstruo
devorador, el seno materno [77]. La muerte del neófito significa una regresión al estado embrionario. Regresión
que no es de orden puramente fisiológico, sino fundamen-
talmente cosmológica. No se trata de repetir la gestación

[73] HANS NEVERMANN, *Masken und Geheimbünde Melanesien*
(Leipzig, 1933), pp. 24, 40, 56.
[74] JENSEN, *op. cit.*, p. 83.
[75] JENSEN, p. 87 (los Kai), 89 (los Jabim). Los Karesau encierran a los candidatos en dos cabañas, diciendo luego que se
encuentran en el vientre del Espíritu; *cf.* W. SCHMIDT, «Die geheime Junglingsweihe der Karesau-Insulaner», p. 1032 ss.
[76] F. E. WILLIAMS, «The Pairama Ceremony in the Purari Del-
ta, Papua» (*Journ. Anthrop. Inst.*, LIII, 1923, pp. 361-382), p. 363 ss.;
F. SPEISER, «Ueber Initiationen in Australien und Neuguinea»,
p. 120 ss.; H. NEVERMANN, *op. cit.*, p. 51 ss.
[77] RICHARD THURNWALD, «Primitive Initiations- und Wiedergeburtsriten» (*Eranos-Jahrbuch*, VII, Zürich, 1940, pp. 321-398),
página 393.

materna y el nacimiento carnal, sino de retroceder provisionalmente al mundo virtual, precósmico —simbolizado por la noche y las tinieblas—, siguiéndose un renacimiento en cierto modo homólogo a una «creación del mundo»[78]. Esta necesidad de repetir periódicamente la cosmogonía, homologando las experiencias humanas con los grandes momentos cósmicos, es, por lo demás, una de las características del pensamiento primitivo y arcaico.

El recuerdo de la choza iniciática aislada en la selva se ha conservado en los cuentos populares, incluso en Europa, mucho después de que los ritos de pubertad hubieran dejado de practicarse. Los psicólogos han puesto de relieve la importancia de ciertas imágenes arquetípicas, y la cabaña, la selva, las tinieblas, pertenecen a este tipo de imágenes: ponen de manifiesto el eterno psicodrama de una muerte violenta acompañada de un renacimiento. La selva simboliza a la par el Infierno y la Noche cósmica; por lo tanto, la muerte y las virtualidades; si bien la cabaña es el vientre del monstruo devorador, donde el neófito es triturado y digerido, también es un vientre nutricio, en el que es engendrado de nuevo. Los símbolos de la muerte iniciática y del renacimiento son complementarios.

Como ya antes vimos, algunos pueblos identifican a los novicios aislados en la selva con las almas de los muertos. Con frecuencia los frotan con polvo blanco para que se asemejen a los espectros[79]. No comen con los dedos, porque tampoco los muertos se sirven de ellos[80]. Para no mencionar sino algunos ejemplos: en ciertas regiones de Africa (los negros Babali de Ituri[81]) y de Nueva Guinea[82], los novicios comen con un palillo. En Samoa, tienen obligación de servirse de dichos palillos mientras no se haya cerrado la herida de la circuncisión[83].

---

[78] Acerca de este simbolismo cosmológico presente en las ceremonias de iniciación, véase más adelante, cap. III.

[79] *Cf.* WEBSTER, *op. cit.*, p. 42, n. 2.

[80] Los caníbales tampoco utilizan los dedos (*cf.*, p. ej., JENSEN, p. 143): se consideran a sí mismos como espíritus.

[81] JENSEN, *op. cit.*, pp. 60-61.

[82] P. ej., la isla Mailu; *cf.* JENSEN, p. 92.

[83] JENSEN, p. 104. El empleo de un palillo durante el período de iniciación aparece reseñado en culturas más arcaicas que las que acabamos de citar; dicha costumbre existe entre los fueguinos y los californianos; *cf.* W. SCHMIDT, *Ursprung*, VI, p. 132 ss.

Esta «estancia entre los muertos» no deja de tener consecuencias: los novicios recibirán revelaciones relativas a la ciencia secreta. Pues los muertos están más ilustrados que los vivos. Hay aquí una honda valorización religiosa de los muertos. El culto a los antepasados gana en importancia, a la par que las figuras de los Seres supremos celestes van desapareciendo casi de la actualidad religiosa. La muerte ritual tiende a ser valorizada no sólo como prueba iniciática indispensable para un nuevo nacimiento, sino también como situación privilegiada en sí misma, por el hecho de que permite a los novicios vivir en compañía de los antepasados. Esta nueva concepción desempeñará un importante papel en la historia religiosa de la humanidad. Incluso las sociedades evolucionadas considerarán a los muertos como los detentores de los arcanos, y buscarán la profecía o la inspiración poética a la vera de las tumbas.

GRADOS DE REVELACIÓN

Como antes vimos, todas las formas iniciáticas de pubertad, incluso las más elementales, llevan consigo la revelación de una ciencia sagrada, secreta. Algunos pueblos llaman a los iniciados «los que saben» [84]. Además de las tradiciones de la tribu, aprenden los novicios una lengua nueva, que más tarde les servirá para comunicarse entre sí.

La lengua especial —o, al menos, un vocabulario inaccesible a las mujeres y a los no iniciados— es indicio de un fenómeno cultural que hallará su verdadero desarrollo en las sociedades secretas. Asistimos a la progresiva transformación de la comunidad de los iniciados en una cofradía aún más cerrada, con nuevos ritos de entrada y una pluralidad de grados iniciáticos. Ahora bien, tal fenómeno se halla ya esbozado en las culturas más arcaicas. Limitándonos a Australia, constatamos que la iniciación de pubertad en algunas tribus está constituida por una serie de ceremoniales, separados a veces por un

---

[84] En el Congo se llama a los iniciados *nganga*, «los que saben», y a los no iniciados, *vanga*, los «no iluminados» (WEBSTER, *op. cit.*, p. 175).

intervalo de varios años [85], y —lo que es más— no todos los novicios son admitidos a practicarlos. Allí donde el uso de la subincisión se halla vigente, ésta tiene lugar, a veces, varios años después de la circuncisión, constituyendo un nuevo grado iniciático. Para los Dieiri, por ejemplo, la subincisión constituye el último de los cinco principales ritos iniciáticos, no siendo accesible a todos los iniciados [86]. Entre los Karadjeri, los ritos se extienden a lo largo de un período bastante largo, pudiendo durar hasta diez años. La razón de tal longitud en los intervalos es de naturaleza religiosa. Como explica Tindale, «muchas de las partes principales del ritual no le son reveladas (al iniciado), sino al cabo de varios años; en razón de su crédito y de su capacidad intelectual» [87]. Dicho de otro modo, el acceso a las tradiciones religiosas de la tribu depende también del valor espiritual del candidato, de su capacidad para vivir lo sagrado y de sus posibilidades para entender los misterios.

Así se explica la aparición de las sociedades secretas, al igual que la organización de las cofradías de los curanderos, hombres-medicina, de los chamanes y de los místicos de todo tipo. Se trata en definitiva de una idea sencilla y fundamental: si lo sagrado es accesible a todo ser humano, incluidas las mujeres, no puede quedar agotado en las primeras revelaciones. La experiencia y el conocimiento religiosos comprenden grados, planos cada vez más elevados, que, por su naturaleza, no se hallan indistintamente al alcance de todos. La profundización en la experiencia y en el conocimiento religiosos exige una vocación especial, o una excepcional fuerza de voluntad y de inteligencia. Así como no puede uno llegar a ser chamán o místico por el simple deseo de serlo, tampoco es posible elevarse a determinados grados iniciáticos sin haber dado pruebas de cualidades espiritua-

---

[85] *Cf.*, p. ej., Spencer y Gillen, *The Arunta*, I, p. 178 ss.; A. Lommel, «Notes on the sexual behaviour and initiation, Wunambal tribe, North Western Australia» (*Oceania*, XX, 1949-1950, pp. 158-164), p. 159; Mountford, *op. cit.*, pp. 33-34. Entre los Euahlayi, el joven es iniciado en el misterio de Gayandi, no siéndole revelada la bramadera sino después de haber participado en cinco Boorah; *Cf.* Langloh-Parker, *The Euahlayi Tribe*, p. 81.

[86] Howitt, *op. cit.*, p. 662 ss.

[87] N. B. Tindale, «Initiation among the Pitjandjara Natives», página 223.

les. En algunas sociedades secretas los grados superiores se obtienen también a cambio de donativos importantes, mas no hay que olvidar que, para el mundo primitivo, la riqueza es una prerrogativa de orden mágico-religioso.

Los distintos grupos de hechos a los que hemos pasado revista en este capítulo nos han hecho ver la complejidad morfológica de los ritos de pubertad. Hemos podido ver que, en la medida en que la iniciación no está dirigida por un Ser supremo o por su Hijo, sino por Antepasados míticos o por Dioses-Fiera, se hace más dramática, a la vez que el tema fundamental —la muerte y la resurrección— da lugar a cuadros escénicos accidentados y, más de una vez, terroríficos. También hemos visto que a las pruebas iniciáticas elementales —extracción del incisivo, circuncisión— se añade un creciente número de torturas, cuya finalidad permanece, empero, siempre la misma: asegurar la experiencia de la muerte ritual. Un elemento destaca: la revelación de la sacralidad de la sangre y de la sexualidad. El misterio de la sangre se halla con frecuencia vinculado al misterio de la nutrición. Los innumerables tabús dietéticos tienen una doble función: económica, mas también espiritual. De hecho, a través de los ritos de pubertad los novicios toman conciencia del valor sagrado de los alimentos, asumiendo la condición de adulto, es decir, no dependiendo ya de la madre ni del trabajo de otro para alimentarse. La iniciación equivale, pues, a una revelación de lo sagrado, de la muerte, de la sexualidad y de la lucha por la subsistencia. Sólo llega uno a hacerse hombre al asumir las dimensiones de la existencia humana.

Resalta también en los hechos que acabamos de analizar el papel cada vez más importante de los Antepasados. Representados la mayoría de las veces por máscaras. Así como en Australia las iniciaciones se hacen bajo la dirección de los hombres-medicina, en Nueva Guinea, en Africa, en América, son sacerdotes o máscaras quienes las dirigen; muchas veces son los miembros de las sociedades secretas —por consiguiente, los representantes de los Antepasados— quienes dirigen el conjunto de las ceremonias. Las iniciaciones de pubertad se efectúan bajo la égida de los especialistas de lo sagrado; es decir, terminan siendo controladas, para decirlo de otro modo, por hombres con una determinada vocación religiosa. La instrucción de los novicios ya no es asumida únicamente por los ancianos, sino también —y cada vez más— por sacerdotes y miembros de las sociedades secretas. Los aspectos más importantes de la religión —las técnicas de éxtasis, los secretos y los «milagros» de los hombres-medicina, las relaciones con los Antepasados, etc., serán revelados a los novicios por hombres que disponen de una experiencia religiosa más profunda, obtenida gracias a una vocación especial o tras un larguísimo aprendizaje. De ahí que las iniciaciones de pubertad presenten cada vez más un aspecto dependiente de la tradición mística de los hombres-medicina y de las sociedades de máscaras, lo que redundará en una intensificación del secreto, pero también en la multiplicación de los grados iniciáticos y en el predominio espiritual, social, incluso político, de una minoría de iniciados de alto grado, exclusivos detentores de la doctrina transmitida por los Antepasados.

Dentro de esta perspectiva religiosa, la iniciación equivale a la introducción del novicio en la historia mítica de la tribu; el candidato aprende, en otras palabras, la *gesta* de los Seres sobrenaturales, quienes, en los «Tiempos del Sueño», fundaron la actual condición humana y todas las instituciones religiosas, sociales y culturales de la tribu. Conocer dicha doctrina tradicional es, en definitiva, conocer las aventuras de los Antepasados y de los demás Seres sobrenaturales cuando se encontraban en la Tierra. En Australia, estas aventuras se reducen a largas excursiones, durante las cuales los Seres de la época primordial («Tiempos del Sueño») efectuaron determinado número de acciones. Como antes vimos, los novicios han de reconstruir esos itinerarios míticos durante su iniciación. Revivirán así los acontecimientos del «Tiempo del Sueño». Tales acontecimientos primordiales representan para los australianos una especie de cosmogonía; aunque generalmente se trata de una obra de remate o de perfeccionamiento: los Antepasados míticos *no crean* el Mundo; ellos lo transforman, dándole la forma actual; no crean al hombre, sino que lo civilizan. Muchas veces la existencia terrestre de estos Seres primordiales terminó con una muerte trágica o con su desaparición bajo la Tierra en el Cielo. Su existencia contiene, pues, un elemento dramático que no existía en los mitos de los Seres supremos celestes de Australia del sureste. A los novicios se les comunica, pues, una historia mítica bastante accidentada —y, menos cada vez, la revelación de las acciones creadoras de los Seres supremos. La doctrina transmitida por la iniciación va reduciéndose paulatinamente a la historia de las gestas de los Antepasados, es decir, *a una serie de acontecimientos dramáticos que tuvieron lugar en el «Tiempo del Sueño».* Ser iniciado equivale a entrar en conocimiento de lo *ocurrido* en el Tiempo primordial— y no de qué *sean* los Dioses ni *cómo fueron creados* el Mundo y los hombres. La ciencia sagrada y secreta depende ahora de los Antepasados míticos, y no de los Dioses. Son aquellos los que *vivieron* el drama primordial que fundó el Mundo en su forma actual, y, por consiguiente, son ellos los que *saben* y pueden transmitir dicha ciencia. En términos modernos, podríamos decir que esta ciencia sagrada no pertenece a una ontología, sino a una historia mítica.

Capítulo III

DE LOS RITOS DE PUBERTAD
A LOS CULTOS SECRETOS

Iniciación de las jóvenes

Antes de examinar con más detalle algunos temas iniciáticos, mostrando la continuidad entre los ritos de pubertad y los ritos de entrada en las sociedades secretas, vamos a detenernos unos momentos en las iniciaciones de las jóvenes. Estas últimas han sido menos estudiadas que las iniciaciones de los muchachos, siendo, por consiguiente, bastante mal conocidas. La verdad es que los ritos femeninos de pubertad, y en particular sus aspectos secretos, eran más difícilmente accesibles a los etnólogos. La mayoría de los observadores nos han comunicado descripciones más bien externas. Son bastante pocos los documentos de que disponemos relativos a la instrucción religiosa de las muchachas durante su iniciación y, especialmente, acerca de los ritos secretos a los que, al parecer, habían de someterse. A pesar de estas lagunas, nos será posible hacernos una idea aproximada de la estructura y de la morfología de dichas iniciaciones.

Conviene señalar desde el comienzo que: 1) las iniciaciones femeninas de pubertad se hallan menos difundidas que las de los jóvenes, si bien aparecen ya en estadios antiguos de cultura (Australia, Tierra del Fuego, etc. [1]; 2) los ritos están notablemente menos elabo-

---

[1] *Cf.* B. Spencer, *Native Tribes of the Northern Territory*

rados que los de las iniciaciones de muchachos; 3) por último, las iniciaciones de las jóvenes son individuales. Este último rasgo tuvo importantes consecuencias. Se debe evidentemente al hecho de que la iniciación femenina comienza con la primera menstruación. Este síntoma fisiológico, signo de madurez sexual, trae consigo una ruptura; desarraigar a la joven de su mundo familiar. Inmediatamente se la aísla, se la separa de la comunidad —lo que nos recuerda la separación del muchacho del mundo de la madre y su segregación. Tanto en uno como en otro sexo, la iniciación se abre con una ruptura. Con la única diferencia de que, para las jóvenes, la segregación sigue inmediatamente a la primera menstruación, siendo aquélla por lo tanto individual, mientras que la iniciación masculina es colectiva. El carácter individual de la segregación, que tiene lugar a medida que van apareciendo los signos catameniales, explica el número reducido de ritos iniciáticos. No debemos olvidar, sin embargo, lo siguiente: la duración de la segregación varía de una cultura a otra —de tres días (como en Australia y en la India) a veinte meses (Nueva Irlanda) o incluso varios años (Camboya). De este modo, las jóvenes terminan constituyendo un grupo, celebrándose entonces colectivamente su iniciación[2], bajo la dirección de las ancianas de la familia (como en la India) o de mujeres de edad avanzada (Africa). Dichas monitoras las instruyen acerca de los secretos de la sexualidad y de la fecundidad, enseñándoles las costumbres de la tribu y una parte al menos de las tradiciones religiosas: las accesibles a las mujeres. Se trata de una educación general, pero lo esencial en ella es de naturaleza religiosa: constituye la revelación de la sacralidad femenina. La joven se prepara ritualmente para asumir su modo peculiar de ser, esto es, ser creadora, instruyéndose al mismo tiempo acerca de sus responsabilidades en la sociedad

---

of Australia (Londres, 1914), p. 326; SPENCER y GILLEN, *The Arunta*, II, p. 481; W. E. ROTH, *Ethnological Studies among the North-West-Central Queensland Aborigines*, p. 184; K. L. PARKER, *The Euahlayi Tribe*, pp. 56-57; W. L. WARNER, «A Black Civilization», pp. 75-76. *Cf.* también W. SCHMIDT, «Ursprung der Gottesidee», III, pp. 706-709 (Kulin), 988-990 (Euahlayi).

[2] Tal es el caso, por ejemplo, de las tribus meridionales de América del Sur; *cf.* J. HAEKEL, «Jugendweihe und Männerfest», p. 132 ss.

y en el Cosmos, responsabilidades que, para los primitivos, son siempre de naturaleza religiosa.

Como queda dicho, los ritos iniciáticos femeninos —tal como actualmente los conocemos —son menos dramáticos que los de los jóvenes. Su elemento más importante lo constituye la segregación. Esta tiene lugar en la selva, como entre los Suaheli, o en una cabaña especial, como en muchas tribus de América del Norte (Shuswap, Wintun, etc.), en Brasil (Coroado), en Nuevas Hébridas, en las islas Marshall, así como entre los Wedda y en algunos pueblos de Africa[3]. Al hablar de los ritos de pubertad de los muchachos, hicimos alusión al complejo simbolismo de la selva y de la choza: trátase de un símbolo del más allá, por consiguiente de la muerte y, al mismo tiempo, de las tinieblas de la gestación en el vientre materno. El simbolismo de las tinieblas adquiere especial relieve en las segregaciones ceremoniales de las jóvenes, pues también ellas son recluidas en un rincón oscuro de la casa y, en muchos pueblos, se les prohibe ver el sol; este tabú tiene su explicación en la relación mística existente entre la Luna y las mujeres. En otros lugares se les prohibe dejarse tocar por una persona cualquiera o moverse. Una prohibición típica de las sociedades de América del Sur consistía en no poder tocar el suelo; debiendo permanecer y dormir las neófitas en hamacas[4]. Evidentemente, existe casi en todas partes cierto número de prohibiciones alimentarias, y en algunos pueblos las novicias llevan ropas especiales[5].

No menos esencial que el primer rito de la iniciación —la segregación— es la ceremonia final. En algunas tribus de la costa norte de Australia, la joven catamenial permanece aislada durante tres días en una cabaña, donde se someterá a diferentes tabús dietarios. A continuación es pintada con ocre rojo y ricamente engalanada por las mujeres. «En el momento culminante —escribe Berndt—, todas las mujeres, al amanecer, la acompañan

---

[3] *Cf.* FRAZER, *Balder the Beautiful* (Londres, 1913), I, páginas 22-100; E. S. HARTLAND, *Primitive Paternity* (Londres, 1910), I, pp. 91-96; W. E. PEUCKERT, *Geheimkulte* (Heidelberg, 1951), pp. 256-257.

[4] *Cf.* FRAZER, *op. cit.*, pp. 56, 59-61, 66.

[5] *Cf.* H. PLOSS y M. BARTELS, *Das Weib in der Natur und Völkerkunde* (Leipzig, 1908), pp. 454-502; W. SCHMIDT y W. KOPPERS, *Völker und Kulturen*, I (Ratisbona, 1924), pp. 273-275 (difusión de la costumbre).

hasta un arroyo o a una laguna»[6]. Tras este baño ritual, la novicia será llevada al «campamento principal», entre aclamaciones, siendo socialmente aceptada como mujer[7]. Observa Berndt que antes de instalarse la Misión en el territorio del Arnhem Land, el ritual era más complicado, comprendiendo también canciones. Los etnólogos modernos se encuentran por lo general con instituciones a punto de desaparecer. En el caso del que hablamos, sin embargo, lo esencial se ha conservado, pues el cortejo y las aclamaciones de las mujeres al término de la segregación constituyen una nota característica de las iniciaciones femeninas. En ciertas regiones se pone fin a la segregación con una danza colectiva, costumbre típica sobre todo de los paleoagricultores[8]. Estos últimos, además, exhiben y festejan[9] a las jóvenes iniciadas, o bien ellas mismas visitan en cortejo las casas para recibir presentes[10]. Otros signos externos pueden también señalar el término de la iniciación, por ejemplo, los tatuajes o el ennegrecimiento de los dientes[11], pero al parecer de algunos etnólogos, estas últimas costumbres representan innovaciones que se deben a la influencia de las culturas totémicas[12].

El rito esencial es, pues, la presentación solemne de la joven ante toda la comunidad. Es una proclamación ceremonial de que el misterio acaba de cumplirse. Se *hace ver* que la joven es adulta, es decir, que se halla presta a asumir el modo de ser propio de la mujer. Mostrar ceremonialmente algo —un signo, un objeto, un animal, un hombre— es proclamar una presencia sagrada, aclamar el milagro de una hierofanía[13]. Este rito, sumamente sencillo, denota una actitud religiosa arcaica. Puede que, antes incluso del lenguaje articulado, la ostensión de un objeto haya significado que se le consideraba

---

[6] R. M. BERNDT y C. M. BERNDT, *The First Ausaralans* (Nueva York, 1954), p. 54.

[7] R. M. BERNDT y C. M. BERNDT, *Sexual behaviour in Western Arnhem Land* (Nueva York, 1951), pp. 89-91.

[8] Véase la lista de poblaciones en PEUCKERT, *op. cit.*, p. 258.

[9] PLOSS y BARTELS, I, p. 464 ss.

[10] EVEL GASPARINI, *Nozze, società e abitazione degli antichi Slavi* (Venecia, 1954), apéndices I y II, p. 14.

[11] *Cf.* M. ELIADE, *Mythes, rêves et mystères*, p. 282.

[12] WILHELM SCHMIDT, *Das Mutterrecht* (Viena-Mödling), p. 131.

[13] *Cf.* M. ELIADE, *Traité d'Histoire des Religions* (París, 1949), página 270.

como excepcional, singular, misterioso, sagrado. La presentación solemne de las jóvenes iniciadas constituye muy probablemente el estadio más antiguo de la ceremonia. Las danzas expresan de una manera a la vez más plástica y más dramática la misma experiencia primordial.

Es evidente que las iniciaciones femeninas, aún más que los ritos masculinos de pubertad, se hallan en relación con el misterio de la sangre. Se ha intentado incluso explicar la segregación iniciática de las jóvenes por el miedo primitivo a la sangre menstrual. Frazer [14] ha insistido en este aspecto, subrayando que durante los menstruos, las mujeres permanecen aisladas en cabañas igual que las jóvenes al aparecer la primera manifestación de este fenómeno fisiológico. Pero Wilhelm Schmidt ha hecho ver que ambas costumbres no coinciden: la segregación mensual de las mujeres es una costumbre practicada sobre todo entre los cazadores nómadas y los pueblos pastores, es decir, en sociedades cuya economía depende de los animales y sus productos (carne, leche), los cuales consideran la sangre menstrual como portadora de mala suerte, mientras que la segregación iniciática de las jóvenes es una costumbre propia de las sociedades matriarcales. Y añade Schmidt que, al menos en algunas de estas sociedades matriarcales, la iniciación de las muchachas da lugar a festividades que manifiestan públicamente la alegría de las novicias por haber llegado a la edad de la pubertad y haberse hecho aptas, por tanto, para fundar una familia [15]. Pero, como queda dicho, estas festividades presentan una estructura demasiado arcaica como para ver en ellas una creación del ciclo matriarcal, el cual, según la concepción de W. Schmidt, sería un fenómeno socio-cultural más bien reciente.

De todos modos, el miedo masculino a la sangre femenina no da explicación de los ritos de pubertad de las jóvenes. La experiencia fundamental —única que puede informarnos acerca del origen de los ritos— es una experiencia femenina, y cristaliza en torno al misterio de la sangre. A veces, este misterio tiene manifestaciones de aspecto extraño. Tal es el caso, por ejemplo, de los

---

[14] FRAZER, *Balder the Beautiful*, I, p. 76 ss.
[15] W. SCHMIDT, *Das Mutterrecht*, p. 132.

Dayak, que aíslan a la joven púbera durante todo un año en una cabaña blanca, poniéndole vestidos blancos y nutriéndola con alimentos blancos. Al final de la segregación, aquélla chupa la sangre de la vena de un joven, con una caña de bambú [16]. El significado de esta costumbre parece ser el siguiente: en el intervalo, la joven no es ni mujer ni hombre; considerada como «blanca», «exangüe» [17]. De nuevo vemos aquí el tema de la androginización provisional y de la asexualidad de los novicios, tema al que ya antes aludimos. Conocemos casos, efectivamente, en que, durante el período de iniciación, las jóvenes se visten de hombre, así como los novicios llevan vestidos femeninos durante el noviciado.

GRADOS EN LAS INICIACIONES FEMENINAS

En algunos pueblos, la iniciación femenina comprende varios grados. Así, para los Yao, la iniciación empieza con la primera menstruación, se repite e intensifica durante el primer embarazo, terminando únicamente tras el nacimiento del primer hijo [18]. El misterio de la sangre recibe su coronación en el parto. La revelación de *ser creadora de vida* constituye para la mujer una experiencia religiosa intraducible en términos de experiencia masculina. El ejemplo de la iniciación femenina yao, con sus tres grados, nos permite entender dos fenómenos estrechamente relacionados: 1) la tendencia de las mujeres a organizarse en sociedades religiosas secretas, si-

---

[16] H. LING-ROTH, *The Native of Borneo* (*Journal Royal Anthrop. Inst.*, 23, 1893, p. 41 ss.); H. BAUMANN, *Das doppelte Geschecht*, página 62.

[17] H. BAUMANN, *op. cit.*, 62-63.

[18] M. ELIADE, *Mythes, rêves et mystères*, p. 285, siguiendo a HAEKEL y GASPARINI. Los distintos grados de la iniciación pueden observarse igualmente en las tribus de Australia del noroeste: «Al llegar a la madurez sexual, puede la joven tomar parte en las ceremonias secretas de las mujeres. Tras el primer hijo, puede asistir a los ritos celebrados en honor de la línea de descendencia materna. Luego irá aprendiendo las canciones que son *darargu* (= sagradas) y *gunbu* (tabú) para los hombres; y, al hacerse vieja, dirigirá las asambleas y asumirá la responsabilidad de transmitir su ciencia a la siguiente generación de mujeres» (PHYLLIS M. KARBERRY, *Aboriginal Woman. Sacred and Profane*, p. 237).

guiendo el modelo de las cofradías masculinas; 2) la importancia que en ciertas culturas adquiere el ritual del parto. De las sociedades femeninas hablaremos al estudiar la organización de las sociedades secretas; entonces tendremos ocasión de ver cómo las asociaciones secretas femeninas tomaron ciertos elementos morfológicos de las cofradías masculinas. Por lo que al ritual del parto se refiere, dio éste lugar, en ocasiones, a costumbres en las que se puede apreciar un misterio en germen (o quizá los vestigios de un misterio). Restos de este tipo de esquemas místericos se han conservado incluso en Europa. Durante el siglo pasado, en Schleswig, al tener noticia de un nacimiento, todas las mujeres del pueblo se dirigían a casa de la parturienta, bailando y gritando. Si se cruzaban con algún hombre, le quitaban el sombrero, llenándoselo de estiércol; si tropezaban con un carro, lo hacían astillas y soltaban al caballo. Tras la reunión en casa de la parturienta, las mujeres emprendían una carrera frenética por todo el pueblo, lanzando gritos y hurras y, entrando en las casas, tomaban la comida y la bebida que les venía en gana. Si se encontraban con algún hombre, le obligaban a bailar[19]. Es probable que antiguamente se desarrollaran ciertos rituales secretos en casa de la recién parida. Una información del siglo XII señala la existencia de rituales de esta índole en Dinamarca: reunidas las mujeres en casa de la recién parida, confeccionaban un maniquí de paja y bailaban luego con él, con gestos lascivos, cantando y chillando al mismo tiempo[20]. Estos ejemplos son de inestimable valor: nos permiten ver cómo las agrupaciones rituales de mujeres con motivo del parto tienden a transformarse en asociaciones secretas.

Volviendo a los ritos femeninos de pubertad, hemos de añadir que durante el período de reclusión, las novicias aprenden canciones y danzas rituales, así como ciertos oficios típicamente femeninos, en primer lugar el de

---

[19] M. ELIADE, op. cit., p. 285 ss., siguiendo a RICHARD WOL-FRAM, «Weiberbünde» (Zeitschrift für Volkskunde, XLII, 1933), p. 143 ss. Ya en algunas tribus de Australia, el parto constituye un «misterio». PHYLLIS KABERRY tuvo más dificultad en recoger canciones secretas de nacimiento que en obtener de los hombres informaciones concernientes a la iniciación de los jóvenes; cf. Aboriginal Woman, p. 241 ss.
[20] M. ELIADE, ibid., p. 286.

hilar y tejer. El simbolismo de estos oficios es honda-
mente significativo: en las fases ulteriores de cultura lo
encontramos elevado al rango de principio explicativo
del Mundo. La Luna «hila» el Tiempo y es ella quien
«teje» las vidas humanas[21]. Las Diosas del destino son
hilanderas. Se aprecia cierta vinculación oculta entre la
concepción de las creaciones periódicas del Mundo (concepción derivada de una mitología lunar), la idea del
Tiempo y del destino, por un lado; y, por otro, el trabajo
nocturno, trabajo femenino, que debe ejecutarse lejos
de la luz del sol y en secreto, casi a escondidas. En
algunas culturas, una vez finalizada la reclusión, las jóvenes siguen acudiendo a la casa de alguna mujer mayor,
para hilar juntas. Hilar es una labor peligrosa; por eso
no se puede practicar más que en casas especiales y sólo
en épocas determinadas y hasta ciertas horas. En algunos lugares del mundo se renunció a esta labor, habién-
dola incluso olvidado por completo, por el peligro mágico que encierra. Creencias similares persisten actualmente en Europa (cf. Percht, Holda, Frau Hölle, etc.).
En ciertos lugares (por ejemplo en Japón) queda aún el
recuerdo mitológico de una tensión permanente e incluso de conflicto entre los grupos de muchachas y las
sociedades secretas masculinas, los *Männerbünde*. Los
hombres y sus dioses atacan durante la noche a las hilanderas, deshacen su labor y destruyen las lanzaderas
y los instrumentos para tejer[22].

Existe una relación mística entre las iniciaciones
femeninas, la labor de hilar y la sexualidad. Incluso en
las sociedades evolucionadas, las jóvenes gozan de una
cierta libertad prenupcial y los encuentros con los muchachos tienen lugar en la casa donde ellas se reúnen para
hilar. Todavía a comienzos del siglo XX existía en Rusia
esta costumbre. Sorprende ver cómo en las mismas culturas en que la virginidad es tenida en alta estima, los
encuentros entre muchachas y muchachos no sólo son
tolerados, sino incluso estimulados por los padres. No
se trata de una corrupción de las costumbres, sino de un
gran secreto: la revelación de la sacralidad femenina;
nos hallamos ante las fuentes de la vida y de la fecun-

---

[21] M. ELIADE, *Images et Symboles* (París, 1952), p. 120 ss.;
cf. también R. WOLFRAM, *Schwerttanz und Männerbund* (Kassel,
1935 ss.), p. 172.
[22] M. ELIADE, *Mythes, rêves et mystères*, p. 283 ss.

didad. Las libertades prenupciales de las jóvenes no son de orden erótico, sino ritual: constituyen los fragmentos de un misterio olvidado, y no diversiones profanas. En Ucrania, en ciertos períodos sagrados, y sobre todo con ocasión de los casamientos, jóvenes y mujeres se conducen de manera casi orgiástica[23]. Esta alteración total de la conducta —de la modestia a la exhibición— tiene una finalidad ritual, y, consiguientemente, la comunidad entera se halla interesada en ello. Se trata de la necesidad, de orden religioso, de abolir periódicamente las normas que rigen la existencia profana, en otras palabras, la necesidad de suspender la ley que gravita como un peso muerto sobre las costumbres, reinstaurando el estado de espontaneidad absoluta. El hecho de que tales conductas se hayan conservado hasta el siglo xx en pueblos cristianizados desde antiguo, prueba, a nuestro modo de ver, que ahí se da una experiencia religiosa sumamente arcaica, constitutiva del alma femenina. Tendremos ocasión de encontrar otras expresiones religiosas de la misma experiencia fundamental, al examinar algunas de las organizaciones secretas femeninas.

Resumiendo: las iniciaciones de las jóvenes están dominadas por un misterio que les es «natural», la aparición de la menstruación con todo lo que implica para la mentalidad de los primitivos: purificación periódica, fecundidad, poder curativo, fuerza mágica, etc. Se trata, en suma, de tomar conciencia de una transformación que se opera de manera «natural», asumiendo el modo de ser que de ahí resulta, el modo de ser de la mujer adulta. La iniciación no lleva consigo, como en el caso de los muchachos, la revelación de un Ser divino, de un objeto sagrado (la bramadera) y de un mito de origen —es decir, la revelación, en resumidas cuentas, de un acontecimiento que tuvo lugar *in illo tempore*, que es parte integrante de la historia sagrada de la tribu, perteneciendo por ello mismo a la «cultura» y no ya al mundo natural. Es de señalar que las ceremonias femeninas relacionadas con la menstruación no se fundan en un mito de origen como ocurre con los ritos masculinos de pubertad. Según ciertos mitos, las ceremonias iniciáticas actualmente en poder de los hombres, pertenecieron originalmente a las mujeres—, pero no guardan relación

---

[23] *Ibid.*, p. 284 ss.

alguna con el «misterio» femenino por excelencia, la menstruación. Los escasos mitos que se refieren al origen de la menstruación no pertenecen a la categoría de los mitos iniciáticos.

De todo ello resulta que, a diferencia de las mujeres, los hombres se ven forzados a tomar conciencia, en el período de entrenamiento iniciático, de realidades «invisibles» y a entrar en conocimiento de una historia sagrada que no es «evidente», esto es, no dada en la experiencia inmediata. Un neófito entiende el sentido de la circuncisión después de conocer el mito de origen. Todo lo que sucede durante la iniciación se debe a que, en los tiempos míticos, ocurrieron ciertos acontecimientos que modificaron radicalmente la condición humana. La iniciación constituye para los muchachos la introducción en un mundo que no es ya «inmediato»: mundo del espíritu y de la cultura. Para las muchachas, por el contrario, la iniciación comprende una serie de revelaciones en relación con el sentido secreto de un fenómeno aparentemente «natural»: el signo visible de su madurez sexual.

KUNAPIPI

Nos ocuparemos ahora del Kunapipi, culto secreto australiano todavía vigente en el Arnhem Land y en el Northern Territory del oeste y del centro. Para nuestro estudio, su interés es doble: por un lado, si bien las ceremonias más importantes son exclusivamente masculinas, la ideología del Kunapipi está dominada por los simbolismos religiosos femeninos, y sobre todo por la figura de la Gran Madre, frente de la fertilidad universal; por otro lado, se trata de un cuadro iniciático cuya estructura ya nos es conocida —pues el momento principal lo constituye el engullimiento ritual—, pero que presenta también elementos nuevos. En otras palabras, Kunapipi constituye un excelente punto de partida para nuestro estudio comparativo acerca de la continuidad de los temas iniciáticos. No podrán ser iniciados al culto Kunapipi más que jóvenes que ya hayan tomado parte en ceremonias de pubertad. No se trata, por consiguiente, de un rito para pasar de una clase de edad a otra, sino de una iniciación superior, lo que confirma una vez más el deseo del hombre primitivo de ahondar su experiencia y sus conocimientos religiosos.

La finalidad del ritual Kunapipi es doble: 1) la iniciación de los jóvenes; 2) la renovación de las energías que mantienen la Vida Cósmica y la fertilidad universal. Dicha renovación se obtiene mediante la reactualización del mito original. La fuerza sagrada que los Seres sobrenaturales detentan, se libera gracias a la repetición de los actos realizados por dichos Seres en los Tiempos del Sueño [24]. Nos hallamos ante una concepción religiosa que ahora nos resulta ya bastante familiar: un mito original funda un ritual iniciático; al celebrar este ritual, reactualizamos el Tiempo primordial, nos hacemos contemporáneos del Tiempo del Sueño [25]. Los novicios serán introducidos en este misterio, y con tal motivo la comunidad entera y el medio cósmico circundante quedarán inundados de la atmósfera de los Tiempos del Sueño. Cosmos y Sociedad saldrán renovados. Resulta, pues, evidente que la iniciación de un grupo de jóvenes es de interés no sólo para su propia situación religiosa, sino también para la de la comunidad. Se halla aquí el germen de una concepción que se verá desarrollada en las religiones superiores, a saber, que la perfección espiritual de una élite ejerce una influencia salutífera en el resto de la sociedad.

Pasemos ahora al culto propiamente dicho. Se basa en un mito un tanto complejo, del que únicamente escogeremos los elementos principales. En el Tiempo del Sueño, las dos hermanas Wauwalak, la mayor de las cuales acababa de dar a luz, partieron hacia el norte. En realidad estas dos Hermanas son Madres. El nombre del culto, Kunapipi, significa «Madre» o «Anciana». Tras un largo viaje, se detuvieron a la vera de un pozo, construyeron una choza, encendieron fuego y trataron de asar algún animal. Pero los animales huían del fuego y se precipitaban en el pozo. Pues los animales, cuentan ahora los aborígenes, sabían que una de las Hermanas, impura por su reciente parto, no debía acercarse al pozo, en el cual se hallaba la Gran Serpiente Julunggul. Y así

[24] R. M. Berndt, *Kunapipi* (Melburne, 1951), p. 34.
[25] Las fundadoras míticas de la ceremonia, las Hermanas Wauwalak, están «espiritualmente tan vivas actualmente como en tiempos anteriores» (Berndt, *op. cit.*, p. 33).

fue que, atraída por el olor de la sangre, salió Julunggul de su escondrijo subterráneo, irguióse amenazante —provocando nubes y relámpagos— y se acercó a la choza. La menor de las Hermanas intentó alejarla danzando; danzas que se reactualizan durante el ceremonial Kunapipi. Por último, la Serpiente envolvió con saliva la choza donde se encontraban las dos Hermanas y el niño, y la tragó, irguiéndose luego con la cabeza hacia el Cielo. Poco después vomitó a las dos Hermanas y al niño. Mordidos por unas hormigas blancas, volvieron a la vida, pero Julunggul los tragó de nuevo, y esta vez definitivamente.

Este mito también sirve de base, aparte del Kunapipi, a otros dos rituales, uno de los cuales, *djunggawon*, constituye el rito iniciático de pubertad. El origen de todos estos rituales lo explican los aborígenes de la manera siguiente: habiendo visto a Julunggul tragarse, y luego vomitar a las dos Hermanas, una pitón —Lu'ningu— quiso imitarla. Dedicóse a errar por todo el país, tragándose a los jóvenes, pero los devolvía muertos, reducidos algunas veces al esqueleto. Encolerizados los hombres, la mataron, levantándole luego un monumento representativo: son los dos postes llamados *jelmalandji*. Para imitar el silbido de la serpiente, construyeron bramaderas [26]. Por último, el jefe de la ceremonia se había cortado el brazo, diciendo: «Nos hacemos semejantes a esas dos mujeres» [27].

En el ritual Kunapipi, escribe Berndt, los jóvenes neófitos «una vez que abandonan el campamento principal para entrar en el campo sagrado, serán considerados como engullidos por Lu'ningu, al modo como en los Tiempos del Sueño lo fueron los jóvenes; antiguamente debían permanecer alejados de las mujeres por un período que oscilaba entre dos semanas y dos meses, y que simbolizaba su permanencia en el vientre de la Serpiente» [28].

---

[26] Se trata del tema mítico bien conocido: 1) un Ser sobrenatural mata a los hombres (con el fin de iniciarlos); 2) al no entender el sentido de esta muerte iniciática, los hombres se vengan haciéndole morir; 3) pero a continuación fundan ceremonias secretas en relación con este drama primordial; 4) el Ser sobrenatural será hecho presente en las ceremonias por medio de una imagen o un objeto sagrado, considerados como representativos de su cuerpo o de su voz.

[27] BERNDT, *op. cit.*, p. 36.
[28] BERNDT, *op. cit.*, p. 37.

Pero a ambas Serpientes —Julunggul y Lu'ningu— se les confunde, pues al reintegrarse al campamento principal, los hombres declaran a las mujeres: «Hoy han desaparecido todos los jóvenes; se los ha tragado Julunggul»[29]. El simbolismo del engullimiento ritual tiene, por lo demás, mayor complejidad. Por una parte existe la creencia de que los neófitos, a semejanza de las dos Hermanas, son devorados por la Serpiente; por otro lado, al entrar en el campo sagrado, retornan simbólicamente al útero de la Madre. En efecto, los neófitos serán pintados con ocre y con sangre, que obtienen abriéndose las venas del brazo, en representación de la sangre de las dos Hermanas Wauwalak. «De modo que, a efectos del ritual, escribe Berndt, éstos se convierten en las Dos Hermanas, siendo devorados por Julunggul, y revivificados al término del ritual, como lo fueron las dos mujeres»[30]. Por otra parte, el lugar de las danzas, que es triangular, simboliza, según los aborígenes, el útero de la Madre. «Cuando los neófitos dejan el campamento para entrar en el campo sagrado, van haciéndose cada vez más sagrados, afirman los aborígenes, y entran en la Madre; penetran en su útero, el campo circular, como sucedió en los comienzos. Terminado el ritual, la Madre los «deja salir»: emergen del lugar circular, volviendo a la vida ordinaria»[31].

El simbolismo del *regressus ad uterum* se repite en el curso del ritual. En cierto momento, cubren a los neófitos con cortezas, «diciéndoles que duerman». Y así permanecen, cuentan los aborígenes, «cubiertos en la cabaña como las Hermanas»[32]. Por último, tras un ritual orgiástico que incluye el intercambio de mujeres, y que no es de interés para nuestro estudio porque los neófitos no toman parte en él—, tiene lugar la ceremonia final: entre el campo sagrado y el campamento principal se instalan dos postes terminados en horquilla, unidos por una grue-

---

[29] *Ibid.*, p. 41.
[30] *Ibid.*, p. 38. La mayor estaba manchada con la sangre placentaria; en cuanto a la pequeña, el esfuerzo de la danza ante la Serpiente había terminado provocando su flujo menstrual (*ibid.*, p. 23).
[31] BERNDT, *op. cit.*, p. 14. La cabaña en que se habían refugiado las Dos Hermanas —cabaña que desempeña una función en los otros dos rituales que dependen de este mito, *djunggawon* y *njurlmack*— representa igualmente el útero de la Madre.
[32] R. BERNDT, *op. cit.*, p. 45.

sa pértiga. La pértiga está cubierta con ramas, bajo las cuales se introducen los iniciados, quedando completamente invisibles desde fuera; permanecen así agarrados a la pértiga, con los pies en el suelo, «como si estuvieran colgados de la pértiga». Se encuentran en realidad en el útero, y reaparecerán espiritualmente re-nacidos («su espíritu vuelve a salir enteramente nuevo» [33]). Dos hombres se suben a los postes en horquilla y chillan desde allí como los recién nacidos, porque son «los hijos de Wauwalak». Por último, regresan todos al campamento principal pintados con ocre y sangre braquial.

Nos hemos extendido acerca del ritual Kunapipi porque, gracias a los trabajos de R. M. Berndt, podemos conocer multitud de valiosos detalles, así como la significación que les conceden los aborígenes. Es preciso añadir que el ritual Kunapipi no representa un estadio arcaico de la cultura australiana; muy probablemente ha sufrido la influencia de aportaciones melanesias más recientes [34]. La tradición según la cual las mujeres poseían al principio todos los secretos del culto y los objetos sagrados, habiéndoselos robado más tarde los hombres [35], indica una ideología matriarcal. Con toda evidencia, gran número de elementos rituales son panaustralianos: por ejemplo, el rito de arrojar fuego, la bramadera y el mito acerca de su origen, la costumbre de cubrir a las mujeres y a los neófitos con ramas, etc. La nota peculiar del Kunapipi es, como acabamos de ver, el tema iniciático del *regressus ad uterum*. Varias veces lo hemos encontrado: cuando entran los neófitos en el campo sagrado, cuando esperan debajo de las ramas colgados de la pértiga; finalmente, en el momento en que se les supone en la cabaña de las Dos Hermanas. Asimismo debemos interpretar como un *regressus ad uterum* el engullimiento ritual por la Serpiente: de un lado, por-

---

[33] *Ibid.*, p. 53.

[34] A. P. ELKIN, prólogo al libro de Berndt, p. XXII; WILHELM SCHMIDT, «Mithologie und Religion in Nord Australien» *(Anthropos*, 48, 1953, pp. 898-924).

[35] «En aquel tiempo no teníamos nada, ni objetos sagrados, ni ceremonias sagradas, las mujeres lo tenían todo» (BERNDT, *op. cit.*, p. 8; *cf.*, *ibid.*, pp. 55, 58, 59). Tradiciones similares existen, como antes vimos, entre los Selknam y en ciertas tribus de la cuenca amazónica; *cf.* cap. II, n. 50, y MÉTRAUX, «A Myth of the Chamacoco Indians», esp. pp. 117-118.

que ésta viene muchas veces descrita como hembra [36]; de otro, porque la penetración en el vientre de un monstruo entraña igualmente un simbolismo de regresión al estado embrionario.

Sorprende la insistencia con que se reitera la vuelta al vientre de la Madre primordial. Las pantomimas sexuales, y más que nada el intercambio ritual de las mujeres —ceremonia orgiástica que tiene una gran función en el culto Kunapipi— acentúan aún más la atmósfera sagrada del misterio de la procreación y del parto. Efectivamente, la impresión general que se desprende de todo este ceremonial, es la que de éste consiste no tanto en una muerte ritual precediendo a una resurrección, cuanto en una regeneración total del iniciado mediante su gestación y alumbramiento por parte de la Gran Madre. No quiere esto decir, claro está, que el simbolismo de la muerte esté completamente ausente: ser tragado por la Serpiente e incluso retornar al Vientre materno, lleva necesariamente consigo morir a la condición profana. El simbolismo del *regressus ad uterum* es siempre ambivalente. Con todo, las notas peculiares que dominan en el culto Kunapipi, son la generación y la gestación. Tenemos, pues, aquí un ejemplo perfecto de tema iniciático ordenado y construido en torno a la idea de nuevo nacimiento, y no ya en torno a la idea de muerte y resurrección simbólicas.

SIMBOLISMOS INICIÁTICOS DEL «REGRESSUS AD UTERUM»

Este tema se repite en gran número de mitos y ritos iniciáticos. La idea de la gestación y del parto viene expresada por una serie de imágenes homologables: penetración en el vientre de la Gran Madre (= Madre Tierra), o en el cuerpo de un monstruo marino, de un animal salvaje o incluso de un animal doméstico. La cabaña iniciática forma parte, con toda evidencia, de esta misma familia de imágenes; siendo preciso añadir una que no habíamos encontrado hasta el presente: la vasija. Necesitaríamos mucho más espacio del que disponemos para estudiar convenientemente todos los ritos y mitos rela-

---

[36] *Cf.* p. ej., BERNDT, *op. cit.*, p. 24 ss.

cionados con este tema. No queda más remedio que limitarse a algunos aspectos. Para simplificar la exposición, empezaremos reuniendo los documentos en dos grupos: en el primero, el *regressus ad uterum* —aun implicando cierto peligro (inevitablemente vinculado a todo acto religioso)— aparece como una operación misteriosa, pero relativamente poco peligrosa; por el contrario, en el segundo grupo de documentos, el *regressus* entraña el riesgo de ser despedazado entre las fauces de un monstruo (o lacerado en la *vagina dentata* de la Madre Tierra) y digerido en su vientre. Huelga decir que los hechos son de mayor complejidad y matices. No obstante, cabe hablar de dos tipos de iniciación por *regressus ad uterum:* el tipo «fácil» y el tipo «dramático». En el primero, el acento recae sobre el misterio del alumbramiento iniciático. En el tipo dramático, el tema del nuevo nacimiento viene acompañado, y en ocasiones dominado, por la idea de que, al tratarse de una prueba iniciática, es imposible que ésta no encierre peligro de muerte. Como en seguida veremos, las iniciaciones brahmánicas se alinean en la categoría de ritos que realizan una nueva gestación a la que seguirá un nacimiento nuevo del neófito, sin por ello exigir su muerte previa, ni siquiera grave peligro de muerte. (El simbolismo de la muerte a la condición profana, digámoslo una vez más, aparece siempre, mas ello por ser una de las características de toda experiencia religiosa auténtica).

El segundo tipo de *regressus* iniciático presenta, por su parte, un considerable número de formas y variantes, dando lugar a ramificaciones y desarrollos laterales, cargados de significados cada vez más sutiles, incluso en las religiones, místicas y metafísicas de las sociedades evolucionadas. Encontramos el retorno peligroso *ad uterum:* 1) en los mitos que destacan en primer plano a un héroe devorado por un monstruo marino y su salida victoriosa de aquél tras forzar el vientre del devorador; 2) en los mitos y relatos de los chamanes, quienes, durante sus trances, se supone que entran en el vientre de un pez gigante o de una ballena; 3) en muchos de los mitos de la travesía iniciática de una *vagina dentata* o del descenso peligroso a una cueva o a una hendidura, consideradas como la boca o el útero de la Madre Tierra, descenso que conduce al héroe hasta el otro mundo; 4) por último, cabe reconocer este mismo tema en todo el grupo de mitos y símbolos relativos a un «paso paradójico» entre dos ruedas de molino en continuo movimiento, entre dos peñascos que se tocan a cada instante o por un puente tan estrecho como un hilo y cortante como el filo de un cuchillo, etc.; «paso paradójico» por ser imposible de realizar en el plano de la experiencia cotidiana, y cuyas imágenes, que acabamos de citar, servirán —en las místicas y metafísicas ulteriores— para indicar el acceso a un estado trascendente. Lo que caracteriza a todas estas formas de retorno peligroso *ad uterum* es el hecho de que el héroe se proponga llevarlo a cabo en vida y en su condición de adulto, es decir, que no muere ni retorna a un estado embrionario. Lo que en esta empresa se ventila es, a veces, excepcional: es cuestión ni más ni menos que de alcanzar la inmortalidad. Y, como luego veremos en el mito del héroe polinesio Maui, la humanidad no obtuvo la inmortalidad porque aquél no logró salir vivo del cuerpo de la Gran Madre. Una parte del capítulo siguiente la dedicaremos a todo este grupo de mitos y ritos iniciáticos. Trataremos allí de completar y perfilar este esbozo demasiado rápido.

SIMBOLISMO DEL NUEVO NACIMIENTO EN LAS INICIACIONES DE LA INDIA

Por el momento, expondremos algunos ejemplos para ilustrar el tipo inofensivo de *regressus* iniciático al estado de embrión. Empezaremos por las iniciaciones brahmánicas. No es nuestro propósito realizar una presentación completa, sino únicamente del tema de la gestación y del nuevo nacimiento. La ceremonia *upanâyama* —esto es, la presentación del joven a su preceptor— constituye, en la India antigua, el equivalente de las iniciaciones primitivas de pubertad. Efectivamente, algunos rasgos del comportamiento de los novicios en los pueblos primitivos subsisten todavía en la India antigua: el *brahmacârin* vive en casa de su preceptor, viste una piel negra de antílope, se sustenta exclusivamente de alimentos que mendiga y está ligado por un voto absoluto de castidad. (La designación de este período de estudios al lado del preceptor —*brahmacarya*— terminó por expresar la continencia sexual.) Ignorado por el Rig Veda, el *upanâyama* aparece por primera vez en el Atharva Veda, XI, 5, 3, donde está claramente expresado el tema de la gestación y del re-nacimiento: dícese allí que el preceptor transforma al muchacho en embrión y le guarda tres noches en su vientre. *Çatapatha Brâhmana* (XI, 5, 4, 12-13) añade las siguientes precisiones: el preceptor concibe en el momento en que coloca la mano en el hombro del muchacho, y al tercer día, éste renace en la condición de brahmán. El Atharva Veda, XIX, 17, califica al que ha efectuado el *upanâyama* de «nacido dos veces» (*dvi-ja*), y es aquí donde aparece por primera vez este término, que gozará de extraordinaria fortuna en la India.

El segundo nacimiento es, claro está, de orden espiritual, insistiendo en este punto capital los textos ulteriores. Según las Leyes de Manu, II, 144, el que comunica al novicio la palabra del Veda (es decir, el *brahman*) debe ser considerado como padre y madre; entre el progenitor y el dador del *brahman*, este último es el verdadero padre (II, 146); el verdadero nacimiento, es decir, el nacimiento para la inmortalidad, viene dado por la fórmula Sâvitrî (II, 148)[37]. Esta concepción, panhindú, es a su vez recogida por el budismo: al abandonar su apellido, el novicio convertíase en un «hijo de Buda» (*sakya-putto*), pues había «nacido en medio de los santos» (*ariya*). Como decía Kassapa, hablando de sí mismo: «Hijo natural del Bienaventurado, nacido de su boca, nacido del *dhamma*, modelado por el *dhamma*», etcétera (*Samyutta Nikâya*, II, 221).

La iconografía búdica conserva también el recuerdo de que el segundo nacimiento, espiritual, tiene lugar a la manera de los pollitos, a saber, «rompiendo la cáscara del huevo»[38].

El simbolismo iniciático del huevo y del pollo es antiguo; es muy probable que sea el «doble nacimiento» de las aves el que diera origen a la imagen del *dvi-ja*. De todos modos, estamos ante imágenes arquetípicas que aparecen ya en los niveles arcaicos de las culturas. Los

---

[37] *Cf.* Hermann Lommel, en Carl Hentze, *Tod, Auferstehung, Weltordnung* (Zurich, 1955), p. 128. Acerca de la ceremonia tal como se practica actualmente, véase Sinclair Stevenson, *The Rites of the twiceborn* (Oxford, 1920), p. 27 ss.

[38] Para el análisis de este motivo en la filosofía budista, *cf.* M. Eliade, *Images et Symboles*, p. 100 ss.

bantúes Kavirondo dicen, a propósito de los iniciados: «Ahora sale el pollo blanco del huevo, somos como las vasijas recién sacadas del horno»[39]. Es de señalar que la misma imagen reúna dos motivos a la vez embriológicos e iniciáticos: el huevo y la vasija, que volveremos a encontrar en la India.

Aparte este nacimiento nuevo conseguido gracias al *upanâyama*, conoce el brahmanismo un ritual iniciático, la *dîksâ*, al que deberá someterse el que se prepara para el sacrificio del soma, y que, propiamente, consiste en un retorno al estadio fetal[40]. El Rig Veda ignora la *dîksâ*, que aparece en el Atharva Veda. En el Atharva Veda, XI, 5, 6, el *brahmacârin*, es decir, el neófito que está efectuando el rito iniciático de pubertad, viene calificado de *dîksita*, el que practica la *dîksâ*. Con toda razón ha subrayado H. Lommel[41] la importancia de este pasaje: el novicio es equiparado al que está naciendo de nuevo a fin de hacerse digno de operar el sacrificio del soma. Así, pues, este sacrificio supone una santificación previa del sacrificante —quien, para obtenerla, ha de sufrir un *regressus ad uterum*. Los textos son sumamente claros. Según la *Aitareya Brâhmana* (I, 3): «Los sacerdotes transforman en embrión al que ellos dan la *dîksâ*. Le asperjan con agua; el agua es la simiente viril (...). Le introducen en el cobertizo especial: el cobertizo especial es la matriz del que hace la *dîksâ*; le introducen de este modo en la matriz que le conviene. Le cubren con una vestidura; la vestidura es el amnios (...). Él tiene los puños cerrados; el embrión, en efecto, tiene los puños cerrados mientras está en el seno, el niño tiene los puños cerrados cuando nace (...). Se despoja de la piel de antílope para entrar en el baño; por eso los embriones vienen al mundo despojados del corion. Conserva su vestidura para entrar en él y por eso el niño nace cubierto por el amnios.»

---

[39] Richard Thurnwald, «Primitive Initiations und Wiedergeburtsriten», p. 390, citando a Gunther Wagner, «Reifeweihen bei den Bantu-Stammen Kavirondos und ihre heutige Bedeutung» (*Archiv für Anthropologie*, N. F. XXV, 1939, pp. 85-100).
[40] Sobre la *diksâ*, véanse los textos recopilados por Sylvain Lévi, *La Doctrine du sacrifice dans les Brâhmanas* (París, 1898), página 103 ss. *Cf.* también M. Eliade, *Le Yoga. Immortalité et Liberté* (París, 1954), pp. 118, 374; H. Lommel, en C. Hentze, *op. cit.*, p. 115 ss.
[41] En Carl Hentze, *op. cit.*, p. 127.

Los textos paralelos resaltan con lujo de imágenes el carácter embriológico y obstétrico del rito. «El *dîksita* es un embrión, el corion es su vestidura», etc. —dice *Taittirîya Samhitâ*, 1, 3, 2. La *Taitt. Samh.* (VI, 2, 5, 5) recoge también la imagen de *dîksita* = embrión, completada con la de la choza, equiparada a la matriz —imagen enormemente extendida y bastante antigua: al salir el *dîksita* de la choza es como el embrión que sale de la matriz. La *Maitrâyanî-Samhitâ*, III, 6, 1, precisa que el iniciado sale de este mundo y «nace en el mundo de los Dioses». La cabaña es la matriz del *dîksita*, la piel de antílope es la placenta. La razón de este *regressus ad uterum* será varias veces resaltada. «El hombre es en verdad un nonato. Nace gracias al sacrificio» (*ibid.*, III, 6, 7), pero se pone el acento en que el verdadero nacimiento del hombre es de orden espiritual. «El *dîksita* es simiente», añade *Maitrâyanî-Samhitâ* (III, 6, 1): es decir, para alcanzar el estado espiritual que le permita renacer en el mundo de los Dioses, el *dîksita* ha de volver a hacerse, simbólicamente, lo que fue *ab origine*. Anula su existencia biológica, el tiempo de su existencia humana ya transcurrido, con el fin de recobrar una situación a la vez embrionaria y primordial: «vuelve hacia atrás», al estado de simiente, es decir, de virtualidad pura. Este tema de la «vuelta hacia atrás», con objeto de anular la duración histórica transcurrida y de volver a empezar una nueva existencia, con todas las posibilidades intactas, ha obsesionado hasta tal punto a la humanidad que se observa en múltiples contextos, y hasta en soteriologías y místicas evolucionadas [42]. Todos esos ritos de *regressus ad uterum* tienen, claro está, un modelo mítico: es Indra quien, para evitar el nacimiento de un monstruo aterrador, fruto de la unión entre la Palabra (*Vâc*) y el Sacrificio (*yajña*), se transformó en embrión y penetró en la matriz de Vâc [43].

Conviene llamar la atención sobre este punto: el *regressus ad uterum* representado por la *dîksâ* es reiterable: vuelve a tener lugar cada vez que se lleva a cabo el sacrificio del soma. Y como el sacrificante ya ha nacido

---

[42] *Cf.* M. ELIADE, «Kosmogonische Mythen und magische Heilung» (*Paideuma*, VI, 1956, pp. 194-204).
[43] *Cf. Çatapatha Brâhmana*, III, 2, I, 18 ss. En la *Maitrâyanî Samhitâ* III, 6, 8, se trata de la unión entre Yajña y Dakshinâ. *Cf.* también H. LOMMEL, en C. HENTZE, p. 114 ss.

«por segunda vez» gracias a su iniciación (*upanâyama*), la *dîksâ* tendrá por objeto la regeneración del sacrificante, a fin de que pueda participar en lo sagrado. El *regressus ad uterum* implica por fuerza la abolición del Tiempo transcurrido. Los textos no lo dicen expresamente, pero el retorno *ad originem* no puede explicarse sino por el deseo de comenzar de nuevo una existencia «pura», es decir, que no haya sufrido aún las embestidas del Tiempo. Idéntico ritual es de rigor en otras ocasiones: por ejemplo, el novicio que ha quebrantado el voto, ha de velar toda la noche junto al fuego, envuelto en una piel negra de antílope, de la que al amanecer saldrá arrastrándose (*Baudhâyana Dh.*, III, 4, 4). Estar envuelto en una piel significa la gestación, y salir a rastras simboliza el nuevo nacimiento. Rito y significación existen igualmente en otros niveles de cultura. En algunos pueblos bantúes, antes de la circuncisión, el muchacho es objeto de una ceremonia conocida con el nombre de «nacer de nuevo». El padre sacrifica un carnero, y tres días más tarde envuelve al niño en la membrana del estómago y en la piel del animal. Mas antes de envolverle, el niño debe subir al lecho, junto a su madre, y gritar como un recién nacido. Permanecerá durante tres días en la piel del carnero. Diremos también que los muertos son enterrados en pieles de carnero y en posición embrionaria [44].

Volviendo a la India, será preciso que hablemos también de un rito que implica el *regressus ad uterum*, con el mismo objeto de obtener un nuevo nacimiento, ya sea con el fin de alcanzar un modo superior de ser (por ejemplo, convertirse en brahmán), o bien para purificarse de una gran mancha (contraída, por ejemplo, tras un viaje al extranjero). Se trata del rito *hiranyagarbha*, literalmente «embrión de oro», el cual, descrito por primera vez en el *Atharva Veda parishista*, XIII, conoció excepcional vitalidad, pues aún seguía en uso en el siglo XIX [45]. La ceremonia consiste en lo siguiente: se in-

---

[44] M. CANNEY, «The Skin of Rebirth» (*Man*, julio 1939, núm. 91), páginas 104-105; W. S. ROUTLEDGE y K. ROUTLEDGE, *With a prehistoric People* (Londres, 1910), pp. 151-153. *Cf.* también, M. ELIADE, *Mythes, rêves et mystères*, p. 266 ss.

[45] *Cf.* TH. ZACHARIAE, «Scheingeburt» (*Zeitschrift d. Vereins für Volkskunde*, XX, 1910, p. 141 ss. = *Kleine Schriften*, Bonn y Leipzig, 1920, p. 266 ss.). WILLIAM CROOKE, *Things Indian, being*

troduce al recipiendario en un vaso de oro en forma de vaca, al salir del cual será considerado como recién nacido y se le hará pasar por los ritos de nacimiento. Pero, como un vaso así resultaría demasiado costoso, se utiliza generalmente una reproducción en oro de la matriz (*yoni*). El recipiendario es asimilado «al embrión de oro», *hiranyagarbha*. Este apelativo es, asimismo, uno de los nombres de Prajâpati y de Brahman, lo que fácilmente se comprende porque el oro, tanto en la India como en otros lugares, es un símbolo de inmortalidad y de perfección. Transformándose en «embrión de oro», el recipiendario se apropia en cierto modo la indestructibilidad del metal y participa de la inmortalidad. El oro es solar; existe todo un complejo mítico-iconográfico que presenta el descenso del Sol a las tinieblas, así como el novicio penetra, en la condición de embrión, en las tinieblas uterinas de la choza iniciática [46].

Pero el simbolismo del oro no ha hecho sino revestir un tema más antiguo y universal, el del re-nacimiento mítico en una vaca o en una vasija en forma de matriz. La Vaca es una de las epifanías de la Gran Madre. Relata Heródoto (II, 129) que Micerino había enterrado a su hija en una vaca de oro —y aún existen en Bali sarcófagos en forma de vaca [47]. El Rig Veda ignora el ritual del *hiranyagarbha*, bien por no ser conocido en época védica, bien por no haberse practicado en los ambientes sacerdotales y guerreros en que se elaboraron y circularon los himnos rig-védicos. El hecho de que el ritual *hiranyagarbha* apareciera en el *Atharva Veda parishista*, y se practicara, en época moderna, sobre todo en el sur de la India (Travancore, Comorin) y en Assam, indica probablemente un origen pre-ario. Podríamos situarlo entre los residuos de la gran cultura afroasiática que, entre los milenios IV-III, se extendía desde el Mediterráneo oriental y Mesopotamia hasta la India. Como quiera que fuese, este rito iniciático es importante, sobre todo

---

discursive notes on various subjects connected with India (Londres, 1906), p. 500 ss.; J. G. FRAZER, Totemism and Exogamy (Londres, 1910), I, p. 32, IV, p. 208 ss.; L. LOMMEL, en C. HENTZE, página 121 ss.; HILDE HOFFMANN, ibid., p. 139 ss.

[46] Cf. CARL HENTZE, Tod, Auferstehung, Weltordnung, p. 148 y passim.

[47] C. HENTZE, p. 145; PAUL WIRZ, Totenkult auf bali (Stuttgart, 1928), fig. 27.

por la equivalencia que establece entre tres emblemas de la Gran Diosa Madre: la vaca, la matriz y la vasija. En el sur de la India y en Borneo, la Gran Madre es frecuentemente representada bajo forma de vasija[48]. Que una vez más se trate de un símbolo del útero, queda probado, en la India, por los mitos que presentan a los sabios Agastya y Vasishta[49] naciendo milagrosamente de una vasija, y en otras partes del mundo por los enterramientos en urnas en posición de embrión[50]. Ritos y simbolismos todos ellos sumamente complicados, que desbordan, por supuesto, la esfera de la iniciación, pero era preciso recordarlos muy brevemente para mostrar que nos hallamos ante concepciones generales de la Vida, de la Muerte y del Re-nacimiento, y que el complejo iniciático que aquí nos interesa es tan sólo un aspecto de esta vasta *Weltanschauung*.

PLURIVALENCIA DEL SIMBOLISMO EMBRIOLÓGICO

No deja de ser notable que el tema iniciático del retorno al estado embrionario se encuentre incluso en niveles de cultura superiores; por ejemplo, en las técnicas taoístas de fisiología mística. En efecto, la «respiración embrionaria» (*t'ai si*), que desempeña un importante papel en el neo-taoísmo, se concibe como una respiración en circuito cerrado, al modo de un feto; el adepto se esfuerza en imitar la circulación de la sangre y del hálito de la madre al niño y del niño a la madre. En el prefacio

---

[48] Véanse algunas referencias en R. BRIFFAULT, *The Mothers* (Londres, 1927), I, p. 471 ss. Para la India del sur, *cf.* H. WHITEHEAD, *The Village Gods of South India* (2.ª ed., Madras, 1921), páginas 37 ss., 55, 64, 98, etc.; G. OPPERT, *On the original inhabitants of Bharatavarsa or India* (Westminster, 1893), pp. 24, 274 ss., 461 ss.; M. ELIADE, *Le Yoga*, p. 346 ss.

[49] La leyenda se halla ya reseñada en el Rig Veda VII, 33, 13, habiendo conocido amplia difusión; *cf.* para las otras fuentes védicas, L. SIEG, *Sagenstoffe des Rigveda* (Stuttgart, 1902), página 105 ss. Para las variantes de la India del sur, véase G. OPPERT, *op. cit.*, p. 67 ss. *Cf.* también P. THIEME, «Ueber einige Benennungen des Nachkommen» (*Zeitschrft für vlg. Sprachforschung*, LXVI, 1939, pp. 130-144), p. 141 ss. («Topf als Name des Bastards»).

[50] G. VAN DER LEEW, «Das sogenannte Hockerbegräbnis und der ägyptische Tjknw» (*Studi e Materiali di Storia delle Religioni*, XIV, 1938, pp. 150-167); C. HENTZE, *op. cit.*, p. 150 ss.

de *T'ai-si k'eou kiue* («Fórmulas orales de respiración embrionaria») se halla esta frase que explica con toda claridad la finalidad de la técnica: «Volviendo a la base, regresando al origen, se ahuyenta a la vejez, se retorna al estado de feto»[51]. Un texto del taoísmo moderno sincretista dice: «Por eso el (Buddha) Ju-lai (= Tathâgata), en su gran misericordia, reveló el método del trabajo (alquímico) del Fuego y enseñó a los hombres a *penetrar de nuevo en la matriz* para rehacer su naturaleza (verdadera) y (la plenitud de) su porción de vida»[52].

El mismo motivo aparece entre los alquimistas occidentales: el adepto ha de retornar al seno de su madre, o incluso cohabitar con ella. Según Paracelso, «el que quiera entrar en el Reino de Dios ha de entrar primero con su cuerpo en su madre y allí morir»[53]. El *regressus ad uterum* se presenta, en ocasiones, bajo la forma de un incesto con la Madre. Nos cuenta Michael Maier que «Delphinas, filósofo anónimo, habla muy claramente, en su tratado *Secretus Maximus*, acerca de la Madre que debe unirse, con necesidad natural, con su hijo» (*cum filio ex necessitate naturae conjungenda*)[54]. Evidentemente, la Madre simboliza a la Naturaleza en estado primordial, la *prima materia* de los alquimistas. Es una prueba de la plurivalencia simbólica del *regressus ad uterum*, plurivalencia que le permitirá ser indefinidamente revalorizado en situaciones espirituales y en contextos culturales diversos.

Podríamos haber citado toda otra serie de ritos relacionados con las cuevas y las hendiduras de las montañas, símbolos de la matriz de la Madre Tierra. Diremos tan sólo que las cavernas desempeñaron una función en las iniciaciones prehistóricas, y que la sacralidad primordial de la caverna puede aún apreciarse en las modificaciones semánticas. El término chino *tong*, que designa la «cueva», terminó adquiriendo el sentido de

---

[51] HENRI MASPÉRO, «Les procédés de 'nourrir le Principe vital' dans la religion taoïste» (*Journal Asiatique*, 1937, pp. 177-252, 353-430), p. 198. Acerca de la «respiración embrionaria» en el taoïsmo, *cf.* M. ELIADE, *Le Yoga*, pp. 71 ss., 395 ss.

[52] *Houei-ming-king*, de LIEOU HOUA-YANG, citado por ROLPH STEIN, «Jardins en miniature d'Extrême-Orient» (*Bulletin de l'École Française d'Extrême-Orient*, XLII, 1943, pp. 1-101), p. 97.

[53] Sobre este motivo, *cf.* M. ELIADE, *Forgerons et Alchimistes* (París, 1956), p. 159.

[54] *Ibid.*, p. 160.

«misterioso, profundo, trascendente», es decir, llegó a ser un equivalente de los arcanos revelados en las iniciaciones [55].

Aun cuando siempre es arriesgado emparentar documentos religiosos pertenecientes a culturas y edades tan distintas, lo hemos hecho porque todos esos hechos religiosos se articulan en un sistema. Las iniciaciones mediante el *regressus ad uterum* pretenden ante todo hacer que los neófitos recobren la situación de embrión. A partir de esta situación primordial, las distintas formas de iniciación que hemos examinado se desarrollan en direcciones divergentes, persiguen metas diferentes. En efecto, reconvertido simbólicamente en «simiente» o «embrión», el neófito puede: 1) empezar de nuevo la existencia con la suma intacta de sus posibilidades (meta de las ceremonias *hiranyagarbha* y de las técnicas chinas de «respiración embrionaria», viniendo el mismo motivo ampliamente reseñado en las terapéuticas arcaicas) [56]; 2) sumergirse de nuevo en la sacralidad cósmica regida por la Gran Madre (caso, por ejemplo, de las ceremonias Kunapipi); 3) alcanzar un estado existencial superior, el del espíritu (en el caso del *upanâyama*), o prepararse para la participación en lo sagrado (en el caso de la *dîksâ*); 4) fundar un modo de existencia completamente distinto, trascendente, equiparable al de los Dioses (meta de las alquimias occidentales y china), o conseguir la liberación (propósito del budismo). De todos estos hechos se desprende una nota común: la accesión a lo sagrado y al espíritu viene siempre figurada por una gestación embrionaria y por un nuevo alumbramiento. Todos los iniciados de esta categoría son «dos veces nacidos», e incluso —caso del Kunapipi y de la *dîksâ*— «nacidos» un número más o menos elevado de veces. La sacralidad, la espiritualidad y la inmortalidad vienen expresadas en imágenes que significan, de uno u otro modo, el comienzo de la Vida.

El comienzo de la Vida, claro está, es siempre experimentado por los primitivos en un contexto cosmológico. La creación del Mundo constituye el modelo ejemplar de toda creación viviente. Una vida que comienza

[55] R. Stein, *op. cit.*, p. 44.
[56] *Cf.* M. Eliade, «Kosmogonische Mythen und magische Heilung», *passim*.

en el sentido absoluto del término, equivale al nacimiento de un Mundo. El sol que se hunde cada anochecer en las tinieblas de la Muerte y en las Aguas primordiales, símbolo de lo increado y de lo virtual, se asemeja tanto al embrión en la matriz como al neófito oculto en la choza iniciática. Al salir el sol por la mañana, el Mundo renace, al igual que el iniciado saliendo de la cabaña. Con toda probabilidad, el enterramiento en posición embrionaria se explica por la relación mística entre muerte, iniciación y *regressus ad uterum*. Dicha relación terminará por imponer, en ciertas culturas, la equivalencia entre muerte e iniciación: imaginarán al que fallece como sufriendo una iniciación. Pero el enterramiento en posición fetal carga sobre todo el acento en la esperanza de un nuevo comienzo de la vida, que no querrá decir existencia reducida a las simples dimensiones biológicas. Para los primitivos, *vivir* es participar en la sacralidad cósmica. Y esto bastará para eludir la errónea explicación de todos los ritos y símbolos iniciáticos del *regressus ad uterum* por el deseo de prolongar una existencia únicamente biológica. La existencia puramente biológica es de reciente descubrimiento en la historia de la humanidad; descubrimiento hecho posible precisamente por la desacralización radical de la Naturaleza. En el nivel sobre el que versa nuestro estudio, la vida es todavía una realidad sagrada. Lo que, a nuestro modo de ver, explica la continuidad existente entre los símbolos y ritos arcaicos de «nuevo nacimiento» iniciático —y las técnicas de longevidad, de renacimiento espiritual, de adivinación, e incluso las ideas de inmortalidad y de libertad absoluta, tal como se encuentran, en época histórica, en la India y en China.

· Los ejemplos que acabamos de citar muestran cómo un cuadro iniciático, que originalmente dominaba los ritos de pubertad, puede ser utilizado en ceremonias ordenadas con fines distintos. Esta multivalencia es fácilmente comprensible: se trata, en resumidas cuentas, de la aplicación cada vez más amplia de un «método» ejemplar, aquél que permite «hacer» al hombre. Dado que al muchacho se le «hace» adulto merced a una iniciación que comprende el *regressus ad uterum*, se esperarán resultados análogos para toda clase de «hacer»; por ejemplo, al aplicarse a «hacer» (*i. e.* conseguir) la longevidad o la inmortalidad. Se llegan a homologar, en definitiva, todas las especies de «hacer», identificándolas con el «hecho» por excelencia, la cosmogonía. Alcanzar un modo distinto de ser —el del Espíritu— equivale a nacer por segunda vez, a convertirse en un «hombre nuevo». La expresión más llamativa de la «novedad» será el *nacimiento*. El descubrimiento del Espíritu será equiparado a la aparición de la Vida, y ésta a la aparición del Mundo, a la cosmogonía.

En la dialéctica que ha hecho posibles todas esas equivalencias se adivina la emoción del hombre primitivo al descubrir la vida del Espíritu. La «novedad» de esta vida espiritual, su autonomía, no podían ser mejor expresadas que por las imágenes de un «comienzo absoluto»; imágenes de estructura antropocósmica, participando a la vez de la embriología y de la cosmogonía.

Capítulo IV

INICIACIONES INDIVIDUALES Y SOCIEDADES SECRETAS

Descenso a los infiernos e iniciaciones heroicas

Hemos dedicado una parte del capítulo anterior a los ritos iniciáticos de *regressus ad uterum* que llevan consigo la transformación del candidato en embrión. El retorno a la Madre significa, en todos esos contextos, el retorno a la Gran Madre ctónica. El iniciado ha nacido por segunda vez del seno de la Terra Mater. Mas, como antes dijimos, existen otros mitos y creencias en los que dicho tema iniciático presenta dos elementos nuevos: 1.º El héroe penetra en el vientre de la Madre ctónica sin regresar al estado de embrión; 2.º Tal empresa es particularmente peligrosa. Un mito polinesio ilustra admirablemente este tipo de *regressus* iniciático. Tras una vida rica en aventuras, Maui, gran héroe maorí, vuelve a su patria, a casa de su «abuela» Hine-nui-te-po, la Gran Dama (de la Noche). Encontrándola dormida, se despoja a toda prisa de sus ropas y penetra en el cuerpo de la gigante. La atraviesa sin dificultad, mas cuando se dispone a salir, es decir, teniendo aún la mitad del cuerpo dentro de la boca de la gigante, los pájaros que le acompañan sueltan la risa. La Gran Dama (de la Noche), despertándose sobresaltada, aprieta los dientes y corta en dos al héroe, que muere. Tal es la razón, dicen los maoríes, de que el hombre sea mortal; si Maui hubiera conseguido salir indemne del cuerpo de su abuela, los hombres se habrían hecho inmortales [1].

Esa abuela de Maui es la Terra Mater. Penetrar en su vientre es descender en vida a las profundidades subterráneas, es decir, a los Infiernos. Trátase, pues, de un *descensus ad inferos*, tal como lo presentan, por ejemplo, los mitos y sagas del Oriente antiguo y del mundo mediterráneo. Todos ellos ofrecen, pues, en algún grado, una estructura iniciática: bajar en vida a los Infiernos, enfrentarse con los monstruos y demonios infernales, es sufrir una prueba iniciática. Hemos de añadir que tales descensos a los Infiernos, en carne y hueso, constituyen un elemento peculiar de las iniciaciones heroicas, cuyo objetivo es la conquista de la inmortalidad corporal. Desde luego, nos hallamos ante una mitología iniciática y no ante ritos propiamente dichos —pero los mitos son con frecuencia más valiosos que los ritos para la inteligencia de una actitud religiosa. Pues es el rito el que revela a la perfección el hondo anhelo, con frecuencia inconsciente, del hombre religioso.

En todos estos contextos, la Gran Madre ctónica se manifiesta ante todo como Diosa de la Muerte y Señora de los muertos; es decir, presenta aspectos amenazantes y agresivos. En la mitología funeraria de Malekula, una Figura femenina terrorífica, llamada Temes o Lev-hevhev, espera al alma del difunto a la entrada de una caverna o cerca de un peñasco. Delante de ella hay un dibujo laberíntico trazado en el suelo y, al acercarse el difunto, la Mujer borra la mitad del dibujo. Si el muerto conoce ya el dibujo laberíntico —si ha sido iniciado— encontrará fácilmente el camino; si no, la Mujer le devorará [2]. Como se sabe por los trabajos de Deacon y Layard, los numerosos dibujos laberínticos trazados en la arena en Malekula tienen por objeto enseñar el camino a la morada de los muertos [3]. Dicho de otro modo, el

---

[1] *Cf.* M. ELIADE, *Mythes, rêves et mystères*, p. 295 ss.

[2] JOHN LAYARD, *Stone Men of Malekula* (Londres, 1942), página 225 ss., 649 ss.; *id.*, «The making of Man in Malekula» (*Eranos-Jahrbuch*, XVI, Zurich, 1949).

[3] A. B. DEACON, «Geometrical Drawings from Malekula and other Islands of the New Hebrides» (*Journ. Anthrop. Institute*, LXVI, 1934, pp. 129-175), p. 132 ss.; *id.*, *Malekula. A vanishing people of the New Hebrides* (Londres, 1934), espec. p. 552 ss.; JOHN LAYARD, «Totenfahrt auf Malekula» (*Eranos-Jahrbuch*, IV, Zurich, 1937, pp. 242-291); *id.*, *Stone Men of Malekula*, pp. 342 ss.,

laberinto constituye una prueba iniciática *postmortem:* forma parte de los obstáculos que ha de afrontar el difunto —o, en otros contextos, el héroe— en su viaje de ultratumba. El rasgo que hemos de resaltar consiste en que el laberinto se presenta como un «paso peligroso» hacia las entrañas de la Madre Tierra, paso en que el alma del difunto corre el peligro de ser devorada por un monstruo femenino.

Existen en Malekula otras Figuras míticas que encarnan al principio femenino amenazante y peligroso: por ejemplo, la «Mujer-cangrejo» con dos pinzas inmensas[4], o el mejillón gigante (*tridacna deresa*) que, abierto, se asemeja al órgano sexual femenino[5]. Estas imágenes terroríficas de la sexualidad femenina agresiva y de la maternidad devoradora ponen de manifiesto con mayor claridad aún el carácter iniciático del descenso al seno de la Gran Madre ctónica. Ha señalado Carl Hentze que muchos de los motivos iconográficos de América del Sur representan las fauces de la Madre Tierra teniendo el aspecto de una *vagina dentata*[6]. El tema mítico de la *vagina dentata* es bastante complejo, y no es nuestra intención tratarlo aquí. Mas conviene hacer constar que la ambivalencia de la Gran Diosa ctónica viene a veces expresada, mítica e iconográficamente, por la identificación de su mandíbula con la *vagina dentata*. En los mitos y sagas iniciáticas, el paso de un héroe a través del vientre de una Giganta y su salida por la boca de ésta, equivalen a un nuevo nacimiento. Pero el paso es de lo más peligroso.

Para apreciar la diferencia existente entre este contexto iniciático y el motivo que hemos estudiado en uno de los capítulos precedentes, bastará recordar la situación de los novicios encerrados en las cabañas iniciáticas con forma de monstruo marino: se les considerará como engullidos en el vientre del monstruo, por lo tanto «muertos», digeridos y en trance de ser nuevamente alum-

---

649 ss. *Cf.* también W. F. JACKSON KNIGHT, *Cumaean Gates. A reference of the sixth Aeneid to Initiation Pattern* (Oxford, 1936), página 19.

[4] J. LAYARD, *Stone Men of Malekula*, pp. 730, 221.

[5] J. LAYARD, «The Making of Man in Malekula», p. 228 y lámina II.

[6] CARL HENTZE, *Tod, Auferstehung, Weltordnung*, pp. 79 ss., 90 ss. *Cf.* también W. KRICKEBERG, «Ostasien-Amerika» (*Sinologica*, II, 1950, pp. 195-233), espec. 228 ss.

brados. Un día, el monstruo los arrojará, naciendo así por segunda vez. Mas en el grupo de mitos que ahora examinamos, el héroe se adentra sano y salvo (vivo e indemne) en el interior del monstruo o en el vientre de una Diosa —a la par Madre Tierra y Diosa de la Muerte— logrando en muchas ocasiones salir de nuevo indemne. Según determinadas variantes del Kalevala, el sabio Väinämöinen emprende un viaje al país de los muertos, Tuonela. La hija de Tuoni, Señor del más allá, le traga —pero, al llegar al estómago de la Giganta, Väinämöinen se construye una barca y, como dice el texto, rema vigorosamente «de un extremo a otro del intestino». La Giganta se ve por fin forzada a vomitarle al mar [7]. Otro mito finlandés nos cuenta la aventura del herrero Ilmarinen: la joven a la que él corteja le impone como condición de casamiento tener que pasearse entre los ralos dientes de una vieja hechicera. Parte Ilmarinen en su búsqueda, se acerca a la bruja, la cual le traga. Ella le dice que salga por la boca, pero Ilmarinen se niega. «¡Me construiré mi propia puerta!», responde, y, abriendo el estómago de la vieja con las herramientas de herrero que él se construyó mágicamente, sale fuera. Según otra variante, la condición impuesta a Ilmarinen por la joven consistía en capturar un pez enorme. Pero el pez le tragó. Negándose de igual manera a salir por abajo o por arriba, agitóse Ilmarinen de tal modo en el vientre que el pez estalló [8].

Este tema mítico obtuvo enorme difusión, sobre todo en Oceanía. Baste recordar una variante polinesia. La barca del héroe Nganaoa había sido tragada por una especie de ballena, mas el héroe, echando mano del mástil, se lo clavó en la boca para mantenerla abierta. Luego descendió al estómago del monstruo, donde encontró a sus padres, vivos todavía. Nganaoa encendió allí mismo fuego, mató a la ballena y salió por las fauces [9].

El vientre del monstruo marino, al igual que el cuerpo de la Diosa ctónica, figura las entrañas de la Tierra, el reino de los muertos, los Infiernos. En la literatura me-

---

[7] *Cf.* M. ELIADE, *Mythes, rêves et mystères*, p. 296, citando a MARTTI HAAVIO, *Väinämöinen, Eternal Sage* (FF Communication, núm. 144, Helsinki, 1952), p. 117 ss.

[8] M. HAAVIO, *op. cit.*, p. 114 ss.

[9] M. ELIADE, *op. cit.*, p. 298.

dieval, se representa con frecuencia a los Infiernos bajo forma de un monstruo enorme, teniendo probablemente como prototipo al Leviatán bíblico. Estamos, pues, ante serie de imágenes paralelas: vientre de un Gigante, de una Diosa, de un monstruo marino, simbolizando la matriz ctónica, la Noche cósmica, el reino de los muertos. Adentrarse con vida en este cuerpo gigantesco equivale a descender a los Infiernos, afrontar las pruebas reservadas a los muertos. El sentido iniciático de este tipo de descenso a los Infiernos está claro: aquel que consigue realizar tal hazaña, no teme ya a la muerte, ha conquistado en cierto modo una especie de inmortalidad del cuerpo, meta de todas las iniciaciones heroicas desde Gilgamesh.

Pero es preciso aún tener en cuenta otro elemento: el más allá es asimismo lugar de ciencia y de sabiduría. El Señor de los Infiernos es omnisciente, los muertos conocen el porvenir. En ciertos mitos y sagas, el héroe baja a los Infiernos para adquirir la sabiduría u obtener conocimientos secretos. Väinämöinen no podía terminar una barca que había creado mágicamente, porque le faltaban tres palabras. A fin de averiguarlas, parte al encuentro de un famoso hechicero, Antero, gigante que desde hacía largos años permanecía inmóvil, como un chamán en trance, hasta el punto de que un árbol crecía en su hombro y los pájaros anidaban en su barba. Väinämöinen cae en la boca del Gigante, siendo rápidamente engullido. Mas de una vez en el estómago de Antero, se forja un traje de hierro, amenazando al hechicero con permanecer allí hasta tanto no haya obtenido las tres palabras mágicas necesarias para terminar la barca[10]. Pues bien, lo que Väinämöinen emprende en carne y hueso, los chamanes lo hacen en trance: su espíritu, abandonando el cuerpo, desciende al otro mundo. Este viaje extático al más allá vendrá en ocasiones figurado como internamiento en el cuerpo de un pez o de un monstruo marino. Según una leyenda lapona, el hijo de un chamán despertó a su padre, que dormía desde hacía largo tiempo, con estas palabras: «Padre, despiértate y regresa del intestino del pez»[11]. ¿Por qué había emprendido el chamán este largo viaje extático sino para

---

[10] M. HAAVIO, *Väinämöinen*, p. 106 ss.; ELIADE, *op. cit.*, p. 301.
[11] M. HAAVIO, *op. cit.*, p. 124.

adquirir un conocimiento secreto, para hacerse revelar
los misterios?

SIMBOLISMO INICIÁTICO DE LAS SYMPLEGADES

Pero la representación del más allá bajo forma de
entrañas de la Tierra Madre o como vientre de un monstruo gigante, no es sino una entre todas las imágenes que
figuran el Otro Mundo como lugar de acceso extremada-
mente difícil. Los peñascos que entrechocan, las «cañas
que danzan», las puertas en forma de mandíbulas, las dos
montañas cortantes y en continuo movimiento [12], los dos
ícebers que chocan entre sí, la barrera en rotación [13], la
puerta hecha con las dos mitades del pico del Aguila y
otras más [14], son imágenes utilizadas en los mitos y en
las sagas para sugerir las dificultades infranqueables

---

[12] Acerca del motivo de las rocas que se tocan continuamente, véase AA. B. Cook, *Zeus*, III, 2 (Cambridge, 1940), pp. 975-1016
(Apéndice P: «Floating Islands»); KARL VON SPIESS, «Der Schuss
nach dem Vogel» (*Jahrbuch f. Hist. Volkskunde*, V-VI, 1937, páginas 204-235); *id.*, «Die Hasenjagd» (*ibid.*, pp. 243-267). La expresión «dos montañas cortantes y en continuo movimiento» se
halla reseñada en *Suparnâdhyâya* (25, 5; leyendo, con Coomaraswamy, *parvatah astrirâh*); *cf.* A. K. COOMARASWAMY, «Symplegades» (*Studies and Essays in the History of Science and Lear-
ning offered in Hommage to George Sarton*, Nueva York, 1947,
páginas 463-488), p. 470, n. 11.

[13] Acerca del tema de la «puerta activa» en la mitología céltica, *cf.* A. C. BROWN, *Iwain* (Boston, 1903), p. 80 ss. Acerca de
la «barrera giratoria», *cf. ibid.*, y G. L. KITTREDGE, *A Study of
Sir Gawain and the Green Knight* (Cambridge, Mass., 1916), página 244 ss. *Cf.* A. K. COOMARASWAMY, «Symplegade», p. 479 ss.

[14] Algunas tribus sudamericanas conciben la puerta del Cielo
o del Otro Mundo (subterráneo) como las fauces de un jaguar;
cf. W. KRICKEBERG, «Ostasien-Amerika», p. 201. En América Central se halla bastante extendido el motivo arquitectónico de la
puerta en forma de fauces de monstruo; KRICKEBERG, *ibid.*, página 232, y libros de CARL HENTZE, especialmente *Objets rituels,
croyances et dieux de la Chine antique et de l'Amérique* (Amberes, 1936), *Die Sakralbronzen und ihre Bedeutung in dem frühchi-
nesichen Kulturen* (Amberes, 1941) y *Bronzegerät, Kultbauten,
Religion im ältesten China der Shangzeit* (Amberes, 1951). *Cf.* también C. HENTZE, *Tod, Auferstehung, Weltordnung*, p. 90 (y fig. 76,
77, 106) sobre las symplegades en forma de *vagina dentata* en la
cerámica sudamericana. Acerca de las symplegades en la mitología y folklore sudamericanos, *cf.* COOMARASWAMY, *op. cit.*, página 475.

de la travesía hacia el Otro Mundo. Hemos de advertir que estas imágenes no sólo insisten en el peligro de la travesía —tal como se presentaba en los mitos de la penetración en el cuerpo de una Giganta o de un monstruo marino—, sino sobre todo en la imposibilidad, para un ser en carne y hueso, de representarse el tránsito. Las symplegades nos revelan la naturaleza paradójica del tránsito al más allá, o, por mayor exactitud, el paso de este mundo a un mundo trascendente. Pues, si bien el Otro Mundo es en un principio el mundo de tras la muerte, acaba significando todo estado trascendente, es decir, el modo de ser inaccesible al hombre carnal y reservado a los «espíritus» o al hombre en cuanto entidad espiritual.

La paradoja del tránsito viene algunas veces expresada tanto en términos espaciales como temporales. Según *Jaiminîya Upanisad Brâhmana* (I, 5, 5; I, 35, 7-9; IV, 15, 2-5), la puerta del mundo de la luz celeste se halla «donde el Cielo y la Tierra se abrazan» y los «extremos del Año» se hallan unidos [15]. En otras palabras, no se puede llegar a allá arriba sino «en espíritu». Todas las imágenes míticas y todas las réplicas folklóricas de la «travesía peligrosa» y del «traslado paradójico» ponen de manifiesto la necesidad de cambiar de modo de ser para poder alcanzar el mundo del espíritu. Como muy bien dice A. K. Coomaraswamy: «Literalmente, esto quiere decir que todo el que desee trasladarse de este mundo al otro, o de allí regresar, habrá de hacerlo en el «intervalo» unidimensional y atemporal que separa unas fuerzas conexionadas pero contrarias, a través de las cuales no se puede pasar, a no ser instantáneamente» [16]. La interpretación de Coomaraswamy es ya exégesis metafísica acerca del simbolismo de las symplegades: presupone la toma de conciencia acerca de la necesidad de anular los contrarios, y sabemos que una toma de conciencia de esta índole se halla ampliamente reseñada en las especulaciones de la India y en la literatura mística. Mas el interés de las symplegades reside

---

[15] A. K. COOMARASWAMY, «Symplegades», p. 470. Sobre este motivo, véase también A. K. COOMARASWAMY, «Svayamâtrnnâ: Janua Coeli» (*Zalmoxis*, II, 1939, pp. 3-51).

[16] COOMARASWAMY, «Symplegades», p. 486. *Cf.* también M. ELIADE, *Le Chamanisme et les techniques archaïques de l'extase*, página 419 ss.

sobre todo en que éstas constituyen una especie de prehistoria de la mística y de la metafísica. En definitiva, todas esas imágenes expresan la paradoja siguiente: para internarse en el más allá, para acceder a un modo trascendente de ser, es preciso adquirir la condición de «espíritu». De ahí que las symplegades formen parte del contexto iniciático. Se sitúan entre las pruebas que el héroe —o el alma del muerto— habrá de afrontar para entrar en el Otro Mundo.

Como ya hemos podido ver, el Otro Mundo no cesa de ensanchar sus fronteras: no significa ya únicamente el país de los muertos, sino también todo reino encantado y milagroso, y, por extensión, el mundo divino, así como también el plano trascendente. La *vagina dentata* puede representar no sólo el paso hacia el interior de la Tierra Madre, sino también la puerta del Cielo. En un cuento norteamericano, esta puerta está constituida indistintamente por las «dos mitades del pico del Aguila» o por la *vagina dentata* de la Hija del Rey del Cielo [17]. Una prueba más de que la imaginación mítica y la especulación filosófica sacaron provecho ante todo de la estructura iniciática de las symplegades. Las symplegades se convierten en cierto modo en «guardianes del umbral», al modo de los monstruos y grifos que custodian un tesoro oculto en el fondo del mar, o una Fuente milagrosa donde mana el Agua de la Eterna Juventud, o un Jardín en medio del cual se alza el Arbol de Vida, etc. Tan difícil es entrar en el Jardín de las Hespérides como pasar entre dos rocas que se entrechocan o penetrar en el vientre de un monstruo. Cada una de estas hazañas constituye una prueba iniciática por excelencia. Todo el que salga victorioso de tal prueba quedará «cualificado» para compartir una condición sobrehumana: será «héroe», «omnisciente» o «inmortal». Pues no son dificultades de orden físico las que esencialmente distinguen las symplegades. Toda prueba iniciática ofrece «dificultades» y para afrontarlas victoriosamente, el aspirante deberá dar pruebas de valor, de resistencia moral y física, de confianza. Pero las pruebas de las symplegades no pueden superarse por la fuerza física. Una symplegade es una paradoja que sólo puede resolverse mediante un acto del espíritu. No se puede pasar *in concreto* entre las

---

[17] *Cf.* COOMARASWAMY, «Symplegades», p. 475.

110

dos ruedas de molino en continuo movimiento. No es posible pasar sino en «espíritu», es decir, en «imaginación», lo cual implica un acto de libertad con respecto a la materia. Las symplegades efectúan una selección, una separación iniciática entre los incapaces de desprenderse de la realidad inmediata y aquellos que descubren la libertad del espíritu, la posibilidad de liberarse —por medio del pensamiento— de las leyes de la materia.

INICIACIONES INDIVIDUALES: AMÉRICA DEL NORTE

Los mitos, símbolos e imágenes a los que acabamos de pasar revista se refieren, en gran parte, a iniciaciones individuales; tal es por lo demás la razón de que se den sobre todo en las mitologías heroicas y en los cuentos de estructura chamánica, es decir, en los relatos que narran las aventuras de un personaje dotado de cualidades fuera de lo común. Como más adelante veremos, las iniciaciones de los guerreros y de los chamanes son individuales, pudiéndose aún apreciar en sus pruebas el cuadro arquetípico revelado por los mitos. Pero aparte estas iniciaciones que podríamos llamar «especializadas», puesto que suponen vocación o cualificación excepcionales, existen iniciaciones de pubertad que son individuales. Tal es el tipo de iniciación de pubertad que caracteriza a las sociedades aborígenes de América del Norte. La nota peculiar de los ritos de pubertad norteamericanos consiste en la obtención de un espíritu tutelar: se trata de una búsqueda personal, y de las relaciones personales entre el novicio y el espíritu protector. Este tipo de iniciación de pubertad es de interés para nuestro estudio desde distintos puntos de vista. Ante todo, nos hace ver con más claridad que las demás iniciaciones la importancia de la experiencia religiosa del novicio: el muchacho recibirá la revelación de lo sagrado y cambiará de régimen existencial gracias a la obtención de un espíritu protector. Además, este tipo de iniciación individual de pubertad nos ayuda a entender, por una parte, las iniciaciones guerreras y chamánicas, y por otra, los ritos de entrada a las sociedades secretas. Por último, los documentos norteamericanos ponen de relieve ciertos motivos iniciáticos ya localizados en otros luga-

111

res (por ejemplo, en Australia), pero que adquieren sobre todo su verdadera importancia en las iniciaciones chamánicas del Asia central y septentrional: nos referimos a la ascensión ritual a los árboles y postes sagrados.

El elemento característico de las iniciaciones norteamericanas es el retiro a la soledad. A la edad de diez a dieciséis años, los muchachos se aislarán en las montañas o en los bosques. Hay algo más que separación de la madre, nota peculiar de todo ritual de pubertad; hay ruptura con la comunidad de los vivientes. La experiencia religiosa del novicio vendrá provocada por la inmersión de éste en la vida cósmica y por su ascesis; no estará dirigida por la presencia y por la enseñanza de los instructores. Más aún que en otros tipos de iniciaciones de pubertad, la introducción del novicio en la vida religiosa será el resultado de una experiencia personal: visiones y sueños provocados por el ejercicio ascético en soledad. El novicio observará ayuno, sobre todo durante los primeros cuatro días (señal del arcaísmo de la costumbre), se purificará mediante purgas repetidas, se impondrá prohibiciones alimentarias, sometiéndose a múltiples ejercicios ascéticos (baños de vapor o de agua helada, quemaduras, escarificaciones, etc.). Cantará y danzará durante la noche, y al alba impetrará la obtención de un espíritu tutelar; y como fruto de tales esfuerzos prolongados obtendrá la revelación del espíritu. Este se presenta, generalmente, en forma de animal, lo que confirma la estructura cósmica de la experiencia religiosa del novicio. En más raras ocasiones, el espíritu protector es antropomórfico (cuando resulta ser el alma de un antepasado). El novicio aprenderá una canción gracias a la cual toda su vida permanecerá unido al espíritu. Las muchachas se retiran a la soledad con ocasión de su primera menstruación, mas la obtención de un espíritu tutelar no es para ellos absolutamente necesaria [18].

El mismo cuadro iniciático se encuentra en las cercanías de entrada a las sociedades secretas (denominadas

---

[18] La bibliografía es demasiado abundante para poderla reproducir aquí. La documentación anterior a 1908 es utilizada por FRAZER, *Totemism and Exogamy* (Londres, 1910), vol. III, pp. 370-456. Estudio de conjunto, JOSEF HAEKEL, «Schutzgeistsuche und Jugendweihe im westlichen Nordamerika» (*Ethnos*, 1947, páginas 106-122).

Sociedades de Danza) y en las iniciaciones chamánicas. La nota distintiva de todas estas iniciaciones norteamericanas la compone la creencia de que el espíritu tutelar puede obtenerse mediante un esfuerzo ascético en la soledad. La ascesis tendrá como finalidad la abolición de la personalidad secular del novicio, dicho de otro modo, su muerte iniciática; en numerosas ocasiones, la «muerte» vendrá proclamada por el éxtasis, trance o seudoinconsciencia en la que cae el candidato. Como todas las demás, estas iniciaciones norteamericanas —ya sean ceremonias de pubertad o ritos de entrada a asociaciones secretas o chamánicas— tienden a la transmutación espiritual del neófito, mas conviene hacer constar el contexto cósmico de sus rituales. El aislamiento en regiones inhóspitas equivale a un descubrimiento personal de la sacralidad del Cosmos y de la vida animal. La Naturaleza entera se manifiesta como hierofanía. El paso de la existencia profana dentro de la comunidad, durante la estación no litúrgica del verano, a la existencia sacralizada por el encuentro con los Dioses o los Espíritus, se llevará a cabo no sin riesgos. «Poseído» por los Dioses o por los Espíritus, el neófito va a correr el peligro de perder por completo su equilibrio psico-mental. La locura furiosa de los candidatos a la sociedad kwakiutl de los Caníbales constituye el mejor ejemplo del peligro que acompaña a una tal transmutación espiritual. Nos detendremos un momento en las iniciaciones de de las Sociedades de Danza kwakiutl: éstas manifiestan con bastante claridad la estructura de las iniciaciones en las sociedades secretas norteamericanas. No pretendemos, en modo alguno, hacer una exposición completa de este fenómeno sumamente complicado. Unicamente examinaremos algunos aspectos de la iniciación, directamente relacionados con nuestro estudio [19].

[19] Entre los numerosos trabajos de FRANZ BOAS, fundamentales para nuestro estudio, citaremos: «The Social Organization and the Secret Societies of the Kwakiutl Indians» (*Annual Report of the Smithsonian Institutions*, 1894-1895, Washington, 1897, pp. 311-738; «Ethnology of the Kwakiutl» (*35 Annual Report of the Bureau of American Ethonology*, 1913-1914, Washington, 1921, pp. 43-1481); *The Religion of the Kwakiut Indians* (Columbia University Contributions to Anthropology, X, Nueva York, 1930, 2 vols.). *Cf.* también PHILIP DRUCKER *Kwakiutl Dancing Societies* (*Anthropological Records*, Univ. of California Publications, vol. II, Berkeley-Los Angeles, 1940, pp. 201-230); JOSEHF

SOCIEDADES DE DANZA KWAKIUTL

Durante el invierno, esto es, en el período del Tiempo sagrado, cuando los espíritus vuelven al mundo de los vivos, queda abolida la división de la sociedad en clanes, dando lugar a una organización de orden espiritual, representada por las «Sociedades de Danza» (*Dancing Societies*). Los hombres abandonan sus nombres de verano, para volver a tomar sus nombres sagrados de invierno [20]. Durante el período ritual de invierno, la comunidad revivirá los mitos de origen. Las danzas y pantomimas van a reproducir dramáticamente los acontecimientos míticos que, *in illo tempore*, fundaron las instituciones de los Kwakiutl. Los hombres encarnarán a los personajes sagrados, lo cual conducirá a una total regeneración de la sociedad y del Cosmos. En este movimiento de regeneración universal se inscriben las iniciaciones de los novicios. Las Sociedades de Danza presentan múltiples grados jerárquicos o «Danzas», constituyendo cada uno de ellos una unidad cerrada. Algunas Sociedades llegan a tener hasta 53 grados jerárquicos, pero no todos los miembros tendrán posibilidad de acceso a los grados más elevados. Cuanto de más baja categoría es una «danza», mayor es el número de sus miembros. La situación social y económica del candidato, o más bien de su familia, desempeña un papel capital. La «Danza» *hamatsa*, por ejemplo, no comprende más que a los jefes de clan. Además, la ceremonia iniciática es bastante costosa, pues el candidato deberá ofrecer importantes regalos a los demás miembros. El derecho a ser miembro de una «Sociedad de Danza» es hereditario; quedando la iniciación limitada a los muchachos elegibles. Al llegar a la edad de diez o doce años, los muchachos serán iniciados en

HAEKEL, «Initiationen und Geheimbünde an der Nordwestküste Nordamerikas» (*Mitteilungen der Anthropologische Gesellschaft in Wien*, LXXXIII, 1954, pp. 176-190); WERNER MÜLLER, *Weltbild und Kult der Kwakiutl Indianer* (Wiesbaden, 1955).
[20] «Resulta evidente que con el cambio del nombre, es la estructura social toda ella basada en los nombres, la que se viene abajo. En lugar de agruparse en clanes, los indios se agruparán ahora según los espíritus que los han iniciado» (BOAS, *The Secret Societies*, p. 418).

los grados inferiores. Son estos primeros ritos de entrada los que nos interesan.

Al oír el son de los instrumentos sagrados, el novicio cae en trance (a veces el trance es simulado). Esa será la señal de que muere a la vida profana, y de que es poseído por el Espíritu. Será «raptado» a la selva (como en el caso de la Sociedad de los Caníbales), o bien «arrebatado» al Cielo («Sociedad de Danza» de los Dluwulaxa o Mitla), o, por último, quedará encerrado en la casa cultual («Clown Society» de Fuerte Rupert, o Sociedades wikeno de guerreros y curanderos). Estos «raptos» se traducen en reclusión en la soledad —intervalo durante el cual los novicios serán iniciados por los Espíritus—. Entre los Bella Bella y otras tribus, cada clan dispone de una caverna propia donde habita el Espíritu iniciador; será en dicha caverna —cuyo simbolismo nos resulta ahora familiar— donde tenga lugar la iniciación [21]. Durante su aislamiento en el bosque, el candidato a la Sociedad de los Caníbales será servido por una mujer: él es identificado con el Dios, y la mujer personificará a la esclava. Ella es quien le trae la comida y se encarga de prepararle un cadáver, momificado en agua salada. El novicio le cuelga del techo de su cabaña, le ahúma, y desgarrando de él jirones, se los traga sin masticarlos [22]. El canibalismo es la prueba de la identificación con Dios.

El momento capital viene constituido por el regreso de los novicios de la selva y su entrada en la casa cultual; ésta es una *imago mundi*, representa al Cosmos. Para apreciar el simbolismo cosmológico de la casa cultual, recordaremos que, para los Kwakiutl, el Universo se halla dividido en tres sectores: Cielo, Tierra y el Otro Mundo. Un pilar de cobre, símbolo del *Axis Mundi*, atraviesa estas tres regiones en un punto central, que es el Centro del Mundo. Según los mitos, se puede subir al Cielo o bajar a los Infiernos trepando o descendiendo a lo largo de una escala de cobre que conduce a un orificio superior, «la Puerta del Mundo de allá Arriba». Dicho pilar de cobre está representado en la casa cultual por un poste de cedro de diez o doce metros, cuya mitad superior sobresale por un agujero del techo. Durante las

---

[21] PH. BRUCKER, *Kwakiutl Dancing Societies*, p. 210, n. 24; W. MÜLLER, *Weltbild und Kult der Kwakiutl-Indianer*, p. 72.
[22] BOAS, *Secret Societies*, p. 440 ss.; W. MÜLLER, *op. cit.*, p. 72.

ceremonias, los novicios cantan: «¡Estoy en el Centro del Mundo... Estoy junto al Pilar del Mundo!», etc. [23]. La casa cultual reproduce el Cosmos, siendo denominada en las canciones «Nuestro Mundo». Las ceremonias se efectúan en el Centro mismo del Universo visible, y tienen, por consiguiente, una dimensión y un valor cósmicos [24].

El poste de la casa cultual de los Caníbales, que lleva a veces una imagen humana en la punta, no sólo está identificado con el Pilar del Mundo, sino también con el Espíritu-caníbal. Como veremos luego, la función del poste central es bastante importante en las iniciaciones sur y norteamericanas: al escalarlo el novicio, es como si penetrara en el Cielo. De momento, y limitándonos a los Kwakiutl, recordaremos que los Wikeno atan al poste al novicio, quien, debatiéndose, produce la impresión, a los no iniciados que observan el poste violentamente sacudido, de que aquél está luchando con el Espíritu caníbal. Entre los Bella Bella, el novicio trepa al poste; el novicio kwakiutl de Fuerte Rupert lo escala hasta el techo de la casa cultual, desde donde saltará para morder a los asistentes [25].

Destacaremos el hecho siguiente: la entrada del novicio en la casa cultual equivale a la instalación simbólica de éste en el Centro del Mundo. En esos momentos vive en un microcosmos sagrado, tal como el mundo era en el momento de la creación. En tal espacio sacralizado se hará siempre posible abandonar el Mundo, transcenderlo, para entrar en el Mundo de los Dioses. La parte más íntima de la casa cultual se halla separada del resto por un tabique en el que se encuentra pintado el rostro del Espíritu patrón. Entre los Caníbales, la puerta de dicho tabique ofrece el aspecto de un pico de ave. Cuando el novicio penetra en la parte aislada, quedará supuestamente tragado por el Ave [26]. Dicho de otro modo, volará al Cielo, pues el simbolismo del pájaro se halla siempre vinculado a una ascensión. El son de las flautas y demás instrumentos sagrados, que tan importante función

---

[23] Boas, *Secret Societies*, p. 457. Acerca del simbolismo cosmológico de la casa ceremonial, *cf.* W. Müller, p. 17 ss.
[24] W. Müller, *op. cit.*, p. 20.
[25] Josef Haekel, «Initiationen und Geheimbünde an der Nordwestküste Nordamerikas», p. 170.
[26] *Cf.* F. Boas, *Secret Societies*, pt. 29; J. Haekel, p. 169.

desempeñan en los rituales secretos de los Kwakiutl y de los Nootka, representan la voz de los pájaros[27]. La ascensión celeste simbolizada por el vuelo de los pájaros es un rasgo arcaico de cultura, y es probable que los rituales que acabamos de mencionar se sitúen entre los elementos más antiguos de la religión kwakiutl.

Recluidos en el recinto íntimo de la casa cultual, los novicios seguirán estando «poseídos» por el Espíritu de la Sociedad, como lo estaban en el momento de su «rapto» a la selva. Esta «posesión» equivale a su muerte en el Poder sobrenatural. En un momento dado, provistos o no de máscaras, los novicios franquean el tabique para tomar parte en las danzas. Imitarán la actitud del Espíritu de la Sociedad, proclamando con su mímica que ellos le están encarnando. Identificado con el Espíritu, el novicio se encuentra «fuera de sí», y una parte esencial de la ceremonia de la iniciación consistirá precisamente en los esfuerzos de los miembros veteranos de la Sociedad para «amansarle» mediante danzas y canciones. El novicio irá paulatinamente curándose del exceso de fuerza adquirida por la presencia divina; se le encaminará hacia un nuevo equilibrio espiritual, ayudándole a asumir una personalidad nueva, cualitativamente diferente de la que tenía antes del encuentro con la divinidad, pero una personalidad, no obstante, bien estructurada que habrá de suceder al tumulto psíquico de la posesión. Debidamente exorcizado, ocupará su lugar en uno de los grados inferiores de la «Sociedad de Danza». Las prohibiciones rituales no se suspenderán sino progresivamente, hacia el final del invierno.

De las Sociedades de los Kwakiutl, la de los Caníbales es la que presenta mayor interés para el historiador de las religiones. El kwakiutl siente horror de la carne humana. Si, a pesar de ello, el novicio (hamatsa) consigue, con enorme esfuerzo a veces, convertirse en caníbal, será para demostrar de manera decisiva que él ya no es un ser humano, que se ha identificado con Dios. Su canibalismo, al igual que la «locura» furiosa, será una prueba de su divinización. Cuando, tras un retiro de tres o cuatro meses, regresa el hamatsa al poblado, se conduce como una fiera salvaje: salta del techo de la casa, ataca a todos los que encuentra, les muerde en

---

[27] J. HAEKEL, ibid., p. 189.

117

el brazo tragándose trozos de su carne. Cuatro hombres lograrán apenas contenerlo, tratando de hacerle entrar en la casa cultual. La mujer que le había acompañado en la soledad, aparece ahora y danza desnuda ante él con un cadáver en los brazos. Por fin, el novicio trepa al techo de la casa cultual, desde el cual, apartando algunas tablas, salta al interior y danza en éxtasis, estremeciéndose con todo su cuerpo. Para amansarlo, el «Cuidador» *(heliga)* le cogerá por la cabeza y le arrastrará hacia el agua salada. Ambos avanzan hasta que el agua les llegue a la cintura. Entonces el «Cuidador» hunde al *hamatsa* cuatro veces en el agua. Este se levanta otras tantas, emitiendo el grito de los Caníbales: ¡*hap!*, ¡*hap!* A continuación regresan a la casa. El novicio no dará ya señales de exaltación. Beberá agua salada para vomitar. Al paroxismo furioso sigue un total abatimiento, y en el curso de las noches siguientes asistirá a las danzas, taciturno, deprimido [28]. Al igual que todas las demás iniciaciones en las cofradías secretas kwakiutl, la iniciación en la sociedad de los Caníbales persigue, a su vez, la incorporación de una nueva personalidad: el neófito se verá forzado a encontrar un *modus vivendi* con la fuerza sagrada que ha adquirido al encarnar al Dios.

La conducta iniciática del caníbal kwakiutl ofrece particular interés para el historiador de las religiones: el estallido de su personalidad, su furor, su «amansamiento» por parte del «Cuidador», nos recuerdan otros fenómenos religiosos, constatados en culturas distintas y sin relación histórica entre sí. La desintegración de la personalidad y la posesión son síntomas comunes a muchas de las iniciaciones norteamericanas; mas cuando la pérdida de la personalidad y la posesión presentan excepcional intensidad, constituirán el síndrome por excelencia de la vocación chamánica. Por tal motivo reservaremos para el capítulo del chamanismo el análisis de la

---

[28] Boas, *Secret Societies*, pp. 441-443, 524 ss.; id., *Ethnology of the Kwakiutl*, p. 1172 ss. Una Sociedad de Caníbales existe asimismo entre los Bella Coolas; la iniciación es parecida a la de los Kwakiutl; *cf.* F. Boas, *Secret Societies*, pp. 649-650; id., «The Mythology of Bella Coola Indians» (*Memoirs of the American Museum of Natural History*, I, pt. 2, 1900, p. 25 ss.), pp. 118-120. Para los rituales iniciáticos de las demás Sociedades secretas de los indios de América del noroeste, *cf.* Frazer, *Totemism and Exogamy*, III, pp. 499-512, 527-550, y J. Haekel, *op. cit., passim.*

significación religiosa de la «locura» y de las enfermedades iniciáticas en general.

Pero el caníbal kwakiutl presenta unos rasgos peculiares: por ejemplo, furor homicida, conducta de animal
salvaje, «calentamiento», que el «Cuidador» apaciguará
mediante el baño. Cada uno de esos rasgos pone de manifiesto que la condición humana ha sido transcendida,
que el novicio ha asimilado una cantidad tal de fuerza
sagrada que su modo secular de ser ha quedado abolido.
Más adelante veremos que análoga conducta se da igualmente en otras culturas, desde el momento en que el
neófito, afrontando victoriosamente ciertas pruebas iniciáticas, logra transmutar su existencia humana en una
existencia superior. El *berserkr* escandinavo se «enciende» en el combate iniciático, entra en posesión del furor
sagrado *(wut)*, se conduce a un tiempo como animal de
presa y como chamán; irresistible, esparcirá asimismo
el terror en torno a sí. Comportarse como una fiera
salvaje —lobo, oso, leopardo— es señal de que se ha
dejado de ser hombre, para encarnar una fuerza religiosa superior, convirtiéndose, en cierto modo, en dios.
Pues no se ha de olvidar que para la experiencia religiosa a escala primitiva, el animal de presa representa
un modo superior de existencia. Como veremos en el
capítulo siguiente, la apropiación de la fuerza sagrada
se traduce en un «ardor» excesivo del cuerpo: el calor
extremo será una de las señales típicas de hechiceros,
chamanes, guerreros, místicos. Cualquiera que sea el contexto cultural en el que se manifiesta, el síndrome del
«calor mágico» proclama la abolición de la condición
profana del hombre y la participación en un modo transcendente de ser, el de los superhombres.

SOCIEDAD SECRETA Y MANNERBUND

El modo sobrehumano de ser se obtiene mediante
un acercamiento de la fuerza mágico-religiosa. De ahí
que exista por doquier entre los aborígenes de América
del Norte un parecido tan grande entre las iniciaciones
de pubertad y los ritos de entrada a las sociedades secretas o a las cofradías chamánicas. Cada una de esas iniciaciones tiene por objeto conquistar una potencia sa-

119

grada, conquista que quedará probada bien sea por la obtención de uno o varios espíritus tutelares, bien mediante proezas faquíricas, bien por un comportamiento singular, como el canibalismo. Por doquier se observa el mismo misterio de muerte a la condición secular con la subsiguiente resurrección a un modo superior de ser. En América del Norte, el chamanismo ha dejado notar su influencia en la estructura de las demás iniciaciones. Y ello se debe precisamente a que el chamán es por excelencia el hombre dotado de poderes extraordinarios, modelo ejemplar, por así decir, de todo hombre religioso. Muy probablemente se halle ahí la explicación acerca del origen de las sociedades secretas y de los *Männerbünde*, no sólo de América del Norte, sino de todo el mundo. El especialista de lo sagrado —hombre-medicina, chamán, místico— constituyó a un tiempo un modelo ejemplar y una invitación a los demás hombres para aumentar los poderes mágico-religiosos y el prestigio social, por medio de nuevas iniciaciones.

La morfología de las «Sociedades secretas de hombres» *(Männerbünde)* es sumamente complicada, resultándonos imposible de esbozar aquí sus estructuras y su historia[29]. Por lo que se refiere a su origen, la hipótesis más frecuentemente admitida es la de Frobenius, que hará suya la escuela histórico-cultural[30]. Las sociedades secretas masculinas o las «Sociedades de Máscaras» serían creación del ciclo matriarcal: tendrían por objeto amedrentar a las mujeres, sobre todo haciéndoles creer que las máscaras eran demonios y espíritus de los antepasados, con el fin de sacudirse la supremacía económica, social y religiosa de las mujeres, instaurada por el matriarcado. Así formulada, la hipótesis no nos parece fundada. Las «Sociedades de Máscaras» desempeñaron, con toda probabilidad, su papel en la lucha por la supre-

---

[29] Estudios de conjunto: H. SCHURTZ, *Altersklassen und Männerbünde*, pp. 318-437; H. WEBSTER, *Primitive Secret Societies*, páginas 74-190; *Semaine d'Ethnologie Religieuse*. Reseña analítica de la III sesión (Enghien-Moedling, 1923), pp. 329-456. *Cf.* también E. W. PEUCKERT, *Geheimkulte*.

[30] L. FROBENIUS, «Die Masken und Geheimbünde Afrikas» *(Abhandlungen d. Kaiserl. Leopold-Carolin Deutsche Akademie d. Naturforscher*, LXXIV, Halle, 1899, pp. 1-266); *cf. Semaine d'Ethnologie Religieuse*, III, p. 335 ss.; W. SCHMIDT, *Das Mutterrecht*, página 171 ss. *Cf.* también ELIADE, *Mythes, rêves et mystères*, página 268 ss.

macía masculina, pero se nos hace difícil creer que el fenómeno religioso de la sociedad secreta sea una consecuencia del matriarcado. Se aprecia, por el contrario, una perfecta continuidad entre los ritos de pubertad y las pruebas iniciáticas de entrada a las sociedades secretas de hombres. En toda Oceanía, por ejemplo, las iniciaciones de los jóvenes, así como las que permiten acceder a las sociedades secretas de hombres, presentan idéntico ritual de muerte simbólica mediante engullimiento por parte de un monstruo marino, acompañada de resurrección: ello prueba que todas las ceremonias derivan históricamente de un mismo centro [31]. En Africa occidental encontramos un fenómeno similar: las sociedades secretas derivan de las iniciaciones de pubertad [32]. Podríamos alargar fácilmente la lista de ejemplos [33].

Lo que parece original y fundamental en el fenómeno de las sociedades secretas es la necesidad de participar más plenamente en lo sagrado, el deseo de vivir lo más intensamente posible la sacralidad específica de cada sexo. Este es el motivo por el que la iniciación a las sociedades secretas se asemejará tanto a los ritos iniciáticos de pubertad. Se constatan las mismas pruebas, los mismos símbolos de muerte y resurrección, la misma revelación de una doctrina tradicional y secreta, y ello por constituir dicho cuadro iniciático la condición *sine qua non* de una nueva y más completa experiencia de lo sagrado. Adviértense, con todo, algunas innovaciones propias de las sociedades secretas de máscaras. Las más importantes son: el papel primordial del secreto, la crueldad de las pruebas iniciáticas, el predominio del culto a los Antepasados (personificados en las máscaras) y la ausencia del Ser Supremo en las ceremonias. Antes pudimos ya observar cómo el Ser Supremo perdía paulatinamente importancia en los ritos de pubertad australianos. Este fenómeno es general en las sociedades secretas: el puesto del Ser Supremo celeste vendrá a ser ocu-

[31] E. M. LOEB, «Tribal Initiation and Secret Societies» (*Univ. of California Publications in American Archaelogy and Ethnology*, XXV, 3, pp. 249-288, Berkeley, 1929), p. 262.

[32] AD. E. JENSEN, *Beschneidung*, p. 79.

[33] *Cf.* H. WEBSTER, *Primitive Secret Societies*, p. 176, n. 2; F. SPAISER, «Ueber Initiationen in Australien und Neuguinea», página 256 ss.; Ad. E. JENSEN, *op. cit.*, p. 99; ARNOLD VAN GENNEP, *Les Rites de passage* (París, 1909), p. 126 ss.

pado por un Dios demiurgo, o por el Antepasado mítico, o por un Héroe civilizador. Pero, como en seguida podremos apreciar, en algunas iniciaciones a las sociedades secretas se mantienen todavía ritos y símbolos celestes; prueba, a nuestro modo de ver, de la primordial importancia religiosa de los Seres Supremos celestes, a los que con el paso del tiempo vinieron a sustituir otras Figuras divinas o semidivinas.

El fenómeno socio-religioso de los cultos secretos masculinos y de las cofradías de máscaras, se localiza sobre todo en Melanesia y en Africa [34]. En anteriores trabajos referimos ya algunos ejemplos africanos, especialmente la iniciación al culto de Ngoye, entre los Kuta, y los ritos de los Bunda y de los Bakhimba [35]. Recordaremos lo esencial. Entre los Bakhimba, la iniciación dura de dos a cinco años, y la ceremonia principal lleva consigo la muerte y la resurrección del candidato. Este será cruelmente flagelado, beberá una pócima narcótica llamada «bebida de la muerte», y a continuación uno de los veteranos, cogiéndole de la mano, le hará girar sobre sí mismo hasta que caiga a tierra. Entonces gritan: «¡Oh... [y pronuncian el nombre del iniciado] ha muerto!» Y seguidamente le transportan a un recinto sagrado denominado «patio de la resurrección». Colocan al candidato completamente desnudo en una fosa en forma de cruz, donde permanecerá algunos días. Tras padecer diversas torturas y prestar juramento de absoluto secreto, será finalmente resucitado [36].

La entrada en la sociedad ngoye de los Kuta está ex-

---

[34] Melanesia: H. CODRINGTON, *The Melanesians* (Oxford, 1891), páginas 69-115; R. PARKINSON, *Dreissig Jahre in der Südsee* (Stuttgart, 1907), pp. 656-680; W. H. R. RIVERS, *The History of Melanesian Society* (Cambridge, 1914), II, pp. 205-233, 592-593; H. NEVERMANN, *Masken und Geheimbünde Melanesiens* (Berlín-Leipzig, 1933); HUBERT KROLL, «Der Iniet. Das Wesen eines melanesischen Geheimbundes» (*Zeit. f. Ethnologie*, LXX, 1937, páginas 180-220). Africa: L. FROBENIUS, «Masken und Geheimbünde Afrikas»; E. JOHANSSEN, *Mysterien eines Bantu-Volkes* (Leipzig, 1925); E. HILDEBRANDT, «Die Geheimbünde Westafrikas» (Leipzig, 1937); G. W. HARLEY, «Notes on the Poro in Liberia» (*Papers of the Peabody Museum of American Archaeology and Ethnology*, XIX, 1941, núm. 2); K. L. LITTLE, «The Poro Society as an arbiter of Culture» (*African Studies*, VII, 1948, pp. 1-15).

[35] ELIADE, *Mythes, rêves et mystères*, pp. 271-275.

[36] LEO BITTREMIEUX, *La Société secrète des Bakhimba au Mayombe* (Bruselas, 1936), pp. 44-45.

clusivamente reservada a los jefes de clan. A los postulantes se les azota, se les frota con hojas urticantes y se les da por el cuerpo y el cabello con una planta que produce terribles picores. Todas estas torturas rituales recuerdan en cierto grado el despedazamiento iniciático del aprendiz a chamán, que estudiaremos en el capítulo siguiente. Otra prueba «consistirá en hacer trepar al adepto a un árbol de cinco o seis metros de altura, en cuya punta deberá beber una pócima». Al regresar al poblado, será acogido con las lamentaciones de las mujeres; le lloran como si fuera a morir. En otras tribus kuta, el neófito será golpeado con violencia con objeto de «matar» su antiguo nombre y poderle dar otro [37].

La cofradía secreta de los Mandja y de los Banda, que lleva el nombre de Ngakola, debe su origen a un mito que será revelado a los neófitos durante su iniciación. Según dicho mito, un ser monstruoso, Ngakola, vivía antiguamente en la espesura de la selva. Su cuerpo era negro y cubierto de largo pelo. Podía matar a un hombre, resucitándole luego, convertido en un hombre mejor. Se dirigió, pues, a los hombres así: «¡Enviadme gente, yo los comeré y los vomitaré renovados!» Siguieron su consejo, pero como Ngakola no devolviera más que la mitad de los que había tragado, los hombres le mataron. Este mito funda y justifica los rituales de la cofradía. Una piedra plana desempeñará un importante papel en las ceremonias iniciáticas: según la tradición, esta piedra sagrada fue retirada del vientre de Ngakola. El neófito será introducido en una choza que simboliza el cuerpo del monstruo. Allí es donde oirá la voz siniestra de Ngakola, allí es donde será sometido a torturas. Le dicen que «ahora ha entrado en el vientre de Ngakola» y que está siendo digerido. Los demás iniciados cantarán a coro: «¡Ngakola, cógenos a todos las entrañas. Ngakola, cógenos a todos los hígados!» Tras soportar otras pruebas, el maestro iniciador anunciará por fin que Ngakola, que se había comido al neófito, acaba de devolverle [38].

De nuevo hallamos aquí el mito, que ya habíamos

---

[37] E. ANDERSON, *Contribution à l'Ethnologie des Kuta*, I (Uppsala, 1953), p. 211 ss.

[38] E. ANDERSON, *Kuta*, p. 264 ss. Sobre Ngakola, *cf.* también A. M. VERGIAT, *Les rites secrets des primitifs de l'Oubangui* (París, 1936), p. 118 ss.

encontrado en Australia, de un Monstruo semidivino, al que los hombres habían matado porque no devolvía más que una parte de aquellos que engullía, y al cual, después de muerto, habían convertido en centro de un culto secreto en orden a la muerte y renacimiento iniciáticos. Volvemos asimismo a encontrar el simbolismo de la muerte por medio del engullimiento en el vientre de un monstruo, simbolismo que ocupa tan importante lugar en las iniciaciones de pubertad.

Esquemas análogos se localizan en otros lugares de Africa occidental. Al final del siglo XIX, todavía estaba en uso en el bajo Congo fundar un *ndembo* con motivo de las epidemias [39]. Por el hecho de morir y resucitar en el transcurso de la iniciación, los postulantes se consideraban luego invulnerables contra las enfermedades. Levantaban en la profundidad de la selva una empalizada, llamada *vela*. Estrictamente prohibida a los profanos. El reclutamiento suponía de antemano la «llamada» divina. Los que deseaban hacerse miembros del *ndembo* caían súbitamente como muertos en las plazas públicas, en el mercado, por ejemplo, o en el centro de la ciudad. Inmediatamente eran transportados a la selva e introducidos en la empalizada sagrada. Sucedía en ocasiones que cincuenta o incluso cien personas caían en un solo día. Decíase de ellos que «morían *ndembo*». Una vez instalados los neófitos en las chozas en el interior de la *vela*, se les consideraba como muertos y en trance de descomposición, hasta que de cada cuerpo no quedara más que un solo hueso. Los iniciados, llamados *nganga* (literalmente «los que saben») se ocupaban con especial esmero de estos huesos. El período de segregación podía durar de dos meses a tres años, y durante todo este tiempo las familias de los neófitos traían diariamente alimentos para los *nganga*. Los neófitos permanecían desnudos; se decía que en la *vela*, es decir, en el otro mundo, el pecado no existía. (El simbolismo de la desnudez ritual es considerablemente más complejo. De un lado, existe el elemento paradisíaco, recuerdo de un esta-

---

[39] J. H. WEEKS, «Notes on some Customs of the Lower Congo People» (*Folklore*, XX, 1909, pp. 181-201), espec., p. 189 ss.; *id.*, *Among the Primitive Bakongo* (Londres, 1914), p. 158 ss. *Cf.* también A. BASTIAN, *Die deutsche Expedition an der Loango Küste* (1875), II, p. 17 ss.; H. SCHURTZ, *op. cit.*, pp. 433-435; J. C. FRAZER, *Balder the Beautiful* (Londres, 1913), II, pp. 251-255.

do de espontaneidad y felicidad primordiales, estado que precedió a la aparición de las instituciones sociales; existe, además, el simbolismo funerario y, asimismo, la idea de que el neófito debe compartir la desnudez de los niños pequeños). Dado que ambos sexos tomaban parte en el misterio, las orgías eran frecuentes en la *vela*, mas, a juicio de los iniciados, no se trataba de una conducta inmoral. Las orgías formaban parte de la existencia en el «otro mundo», es decir, en un mundo libre de leyes.

Cuando los neófitos, debidamente «resucitados», regresaban al poblado, decían haber olvidado todo acerca de su vida pasada. Ya no reconocían a sus padres, ni a sus amigos, y no se acordaban ya de su lengua, ni de su aldea natal, ni del uso de los utensilios más elementales. Se dejaban educar como niños pequeños, e imitaban la irresponsabilidad de la más tierna edad: atacaban y golpeaban a las personas que encontraban en su camino, y robaban todo lo que caía al alcance de su mano. El «derecho al robo» es nota común de las sociedades secretas africanas [40], y parte integrante de la ideología socioreligiosa de los *Männerbünde*.

Según referencias de Bastian, el cuadro ritual de estas cofradías secretas se basaría en un mito de origen. «El Gran Fetiche vive en el corazón de la selva, donde nadie le ha visto y nadie le puede ver. Cuando muere, los sacerdotes-feticharios reúnen con cuidado sus huesos a fin de volverlos de nuevo a la vida, y los alimentan para que se cubran nuevamente de carne y de sangre» [41]. En otras palabras, los neófitos repiten ritualmente el destino del «Gran Fetiche», patrón de la cofradía. Pero la función esencial recae en los «sacerdotes-feticharios», esto es, en los Maestros de la iniciación: son ellos quienes cuidan y «alimentan» tanto los huesos del «Gran Fetiche» como los de los neófitos. Son ellos, en definitiva, quienes aseguran la resurrección iniciática, si bien el misterio fue instituido por el «Gran Fetiche» y, en el

---

[40] H. Schurtz, *op. cit.*, p. 107.
[41] A. Bastian, *Ein Besuch in San Salvador* (Bremen, 1859), página 82 ss.; Frazer, *op. cit.*, p. 256. Acerca de los mitos y ritos iniciáticos del misterio bantú Ryangombe, *cf.* E. Johanssen, *Mysterien eines Bantu-Volkes*, pp. 13 ss., 29 ss., y *passim;* Adolf Friedrich, *Afrikanische Priestertümer* (Stuttgart, 1939), pp. 62 ss., 367 ss.

fondo, fue la experiencia ejemplar de éste la que hizo posible la resurrección.

La reducción del cuerpo al estado de esqueleto, siguiéndose el nacimiento de una carne nueva y de una sangre fresca, constituye un tema iniciático típico de las culturas de cazadores; lo hallaremos nuevamente al presentar las iniciaciones de los chamanes siberianos. En el caso de las cofradías africanas, este elemento arcaico se halla integrado en un sistema mágico-religioso más elaborado, que contiene numerosos elementos culturales más recientes.

Como se ve, los ritos de entrada a una sociedad secreta se corresponden punto por punto con las iniciaciones tribales: reclusión, torturas y pruebas iniciáticas, muerte y resurrección, imposición de un nombre nuevo, revelación de una doctrina secreta, enseñanza de una lengua especial, etc. Se nota, no obstante, una constante agravación de las pruebas. La tortura iniciática es característica en las sociedades secretas melanesias y en algunas cofradías norteamericanas. Las pruebas que debían soportar los neófitos Mandan, por ejemplo, son célebres por su crueldad [42]. Para entender la significación de la tortura iniciática habremos de tener en cuenta que el sufrimiento tiene un valor ritual: la tortura será supuestamente realizada por los seres suprahumanos, y tendrá como finalidad la transmutación espiritual del sujeto iniciando. El extremado sufrimiento es, a su vez, expresión de la muerte iniciática. Ciertas enfermedades graves, sobre todo las enfermedades psico-mentales, serán consideradas como señal de que el enfermo ha sido escogido por los seres sobrehumanos para iniciarle, esto es, torturarle, hacerle pedazos y «matarle», con el propósito de resucitarle a una existencia superior. Como iremos viendo a continuación, las «enfermedades iniciáticas» constituyen uno de los síndromes más importantes de la vocación chamánica. Las torturas de los candidatos a las sociedades secretas serán el equivalente de los terribles sufrimientos que simbolizan la muerte mís-

---

[42] Cf. GEORGE CATLIN, O-Kee-Pa (Londres, 1867), pp. 13 ss., 28 ss.; id., Annual Report of the Smithsonian Institution for 1885 (Washington, 1886), segunda parte, p. 309 ss. Resumen de la ceremonia en AD. E. JENSEN, Beschneidung, pp. 122-123. Igualmente crueles son los ritos iniciáticos del hawinalal, danza guerrera de los Kwakiutl; cf. F. BOAS, Secret Societies, p. 496 ss.

126

tica del futuro chamán. En uno y otro caso se trata de un proceso de transmutación espiritual.

Evidentemente, las sociedades secretas constituyen un fenómeno sociorreligioso enormemente complejo. No es nuestra intención, en modo alguno, emprender aquí un estudio detallado; nos limitaremos al análisis de los hechos de iniciación. Digamos, no obstante, que las sociedades secretas, sobre todo en Africa y en Oceanía, no se agotan en una función religiosa. No sólo constituyen sociedades de ayuda mutua, sino que intervienen en la vida social y política de la comunidad. En muchas regiones, la justicia será ejercida en última instancia por las sociedades secretas [43]. En otros lugares, esa misión justiciera se transformará en instrumento de terror, revistiendo a veces aspectos de extrema crueldad. Tal es el caso, por ejemplo, de muchas cofradías africanas llamadas «de los Leopardos» o «de los Leones», cuyos miembros se consideran ritualmente identificados con esas fieras salvajes, haciéndose culpables de múltiples asesinatos acompañados de canibalismo [44].

ASCENSIÓN RITUAL A LOS ÁRBOLES
ENTRE LOS INDIOS AMERICANOS

Hemos hablado de la insistencia con la que se repite el tema del monstruo engullidor, así en los ritos de pubertad o en las iniciaciones a las sociedades secretas, como en otros contextos mítico-rituales. No es el único tema que se repite en múltiples tipos de iniciación. Igualmente multivalente es el tema iniciático de la ascensión a los árboles o a los postes sagrados: lo encontramos indistintamente en las ceremonias de pubertad y en las iniciaciones superiores. Ya antes tuvimos ocasión de encontrar algunos ejemplos entre los australianos (página 38 ss.) y en algunas poblaciones norteamericanas (p. 116 ss.). La significación del rito de la subida a los árboles no se nos hará totalmente inteligible, sino luego

---

[43] *Cf.* los ejemplos recopilados por WEBSTER, *op. cit.*, capítulos VI-VIII.

[44] *Cf.* los materiales africanos en ROBERT EISLER, *Man into Wolf* (Londres, 1951), p. 151 ss., y sobre todo BIRGER LINDSKOG, *African Leopard Men* (Uppsala, 1954).

de presentar las iniciaciones y técnicas extáticas de los chamanes de Asia central y septentrional. Es allí, sobre todo, donde el simbolismo cosmológico de la ascensión se ha conservado con bastante claridad.

En las dos Américas observamos que el poste o árbol sagrado desempeña una importante función tanto en las principales fiestas religiosas de la tribu cuanto en las iniciaciones de pubertad y ceremonias chamánicas de curación. Arbol o poste será considerado, bien como mediador entre los seres humanos y la divinidad (Ser Supremo, Dios solar, Héroe cultural, Antepasado mítico, etcétera), bien como representante o, a veces, encarnación de la divinidad. En otros términos, la comunicación efectiva con la divinidad se realiza sobre todo, si no únicamente, a través de un árbol o un poste sagrados. Esta idea fundamental se deja ver incluso en las ceremonias que no implican ascensión ritual. Así, para los Botocudos, considerados como uno de los pueblos más primitivos de América del Sur, el poste sagrado está en relación con los buenos espíritus celestes. Estos tendrán el papel de intermediarios ante el Ser Supremo; trepan por el poste hasta el «Viejo». El Ser Supremo nunca baja del Cielo; son los espíritus celestes los que llevan a Dios las plegarias de los hombres. Con ocasión de las curaciones, se depositan ofrendas al pie del poste. Los Mashakalis, vecinos de los Botocudos, ejecutan danzas alrededor del poste sagrado, pero dichas danzas están en relación con las ceremonias funerarias. Creen que las almas de los muertos suben al Cielo a lo largo del poste. La función religiosa del poste es, no obstante, más complicada, pues interviene también en los ritos de pubertad de los muchachos [45].

Los Sherente clavan un poste con ocasión de la fiesta del Sol. Los hombres trepan a él y, una vez en la punta, ruegan al Sol y reciben visiones y profecías. Al final de la ceremonia, el sacerdote trepará, a su vez, al poste. Por mediación de la estrella de Orión, recibirá allá arriba un mensaje de parte del Dios solar. En otras tribus sudamericanas encontramos ideas similares. Por

---

[45] JOSEF HAEKEL, «Zur Problematik des heiligen Pfahles bei den Indianern Brasiliens» (*Anais do XXXI Congr. Internacional de Americanistas*, Sâo Paolo, 1955, pp. 229-243), pp. 229-230.

ejemplo: los Munduruku, en cierta fiesta, levantan un árbol en medio de la casa cultual. Agrupándose en torno al árbol, el hombre-medicina invocará la protección y ayuda del Creador-Héroe Cultual [46]. El árbol sagrado se halla asimismo presente en las iniciaciones de los jóvenes entre los Chamacoco y los Vilela, pueblos muy primitivos que habitan al norte del Gran Chaco. Mas cuando pudo ser observada y descrita por los primeros viajeros, la institución estaba ya en decadencia. Ejecutan danzas alrededor del árbol, pero no se sabe si en época anterior la iniciación incluía también una ascensión ritual [47].

También los Yaruro conceden gran importancia al poste sagrado. Con el fin de entrar en contacto con Kuma, Diosa creadora, o con los Héroes míticos y los espíritus de los muertos, el chamán se acercará al poste, fumando, cantando y danzando, cayendo finalmente en trance. Se ignora si antiguamente subía al poste —como, por ejemplo, entre los Araucanos. Estos yerguen en honor del Ser Supremo un poste provisto de muescas y llevando en la punta un altar sacrificial. Con ocasión de las curaciones, el chamán, considerado como mediador de los hombres ante el Ser Supremo, trepará al poste y, una vez en la punta, entrará en trance [48].

Como se ve, en algunas poblaciones sudamericanas, árbol o poste sagrado constituyen el medio ejemplar para comunicar con las potencias celestes divinas o semidivinas. Mediadores entre el mundo de los humanos y el mundo divino, el poste o el árbol sagrados están presentes tanto en las iniciaciones de pubertad como en las fiestas comunales y en las sesiones chamánicas de curación. Hay constancia de ellos en las tribus más arcaicas de América del Sur, pero árboles y postes rituales están sin embargo ausentes de la vida religiosa de las sociedades más evolucionadas. El complejo mítico-ritual del árbol y del poste —considerados como intermediarios entre este mundo y el celeste— pertenece a las culturas

---

[46] JOSEF HAEKEL, op. cit., pp. 230-231.

[47] A. METRAUX, A Myth of the Chamacoco Indians, pp. 114, 117.

[48] Yaruro: V. PETRULLO, «The Yaruros of the Capanavaro River, Venezuela» (Bureau of American Ethnology, Boletín 123, páginas 167-289, Washington, 1939), p. 249 ss.; J. HAEKEL, op. cit., página 233. Araucanos: JOHN COOPER, «The Araucanians» (Handbook of South American Indians, vol. II, Washington, 1946), página 742 ss.; M. ELIADE, Le Chamanisme, pp. 122 ss., 293 ss.; J. HAEKEL, p. 234.

primitivas de cazadores. Ahora bien, como puso en claró Josef Haekel, dicho complejo fue introducido probablemente en América del Sur por oleadas de cultura de cazadores provenientes del norte [49].

Se da, en efecto, un cuadro ritual más o menos parecido en varias poblaciones norteamericanas. Los indios de la Pradera utilizan el poste ritual con ocasión de las Danzas del Sol. Algunas tribus, por ejemplo los Arapaho, consideran el poste como el camino que siguen las plegarias para dirigirse al Cielo. Uno de los elementos más antiguos de la Danza del Sol es precisamente la subida a los postes [50]. Para los Mandan, un mástil de cedro será el símbolo del «hombre solitario», considerado como el fundador mítico de la ceremonia. Este había declarado: «El cedro es mi cuerpo, que yo dejo entre vosotros como protección contra todos los males.» Las ceremonias religiosas más importantes se desarrollan en torno al mástil. La ceremonia Okipa, que es una reactualización dramática del mito cosmogónico, es asimismo la ocasión escogida para la iniciación de los muchachos, cuyas pruebas llevan consigo terribles torturas [51].

Los Selish izarán un poste sagrado en la casa cultual, donde han de tener lugar las danzas. De la punta cuelgan objetos mágicos, y se le traen simbólicamente dones. Es ante el poste donde el chamán entrará en trance. Es importante señalar que algunas tribus selish conocen el mito de un Arbol Cósmico, en cuya punta se encuentra el Dios Supremo, y en las raíces el Adversario de Dios. Narra otro mito que el Creador, después de haber hecho los siete mundos, los superpuso y los enlazó atravesándolos con un árbol o poste [52]. Análogo simbolismo habíamos ya encontrado en la cosmología de los Kwakiutl: el Pilar de cobre une las tres regiones del Mundo, y el poste de cedro erguido en la casa cultual encarna el Pilar cósmico. El candidato a la Sociedad de los Caníbales será atado al poste, o trepará a él durante su iniciación. El rito de subida, como antes vimos (p. 116 ss.),

---

[49] J. HAEKEL, op. cit., pp. 239-240.
[50] Ibid., pp. 235-236.
[51] A. W. BOWERS, Mandan Social and Ceremonial Organization (Chicago, 1950), p. 115 ss.; J. HAEKEL, «Zum ethnologischen Aussagewert von Kulturparallelen» (Wiener Völkerkundliche Mitteilungen, IV, Viena, 1955, pp. 176-190), pp. 179-180.
[52] J. HAEKEL, «Zum Problematik des heiligen Pfahles», p. 237.

existe también entre los Bella y los Kwakiutl de Fuerte Rupert. Debemos ahora añadir que para los Maidu, el poste central desempeña también una función ritual esencial. Durante las sesiones chamánicas, los espíritus bajarán a lo largo del poste y conversarán con el chamán. Entre los Pomo, las ceremonias iniciáticas de los muchachos incluyen la subida a un mástil, y los Pomo meridionales practican, con motivo de las danzas rituales, ascensiones acrobáticas (por ejemplo, trepando al mástil cabeza abajo)[53].

En América del Norte, en resumen, árbol o poste desempeñan una función importante en la cosmología y mitología de la tribu, en las fiestas públicas, en las iniciaciones de pubertad o en los ritos de admisión a las sociedades secretas, y en las sesiones chamánicas. Pese a la diversidad de contextos socio-religiosos en los que se sitúa, la ascensión tendrá siempre la misma finalidad: el encuentro con los Dioses o con las potencias celestes, a fin de obtener una bendición (ya sea una consagración personal, ya un favor para la comunidad, o la curación de un enfermo). En muchas ocasiones, el sentido primero de la subida —ascensión simbólica al Cielo— parece haberse perdido, pero el rito continúa practicándose, pues sigue en pie el recuerdo de la sacralidad celeste, incluso cuando los Seres celestes han sido totalmente olvidados.

Para un recto entendimiento del contexto iniciático de la subida a los árboles, será preciso tener en cuenta gran número de hechos no americanos, y en primer lugar los rituales chamánicos de Asia central y septentrional. En Asia, poste o árbol simbolizan el Arbol Cósmico, el *Axis Mundi*, y están supuestamente situados en el «Centro del Mundo»; trepando a un árbol o a un poste, el chamán sube al Cielo. La asombrosa semejanza entre los complejos mítico-rituales americanos y asiáticos plantea el difícil problema de las relaciones históricas entre ambos continentes. Nos es imposible tratarlo aquí; diremos tan sólo que el simbolismo del pilar central rebasa con mucho la zona del chamanismo nordasiático; existe constancia de él en Asia sudoriental, en Oceanía, en antiguas

---

[53] Edwin Loeb, «Pomo Folksways» (*Univ. of California Public. in Americ. Arch. and Ethnology*, XIX, Berkeley, 1926, pp. 149-404), páginas 372-374; *id.*, «The Eastern Kuksu Cult» (*ibid.*, XXXIII, 1933), pp. 172 ss., 181; Haekel, «Zum Problematik», p. 238.

religiones del cercano Oriente, en el Mediterráneo, etc. Su presencia, incluso en pueblos bastante arcaicos, como los Achilpa de Australia y los Pigmeos Semang, y, de otra parte, la constancia de diversos simbolismos del «Centro del Mundo» en monumentos prehistóricos, nos incitan a ver en ello una concepción cosmológica bastante antigua [54].

Tales simbolismos, del Centro del Mundo, se hallan siempre vinculados a una ideología centrada en torno a la ascensión al Cielo o a los contactos rituales con los Seres divinos y semidivinos que pueblan el Cielo. La ascensión constituye uno de los medios religiosos más antiguos de comunicación personal con los Dioses y, por lo tanto, de plena participación en lo sagrado con objeto de trascender la condición humana. La ascensión y el vuelo serán considerados como las garantías por excelencia de la divinización del hombre. Los «especialistas de lo sagrado» —hombre-medicina, chamanes, místicos— serán ante todo hombres que vuelan al Cielo, en éxtasis o *in concreto*. De este tema nos ocuparemos en el capítulo siguiente, pero ya ahora nos hallamos en condiciones de entender el porqué de su presencia en ciertas iniciaciones de pubertad y en ceremonias de entrada a las sociedades secretas: el candidato va a subir simbólicamente al Cielo para apropiarse la fuente misma de lo sagrado; transmutar su «status» ontológico y parecerse al arquetipo del *homo religiosus*, el chamán.

El tema iniciático de la ascensión al Cielo difiere radicalmente de aquel otro del monstruo engullidor; pero si bien en un principio pertenecieron casi con seguridad a tipos diferentes de cultura, actualmente los encontramos dentro de una misma religión; más aún, ambos temas coinciden a veces en el curso de la iniciación de un solo individuo. El por qué, no resulta difícil de entender: el descenso a los Infiernos y la ascensión al Cielo denotan evidentemente experiencias religiosas diferentes, pero ambas ilustran de manera singular que aquel que se ha sometido a ellas, ha trascendido la condición humana, actuando como un «espíritu puro».

---

[54] *Cf.* nuestro estudio «Centre du Monde, Temple, Maison» (en el volumen colectivo *Le Symbolisme cosmique des Monuments religieux*, Roma, 1957, pp. 57-82).

Las asociaciones secretas femeninas están menos extendidas que las cofradías de hombres. Allí donde topamos con organizaciones que exigen ritos de entrada complicados y dramáticos, podemos presumir que aquéllas han imitado ciertos aspectos externos de las sociedades secretas masculinas. Tal es, por ejemplo, el caso del culto secreto femenino de los Pangwe, imitación bastante reciente de los *Männerbünde* [55]. En seguida tendremos oportunidad de comprobar la existencia de elementos propiamente masculinos en los rituales iniciáticos de las asociaciones femeninas. Pero estas eventuales influencias no deben inducirnos a error, haciéndonos creer que las agrupaciones secretas de mujeres constituyen un fenómeno tardío e híbrido. El influjo se ejerció más que nada en cuanto a la organización externa de las sociedades femeninas, y en muchas ocasiones bastante tarde, cuando el secreto de algunas cofradías masculinas no era ya rigurosamente guardado. Mas el fenómeno de la asociación secreta femenina no se reduce a un proceso de imitación. Es el carácter propio de la experiencia religiosa femenina el que explica el deseo de las mujeres de organizarse en círculos cerrados, para celebrar los misterios relacionados con la concepción, nacimiento, fecundidad y, en general, con la fertilidad universal. Y, por supuesto, la organización en sociedades secretas confiere a las mujeres un prestigio mágico-religioso que les permitirá salir del estado de abyecta sumisión a sus maridos, gozando así de cierta libertad.

En efecto, R. H. Nassau señala a propósito de la sociedad Nyembe, bastante extendida en Africa occidental, que allí donde existe, las mujeres disponen de más libertad. Los hombres temen a la Nyembe, no atreviéndose a hablar mal de ella, y aún menos a espiar las ceremonias secretas. Dos europeos casados con indígenas, que intentaron aproximarse al lugar donde se desarrollaban los ritos Nyembe, fueron descubiertos y prácticamente condenados a muerte. Lograron salvar la vida en

---

[55] *Cf.* G. Tessmann, «Die Pangwe» (Berlín, 1913), II, p. 39.

el último momento, tras haber presentado excusas y pagado importantes multas [56].

Entre los indígenas de Sierra Leona, la sociedad secreta Bundu está dirigida por una hechicera conocida con el nombre de «Diablo Bundu». Tratar de espiar las ceremonias, era, para un hombre, exponerse a la muerte. Si alguien se había conducido indebidamente con los miembros de la sociedad, se presentaba entonces la hechicera con el traje de «Diablo», y con una rama que llevaba en la mano le hacía un signo para que la siguiera a la selva. Una vez en la selva, la hechicera le fijaba la suma que tenía que pagar. Si el hombre no accedía, era expuesto a la pública vergüenza. Antiguamente era vendido como esclavo [57].

Las notas características de las asociaciones africanas son el secreto que rodea sus ritos y el alto prestigio mágico-religioso de la sociedad, y en particular de las dirigentes. A comienzos de siglo, afirmaba T. J. Alldridge que el secreto del Bundu era mejor guardado que el de la cofradía masculina Poro. Nada se sabe de los ritos Bundu, excepto que las jóvenes eran iniciadas en las costumbres tradicionales relacionadas con su sexo [58]. En cuanto a las ceremonias típicas de la cofradía Nyembe, reconocía Nassau en 1904 que todo lo que él sabía era que las mujeres danzaban desnudas y aprendían canciones licenciosas y terribles insultos [59].

Volveremos en seguida sobre la significación de las danzas rituales. Conviene advertir desde ahora que incluso los insultos y el vocabulario crudo y obsceno encierran valores mágico-religiosos. Por una parte, la fuerza mágica de la obscenidad permitirá a las mujeres defenderse tanto de los hombres como de todo otro tipo de amenaza (fieras salvajes, seres demoníacos, suerte adversa, etc.). Por otra, vemos la exaltación provocada por la alteración de la conducta normal de la mujer, pasando de la modestia a la obscenidad agresiva. Trastornar el comportamiento normal va a suponer, en definitiva, pasar de la condición cotidiana, reglamentada por el peso

[56] Robert Hamil Nassau, *Fetishism in West Africa* (Londres, 1904), p. 260 ss.
[57] T. J. Alldridge, *The Sherbro and its Hinterland* (Londres, 1901), pp. 137, 142.
[58] Alldridge, *op. cit.*, p. 137.
[59] R. H. Nassau, *op. cit.*, pp. 249, 254.

de las instituciones, a un estado de «espontaneidad» y de frenesí que posibilita una participación más intensa en las fuerzas mágico-religiosas. Este tipo de lenguaje obsceno se descubre doquiera se constituyen sociedades secretas de mujeres, así entre las Bacantes dionisíacas como entre las campesinas de Europa oriental del siglo XIX.

Es el prestigio mágico-religioso de la sociedad secreta el que, tanto en Africa como en el resto del mundo, moverá a las mujeres a afiliarse. Las cuotas de entrada son a veces harto elevadas. Mientras dura la iniciación, las neófitas permanecen bajo la dirección de los miembros de mayor edad de la cofradía. Existen, generalmente, varios grados iniciáticos. La joven ya introducida en el Bundu podrá, si así lo desea, aspirar sucesivamente a los tres grados superiores. El tercer grado está reservado a la que, de todas, llegue a ser patrona del Bundu [60]. Donde existen logias Nyembe, aquellas mujeres que se distinguen por su conocimiento de la danza y los rituales, serán denominadas «maestras». Se llega a ser «maestra» escogiendo a una neófita y acompañándola en todas sus pruebas iniciáticas [61]. De modo que la maestra se someterá una vez más a las ceremonias de entrada. Al igual que en las sociedades secretas masculinas, el acercamiento a lo sagrado es progresivo; exige una vocación especial a la par que una instrucción más larga y complicada.

En Sierra Leona la iniciada tendrá que ser lavada antes de volver a casa, a fin de quitarle la fuerza mágica del Bundu. Investida de dicha fuerza, resultaría sumamente peligrosa para los suyos y, en general, para toda la comunidad.

Como queda dicho, no conocemos casi nada de los ritos de entrada. Por lo que se refiere a las ceremonias Nyembe, sabemos solamente que son bastante duros. Las neófitas han de permanecer con los ojos fijos en el sol, y han de mantener una hoguera encendida en la jungla; allá irán por la noche, incluso durante la tormenta, para no dejársela apagar. Las ceremonias duran aproximadamente dos semanas. El penúltimo día las neófitas recorren el poblado para recoger donativos. Transcurrido el último día, irán al siguiente a pescar al río o a la

---

[60] ALLDRIDGE, op. cit., p. 141.
[61] NASSAU, op. cit., p. 252.

orilla del mar. Pero la pesca, al parecer, es más bien un pretexto. El verdadero rito es el siguiente: cada neófita se ve forzada a introducir el brazo en un agujero donde se sabe que anidan serpientes, y no podrá retirarlo hasta no tener una serpiente enroscada alrededor. (Los etnólogos han llamado ya la atención acerca de la semejanza de este rito con las bien conocidas imágenes egeas que representan a unas sacerdotisas con reptiles en las manos o enroscadas alrededor de los brazos.) Cada neófita ha de regresar al poblado con una serpiente en la cesta; pero Nassau, cuyo relato estamos siguiendo, no logró saber qué se hacía de todas esas serpientes.

El último acto de la ceremonia es público; consiste en una danza llamada del «leopardo». Una maestra encarna a la fiera; otra, llamada «madre», tiene que defender a sus «hijas» del ataque del «leopardo». La danza es larga y bastante agitada. Cuando por fin el «leopardo» ha capturado simbólicamente a todas las neófitas, la «madre» le mata con un palo en forma de espada —y como podemos suponer, la muerte del «leopardo» devuelve la libertad a las neófitas que había devorado [62].

Este último motivo, tomado del simbolismo de la caza, parece inesperado entre las ceremonias de una asociación femenina, dado que la caza y su magia están reservadas a los hombres. Comoquiera que se trata de una danza pública, podemos presumir que tiene por objeto reforzar el prestigio mágico-religioso del Nyembe: con ello probarán las mujeres que también ellas son capaces de encarnar a la fiera ejemplar de los *Männerbünde*, y, además, que no le temen, pues gracias a su magia, las maestras consiguen matar al «leopardo» y librar de él a sus víctimas.

ANTAGONISMO Y ATRACCIÓN RECÍPROCA

Igualmente, conocemos otras asociaciones cultuales femeninas en las que, pese a un fuerte espíritu antimasculino, se hallan integrados ciertos elementos pertenecientes a las «magias» de los hombres. Los Mordvins

---

[62] NASSAU, *op. cit.*, pp. 255-257; M. ELIADE, *Mythes, rêves et mystères*, pp. 289-290.

cuentan con una cofradía secreta de mujeres que tienen como distintivo un palo, con forma de caballo, y cuyas afiliadas se denominan «caballos»: llevan colgada al cuello una bolsa llena de mijo, representando el vientre del caballo. Todo este simbolismo equino pone al descubierto el deseo de imitar las organizaciones militares masculinas. Puede que se trate, por lo demás, de un desarrollo un tanto reciente, con objeto de aumentar los «poderes» de la asociación mediante la usurpación de distintivos y prestigios reservados a los hombres. La estructura de la asociación es, de todos modos, netamente femenina. Quedan excluidos los hombres, las jóvenes solteras y los niños. El banquete ritual, al que cada afiliada deberá contribuir con vino, vituallas y dinero, tiene lugar una vez al año en casa de una de las viejas. Al llegar las jóvenes casadas, las viejas las golpean tres veces con un látigo, gritándoles: «¡Pon un huevo!»; y las jóvenes sacan de sus ropas un huevo cocido. El significado de este rito resulta bastante claro; el huevo simboliza la fertilidad; se trata, pues, de un misterio centrado en torno a la fecundidad. El banquete terminará con un cortejo carnavalesco por todo el poblado. Viejas ebrias, cabalgando sobre caballos de palo, entonan canciones lúbricas. Los hombres no se atreverán a salir de casa. Si lo hacen, las mujeres los atacan, los desnudan, mofándose de su débil virilidad para provocarles a dar pruebas de lo contrario. Por último, deberán pagar una multa para recuperar la libertad [63].

De igual modo que los *Männerbünde* infunden el terror entre las mujeres, éstas insultarán, amenazarán e incluso golpearán a los hombres que se crucen en el camino de sus frenéticas procesiones. Entre los Setuks de Estonia, con motivo de sus ceremonias, las mujeres, ebrias, se desnudan, abandonándose a exhibiciones obscenas, provocando e insultando a los hombres [64]. Ciertas tradiciones hablan incluso de hombres que habrían encontrado la muerte a manos de tales ménades. Entre

---

[63] ELIADE, *Mythes, rêves et mystères*, pp. 286-287, según UNO HARVA, *Die religiösen Vorstellungen der Mordwinen* (Helsinki, 1952), p. 386 ss.
[64] OSKAR LOORITS, «Das sogenante Weiberfest bei den Russen und Setukesen» (*Comm. Archivii traditionum popularium Estoniae*, XIV, Tartu, 1940); id., *Die Grundzüge des estnischen Volksglauben* (Lund, 1949 ss.), vol. II, p. 96 ss.

los Setuks, todas las mujeres han de tomar parte en la fiesta. No se trata en este caso de una sociedad secreta, sino de un «misterio» femenino, en el curso del cual se celebran los poderes sagrados de la fecundidad. La presencia de los hombres acarrearía el riesgo de malograr los resultados. Ello viene confirmado por otro hecho: durante las labores de jardinería, que les están reservadas, las mujeres de las islas Tobriand tienen derecho a atacar y derribar a todo hombre que se acerque demasiado a sus jardines. Muchas veces, se infligen a la víctima sevicias sexuales, se le cubre de excrementos [65]. Costumbres análogas fueron consignadas en el siglo pasado en ciertas regiones del Cáucaso. Con ocasión de la cosecha, las mujeres capturaban a los hombres y únicamente los liberaban a cambio de una suma de dinero. En algunos pueblos del Daghestán, desnudaban a los hombres, y tras exasperar su deseo sexual, les flagelaban el miembro viril con ortigas [66].

Como sugiere Evel Gasparini, rituales de este tipo explicarían por qué se reprochaba a las bacantes desórdenes sexuales, aunque sus reuniones fueran exclusivamente femeninas [67]. Las leyendas griegas hablan de hombres que cayeron víctimas de la furia de las bacantes, y los Setuks mostraban tumbas de mujeres que habían encontrado la muerte en el curso de sus expediciones frenéticas [68]. Un testimonio registrado por Loorits refiere que las mujeres setuks, durante las ceremonias, estaban «poseídas por el odio a los hombres», habiéndose hallado testimonios similares en Serbia [69]. Ya antes aludimos a la tensión existente entre los grupos de muchachas y mujeres jóvenes trabajando en un oficio específico, como tejer, y los grupos de hombres jóvenes que las atacan y tratan de destruir sus instrumentos. En último análisis, la tensión existe siempre entre dos tipos de sacralidad, que constituyen dos *Weltanschauung* diferentes y polares: masculina y femenina. Es en esta

---

[65] Bronislav Malinowski, *The Sexual Life of the Savages* (Londres, 1929), pp. 273-75, 422-23.
[66] *Cf.* R. Bleichsteiner, «Masken und Festnachtsbräuche bei den Völkern des Kaukasus» (*Oesterr. Zeitschrift für Volkskunde*, N. S. VI, 1952, pp. 3-76), p. 64 ss.
[67] Evel Gasparini, *La civiltà matriarcale degli Slavi* (Venecia, 1956), p. 82.
[68] O. Loorits, «Das sogenante Weiberfest», pp. 45-46.
[69] *Cf.* E. Gasparini, *op. cit.*, p. 80.

especificidad de la experiencia religiosa femenina donde radica el motivo primordial de la cristalización de grupos secretos reservados a mujeres. Ahora bien, la experiencia religiosa femenina por excelencia viene constituida por el carácter sagrado de la Vida y del misterio del parto y de la fecundidad universal. Las asociaciones cultuales de mujeres tendrán como meta asegurar la participación plena y sin trabas en esta sacralidad cósmica; la iniciación femenina por excelencia es la introducción al misterio de la generación, símbolo primordial de la generación espiritual.

La tensión entre dos tipos de sacralidad supone a la par antagonismo y atracción recíproca. Sabido es que los hombres, sobre todo en los niveles arcaicos de cultura, se encuentran fascinados por los «secretos de la mujer», y viceversa. Los psicólogos han otorgado gran importancia al hecho de que los primitivos estén celosos de los «misterios de la mujer» (en primer lugar la menstruación y la capacidad de engendrar), pero no se han preocupado de esclarecer el fenómeno complementario: la envidia de las mujeres ante las magias y ciencias masculinas (magia de la caza, gnosis secreta referente a los Seres Supremos, chamanismo y técnicas de ascensión al Cielo, relación con los muertos, etc.). Si los hombres han utilizado en sus ritos secretos símbolos y actitudes que forman parte de la condición femenina (cf., por ejemplo, el simbolismo del «nacimiento iniciático»), las mujeres también han imitado —como acabamos de ver— símbolos y rituales masculinos. Esta actitud ambivalente ante los «misterios» del sexo opuesto constituye un problema capital para el psicólogo. Mas el historiador de las religiones sólo toma en cuenta la significación religiosa del comportamiento. Lo que el historiador de religiones ve en el antagonismo y atracción de ambos tipos de sacralidad —femenina y masculina— es, por un lado, un poderoso deseo de profundizar la experiencia del propio sexo, tratando al mismo tiempo de prohibir la participación al sexo contrario; y, por otro, un deseo paradójico de transcender una situación existencial aparentemente irreducible, de alcanzar un modo «total» de ser.

CAPÍTULO V

INICIACIONES MILITARES E INICIACIONES CHAMANICAS

CONVERTIRSE EN BERSERKR

En célebre pasaje, presentaba así la *Ynglingasaga* (cap. VI) a los compañeros de Odín: «Iban sin coraza, salvajes como perros o lobos. Mordían sus escudos y eran fuertes cual osos y toros. Hacían matanzas entre los hombres y ni el hierro ni el acero podían nada contra ellos. Llamaban a esto, furor de *berserkir*» [1]. Se ha reconocido, con acierto, en este cuadro mitológico la descripción de las «sociedades de hombres» reales: los famosos *Männerbünde* de la antigua civilización germánica. Los *berserkir* eran, literalmente, «guerreros con envoltura *(serkr)* de oso» [2]. Se identificaban mágicamente con ese animal. Y podían, a veces, metamorfosearse en lobos o en osos.

Convertíanse en *berserkir* tras una iniciación que llevaba consigo pruebas típicamente guerreras. Así, por

---

[1] *Ynglingasaga*, cap. VI (The Saga Library, vol. III, Londres, 1893, t. I, pp. 16-17). Nos atenemos a la traducción de GEORGES DUMÉZIL, *Mythes et Dieux des Germains* (París, 1939), p. 81.

[2] LILY WEISER, *Altgermanische Junglingsweihen und Männerbünde* (Baden, 1927), p. 44; OTTO HÖFLER, *Kultische Geheimbünde der Germanen* (Frankfurt a. M., 1934), p. 170 ss.; JAN DE VRIES, *Altgermanische Religionsgeschichte*, I (2.ª edic., Berlín, 1956), pp. 454-455; *cf. ibid.* lámina XI, reproducción de la plancha de bronce de Torslunda, Oland, representando a un guerrero vestido con piel de lobo y llevando una cabeza de lobo.

ejemplo, entre los Chatti, nos dice Tácito[3], el aspirante no se cortaba ni el pelo ni la barba hasta no haber matado a un enemigo. Entre los Taifali, el joven debía dar muerte a un jabalí o a un oso, y entre los Heruli se veía obligado a combatir sin armas[4]. A través de estas pruebas, el aspirante se apropiaba el modo de ser de una fiera: convertíase en guerrero temible en la medida en que se conducía como un animal de presa. Se transformaba en superhombre porque conseguía asimilarse la fuerza mágico-religiosa que poseen los animales carniceros.

La *Voelsungasaga* nos ha conservado el recuerdo de ciertas pruebas típicas de las iniciaciones de los *berserkir*. El rey Siger se apodera traicioneramente de sus nueve cuñados, los *Voelsungen*. Encadenados, serán todos ellos devorados por una loba, a excepción de Sigmund, salvado gracias a la astucia de su hermana Signy. Escondido en una cabaña en lo profundo del bosque, atendido y alimentado por Signy, espera Sigmund la hora de la venganza. Al llegar sus dos primeros hijos a la edad de diez años, Signy se los envía a su hermano para ponerlos a prueba. Sigmund descubrirá que son cobardes, y, siguiendo su consejo, Signy los mata. De sus relaciones incestuosas con su hermano, Signy tenía otro hijo, Sinfjoetli. Cuando éste tuvo cerca de diez años, su madre le sometió a una primera prueba: le cosió la camisa al brazo atravesándole la piel. Los hijos de Siger habían lanzado alaridos de dolor, pero Sinfjoetli permaneció impasible. Su madre le arrancó entonces la camisa con la piel, preguntándole si sentía algo. El muchacho respondió que un Voelsung no se inmutaba por tan poca cosa. Enviado a la cabaña de Sigmund, éste le sometió a la misma prueba ante la que habían fracasado los dos hijos de Siger: le ordenó hacer pan con un saco de harina en el que se hallaba una víbora. De vuelta por

---

[3] Tácito, *Germania*, 31.
[4] Para los Taifalos, *cf.* Amiano Marcelino, 31, 9, 5; para los Hérulos, *cf.* Procopio, *De bello Persico*, II, 25. Véase también Lily Weiser, *op. cit.*, p. 42; *id.*, «Zur Geschichte der altgermanischen Todesstrafe und Friedlosigkeit» (*Archiv f. Religionswissenschaft*, XXX, 1933, pp. 209-227), p. 216. Acerca del *exercitus feralis* de los Harios (*Germania*, 43), *cf.* L. Weniger, «Feralis exercitus» (*Arch. f. Religionswiss.*, IX, 1906, pp. 201-247; X, 1907, pp. 61-81, 229-256); L. Weiser, *Altgermanische Junglingsweihen*, p. 39 ss.; O. Höfler, *op. cit.*, p. 166 ss.

la tarde, encontró el pan ya cocido y le preguntó si no había encontrado nada en la harina. El muchacho le respondió que se acordaba de haber visto algo, pero que no había prestado atención y que lo había amasado todo junto.

Tras esta prueba de valor, Sigmund llevó consigo al muchacho a la selva. Un día encontraron dos pieles de lobo colgadas en la pared de una choza. Dos hijos del rey se habían metamorfoseado en lobos, y sólo cada diez días podían deshacerse de sus pieles. Sigmund y Sinfjoetli se revistieron con las pieles, pero luego no consiguieron quitárselas. Lanzaban aullidos de lobo y entendían el lenguaje de los lobos. Se separaron conviniendo en que ninguno de los dos pediría ayuda al otro si no tuviera que habérselas con más de siete hombres. Un día, Sinfjoetli hubo de prestar su ayuda y mató a todos los hombres que habían atacado a Sigmund. Otro día, Sinfjoetli fue a su vez atacado por once hombres, y los mató sin pedir ayuda a Sigmund. Entonces éste se arrojó por sorpresa sobre Sinfjoetli y le mordió en la garganta, mas poco después logró curarle. Regresaron por último a su cabaña en espera de poder desembarazarse de sus pieles de lobo. Llegado el momento, arrojaron las pieles al fuego. Este episodio puso fin a la iniciación de Sinfjoetli, quien pudo entonces vengar la muerte de los Voelsungen [5].

Los temas iniciáticos resultan evidentes: prueba de valor, resistencia a los sufrimientos físicos, y seguidamente la transformación mágica en lobo. Pero el redactor de la *Voelsungasaga* no era ya consciente de la significación original de la metamorfosis. Sigmund y Sinfjoetli encontrarán las pieles de lobo por casualidad, y no sabrán cómo deshacerse de ellas. Sin embargo, la metamorfosis en lobo —es decir, el revestimiento ritual con una piel de lobo— constituía un momento esencial de la iniciación en el *Männerbund*. Revistiéndose con su piel, el aspirante se asimilaba el comportamiento del lobo; dicho de otra manera, se convertía en guerrero-fiera, irresistible e invulnerable. «Lobo» era el apodo de los miembros de las cofradías militares indoeuropeas.

El cuadro de las iniciaciones heroicas ha podido igual-

---

[5] *Voelsungasaga*, cap. VII-VIII; L. WEISER, *Altgermanische Jünglingsweihen*, p. 40 ss.; O. HÖFLER, *op. cit.*, p. 188 ss.

mente ser esclarecido en otras Sagas. Así, por ejemplo, en la Saga de Grettir el Fuerte, el héroe se adentrará en un túmulo funerario, donde se encontraba un preciado tesoro, luchando sucesivamente con un fantasma, con doce *berserkir* y con un oso [6]. En la Saga de Hrôlfr Kraki, Bödhvar matará a un monstruo alado, procediendo luego a la iniciación de su joven protegido, Höttri, dándole a comer un trozo del corazón del monstruo [7].

Por desgracia no podemos insistir aquí acerca de la sociología, mitología y rituales de los *Männerbünde* germánicos, tan brillantemente estudiados por Lily Weiser, Otto Höfler y Georges Dumézil [8], ni sobre las demás «sociedades de hombres» indoeuropeas, como, por ejemplo, los *mairya* de los indoiranios, que fueron objeto de importantes trabajos por parte de Stig Wikander y Geo Widengren [9]. Nos limitaremos a decir que la conducta de las bandas de guerreros indoeuropeos presenta ciertos puntos de semejanza con los *Männerbünde* de las sociedades primitivas. Tanto en unas como en otras, los miembros de la cofradía infundían terror a las mujeres y a los no iniciados, ejerciendo en cierto modo

---

[6] *Cf.* MARY DANIELLI, «Initiation Ceremonial from Norse Literature» (*Folk-Lore*, LVI, junio 1945, pp. 229-245), pp. 229-230.

[7] GEORGES DUMÉZIL, *Mythes et Dieux des Germains*, p. 94 ss.; M. DANIELLI, p. 236 ss.; JAN DE VRIES tiende a ver en el mito de la muerte de Balder un tema iniciático; *cf.* «Der Mythos von Balders Tod» (*Archiv for Nordisk Filologi*, LXX, 1955, pp. 41-60), espec. p. 57 ss. El *berserkr* no es un fenómeno religioso propio únicamente de las sociedades indoeuropeas. Para China, *cf.* MARCEL GRANET, *Danses et Légendes de la Chine ancienne* (París, 1928), pp. 261-262.

[8] LILY WEISER, *Altgermanische Junglingsweihen*, *passim* (pero véase también CARL CLEMEN, «Altersklassen bei den Germanen», *Arch. Relig. Wiss.* 35, 1938, pp. 60-65); O. HÖFLER, *Kultische Geheimbünde der Germanen;* GEORGES DUMÉZIL, *Mythes et Dieux des Germains. Cf.* también O. HÖFLER, «Der germanische Totenkult und die Sagen vom Wilden Heer» (*Oberdeutschen Zeitschrift für Volkskunde*, X, 1936, p. 33 ss.); ALFRED ENDTER, *Die Sage vom Wilden Jäger und von der Wilden Jagd* (Tesis, Frankfurt, 1933). Algunas de las conclusiones de Höfler fueron criticadas; *cf.* H. M. FLASDIECK, «Harlekin» (*Anglia*, LXVI, 1937, pp. 224-340), p. 293 ss.

[9] STIG WIKANDER, *Der arische Männerbund* (Lund, 1938), página 82 ss.; GEO WIDENGREN, «Hochgottglaube im alten Iran» (Uppsala, 1938), p. 311 ss. (p. 336 ss., analogías con las sociedades africanas denominadas de «los leopardos»). *Cf.* también G. WIDENGREN, «Stand und Aufgaben der iranischen Religionsgeschichte, I» (*Numen*, I, 1955, pp. 16-83), p. 65 ss.

un «derecho a la rapiña», costumbre de la que aún hay constancia, en forma atenuada, en las tradiciones populares de Europa y del Cáucaso [10]. La rapiña, sobre todo el robo de ganados, asimila los miembros de la cofradía y los animales carniceros. En el *Wüttende Heer* germánico, o en organizaciones rituales similares, los aullidos de los perros (= lobos) forman parte de un estruendo indescriptible, en que se mezclan toda clase de ruidos extraños: sonido de campanillas, de cuernos, etc. Tales ruidos tendrán una función ritual importante: preparar el éxtasis frenético de los miembros del *Männerbund* [11]. En las culturas primitivas, como antes vimos, el zumbar de las bramaderas se considera como la voz de los Seres sobrenaturales; señal de su presencia en medio de los iniciados. En las cofradías germánicas o japonesas, los ruidos extraños, así como las máscaras, serán testimonio de la presencia de los Antepasados, del retorno de las almas de los muertos. La experiencia fundamental vendrá provocada por el encuentro de los afiliados con los muertos, quienes, sobre todo alrededor del solsticio de invierno, vuelven a la tierra. El invierno es también la estación en la que los iniciados se transforman en lobos. Dicho de otro modo, durante el invierno a los miembros del *Männerbund* les es dado transmutar su condición profana y acceder a una existencia sobrehumana, ya sea compartiendo la compañía de los Antepasados, ya apropiándose la conducta, es decir, la magia, de los animales carniceros.

La metamorfosis en animal de presa no es, por lo demás, una prerrogativa de los guerreros: recuérdese que la habíamos encontrado entre los miembros de las sociedades secretas africanas llamadas del «Leopardo». En cuanto al fenómeno de la licantropía, existe constancia de él prácticamente en todo el mundo: la imitación ritual de los animales de presa se encuentra en

---

[10] Atemorización de las mujeres: WEBSTER, *Primitive Secret Societies*, p. 101 ss., 118 ss. El derecho al robo: H. SCHURTZ, *Altersklassen und Männerbünde*, p. 423 ss. (Africa); O. HÖFLER, *op. cit.*, p. 25 ss., 259 (Germanos); G. WIDENGREN, «Hochgottglaube», p. 330 (Irán); R. BLEICHSTEINER, «Masken und Festnachtsbräuche», p. 18 ss.; 70 (Cáucaso).

[11] Para el mundo germánico, *cf.* O. HÖFLER, *op. cit.*, pp. 12, 129, 287 ss., etc. Para el alboroto y los ruidos en los rituales de los *Männerbünde* japoneses, *cf.* AL. SLAWIK, «Kultische Geheimbünde der Japaner und Germanen», pp. 724, 732.

contextos socio-religiosos que difieren notoriamente de las cofradías guerreras, e incluso en sociedades femeninas. Bastará recordar las «orgías» dionisíacas, durante las cuales las bacantes despedazaban animales y devoraban sus carnes palpitantes. Pero conviene distinguir entre las diferentes formas de metamorfosis mágica en animales de presa, porque no todas pertenecen al tipo de iniciación que estudiamos en estas páginas. En el caso de la omofagia dionisíaca, por ejemplo, se trata de un frenesí extático, durante el cual las bacantes trataban de abolir la condición humana, compartiendo el tumulto y exaltación de una vida animal desenfrenada. Pese a la crueldad y aberración del rito, cabe todavía admitir en la furia de las bacantes un arrebato de cariz religioso. Durante sus orgías, las bacantes se conducían como animales salvajes. Era prueba de que la locura divina que las poseía había abolido las barreras entre hombre, dios y animal.

En el caso de las sociedades africanas de los Leopardos, así como en numerosas formas de licantropía ritual, se trata de un fenómeno vinculado a la magia de la cacería: tratarán de imitar al animal de presa, es decir, al «cazador» por excelencia. El comportamiento del animal carnicero era el modelo según el cual los nómadas turco-mongoles habían elaborado su estrategia militar. El antepasado mítico de Gengis-Khan era un lobo gris, y el gran conquistador había desarrollado al máximo el método de ataque de las manadas de lobos. Un tema mítico análogo transparece en los nombres o genealogías fabulosas de los diversos pueblos indoeuropeos y asiáticos. Epónimos tales como luvitas, hirpinos, dahae, hircanos, etc., querían decir que esos pueblos descendían de un héroe-Lobo o que eran capaces de comportarse como lobos. Que eran, en suma, guerreros temibles, guerreros-fieras. Todo esto pertenece más bien a la mitología de la guerra, y los diferentes nombres de «pueblos-lobos» conservan tal vez el recuerdo de una clase militar o de una banda de guerreros que habrían conquistado un territorio y asimilado a sus habitantes, o que habían obtenido la supremacía en su propia etnia, tras lo cual su título de guerreros-fieras llegó a ser epónimo de todo el pueblo.

Pero nos interesa más aquí esclarecer la estructura de la iniciación por la que el joven llegaba a convertirse en guerrero-fiera. La prueba guerrera por excelencia era el combate individual, encauzado de tal modo que terminaba provocando en el neófito el «furor de los *berserkir*». No se trataba en modo alguno de una proeza puramente militar. No se llegaba a ser *berserkr* únicamente por bravura, por fuerza física o por capacidad de aguante —sino tras una experiencia mágico-religiosa que modificaba radicalmente el modo de ser del joven guerrero. Debía éste transmutar su humanidad mediante un acceso de furia agresiva y aterradora, que le asimilaba al animal de presa enfurecido. Se «encendía» hasta un grado extremo, arrebatado por una fuerza misteriosa, inhumana e irresistible, que su ímpetu combativo hacía surgir de lo más hondo de su ser. Los antiguos germanos llamaban *wut* a esta fuerza sagrada, término que Adam von Bremen traducía por *furor;* era una especie de frenesí demoníaco, que infundía terror en el adversario y terminaba paralizándole[12]. El irlandés *ferg* (literalmente «cólera»), el *ménos* homérico, son casi exactos equivalentes de la misma terrorífica experiencia sagrada, típica de los combates heroicos[13]. J. Vendryès[14] y Marie-Louise Sjoestedt[15] han mostrado que algunas designaciones del «héroe» en irlandés antiguo se refieren al «ardor, a la excitación, a la turgescencia». Como escribe M.-L. Sjoestedt, «el héroe es el furioso, poseído por su propia energía tumultuosa y ardiente»[16]. En varias de sus obras, y sobre todo en *Horace et les Curiaces*, Georges Dumézil ha interpretado brillantemente todas esas expresiones del ardor heroico, demostrando su vinculación a las pruebas iniciáticas militares.

INICIACIÓN DE CUCHULAINN

La *saga* del joven héroe Cuchulainn ilustra admirablemente la irrupción de la «energía tumultuosa y ar-

---

[12] Georges Dumézil, *Horace et les Curiaces* (París, 1942), p. 16 ss.
[13] G. Dumézil, *op. cit.*, p. 21 ss.
[14] J. Vendryès, «Les développements de la racine *nei* en celtique» (*Revue Celtique*, XLVI, 1929, p. 265 ss.); G. Dumézil, *op. cit.*, p. 20.
[15] M.-L. Sjoestedt, *Dieux et Héros des Celtes* (París, 1941), p. 80 ss.; *cf.* Dumézil, *ibid.*
[16] M.-L. Sjoestedt, *op. cit.*, p. 81.

diente». Según un texto en antiguo irlandés, *Tâin Bô Cuâlnge*, Cuchulainn, sobrino de Conchobar, rey de Ulster, oyó un día a su maestro, el druida Cathba, que decía: «¡El muchachito que coja hoy sus armas, será brillante y célebre, pero tendrá corta vida y morirá pronto!» Cuchulainn se levantó de un salto y, pidiendo a su tío armas y un carro, se dirigió al castillo de los tres hijos de Nechta, los peores enemigos del reino de Ulster. Pese a su fama de invencibles, estos tres héroes fueron vencidos y decapitados por el muchachito. Pero la hazaña enardeció hasta tal punto a Cuchulainn que una bruja advirtió al rey que si no se tomaban ciertas precauciones, aquél aniquilaría a todos los guerreros de Ulster. El rey decidió enviar ante Cuchulainn a un nutrido grupo de mujeres desnudas. Y el texto prosigue: «Salió, pues, el tropel de jóvenes y le mostraron su desnudez y su pudor. Mas él escondió su rostro volviéndolo contra la pared del carro para no ver la desnudez y el pudor de las mujeres. Entonces le sacaron del carro. Para calmar su cólera le trajeron tres cubas de agua fría. Le metieron en la primera cuba; transmitió al agua un calor tan fuerte que esta agua hizo añicos las tablas y los aros de la cuba, como se rompe una cáscara de nuez. En la segunda cuba el agua produjo burbujas tan grandes como el puño. En la tercera cuba, el calor fue de los que algunos hombres soportan y otros no pueden soportar. Entonces disminuyó la cólera *(ferg)* del muchachito y le pusieron los vestidos» [17].

Aunque novelada, la *saga* de Cuchulainn constituye un excelente documento sobre las iniciaciones militares indoeuropeas. Como bien ha señalado Georges Dumézil, se descubre en el combate contra los tres hijos de Nechta el antiguo cuadro iniciático indoeuropeo: la lucha contra tres adversarios o contra un monstruo tricéfalo [18]. Pero es sobre todo la «cólera» *(ferg)* de Cuchulainn, su «furor de *berserkr*» la que atrae nuestro interés. Georges Dumézil [19] había ya establecido un paralelismo entre

---

[17] *Tâin Bô Cuâlnge*, trad. francesa de ARBOIS DE JUBAINVILLE, *Revue Celtique*, XXVIII, 1907, pp. 249-261; resumida y recogida por G. DUMÉZIL, *Horace et les Curiaces*, pp. 35-38.
[18] G. DUMÉZIL, *Mythes et Dieux des Germains*, p. 103 ss.
[19] G. DUMÉZIL, *Horace et les Curiaces*, p. 40 ss. Véase también J. MOREAU, «Les guerriers et les femmes impudiques» (*Mélanges Grégoire*, III, 1951, pp. 283-300).

el «calentamiento» iniciático de Cuchulainn y su ulterior «amansamiento» mediante la desnudez femenina y el agua fría y, por otro lado, determinados momentos de la iniciación del caníbal kwakiutl. En efecto, recuérdese que el furor frenético y homicida del joven iniciado kwakiult será «amansado» por la mujer que danza con un cadáver en los brazos, y sobre todo por la inmersión de su cabeza en agua salada. Al igual que el «calentamiento» del caníbal, la «cólera» del joven guerrero, que se manifiesta mediante un calor extremado, constituirá una experiencia mágico-religiosa; nada tiene de «profano», de «natural»: es el síndrome de la toma de posesión de una sacralidad.

Con motivo de cada nuevo combate, Cuchulainn atravesaba por una experiencia similar. Llamas de fuego se veían sobre su cabeza, distinguíanse centellas; los cabellos se le erizaban en la cabeza y la «luz del campeón» brotaba de su frente. Georges Dumézil ha encontrado el tema del calentamiento del héroe en las leyendas osetas sobre Badradz, héroe principal de los Nartes [20]. El tema todavía pervive, fuertemente folklorizado, en la poesía popular rumana: Românas, muchacho de doce años, de vuelta a casa de sus hermanos después de haber acabado con dieciséis mil tártaros, exclama que su caballo se ha «calentado», que se ha nublado su mirada, y tiene miedo de comenzar nuevamente la matanza entre los suyos [21].

Cuando Marcio se dirigió a sus tropas, una llama brotó de su cabeza, sembrando el pánico entre los soldados (Tito Livio, XXV, 39, 16). Para los latinos, la cólera, o cualquier otra pasión violenta, se acompaña de un «ardimiento» dentro de la cabeza. Los ojos de un hombre encolerizado brillan, sus cabellos se erizan. Estos síntomas del *furor* se convirtieron casi en lugar común entre los poetas latinos [22]. Se trata, en este último caso, de una experiencia más frecuente que la del «calentamiento» heroico. Constituye el síndrome de un exceso de fuerza y, como ocurre en los niveles arcaicos de cultura, toda fuerza viene acompañada de un prestigio

[20] G. Dumézil, *Horace et les Curiaces*, p. 53 ss.
[21] Const. Brailoiu, *Cântece batrânesti* (Bucarest, 1932), página 106 ss.
[22] R. B. Onians, *The Origins of European Thought* (2.ª ed., Cambridge, 1954), p. 147.

mágico-religioso. **B.** Onians atribuye estas creencias a la concepción greco-latina según la cual la cabeza contenía el alma-vida, la divinidad presente en cada ser humano, su *genius*[23]; concepción, por lo demás, heredada de una época más antigua, puede que incluso de los tiempos prehistóricos.

SIMBOLISMO DEL CALOR MÁGICO

Hay razones para creer que el «calentamiento» o ardimiento mediante elementos mágico-religiosos constituye una experiencia sumamente arcaica. Efectivamente, muchos de los pueblos primitivos conciben el poder mágico-religioso como algo que «quema», y lo expresan en términos que significan «calor», «quemadura», «muy caliente», etc. Tal es el motivo por el que los hombres-medicina y los chamanes beben agua salada o salpimentada y comen hierbas muy picantes: con ello tratan de aumentar su «calor» interior[24]. Prueba de que este «calor» mágico corresponde a una experiencia real será la gran resistencia al frío tanto de los chamanes de las regiones árticas y de Siberia, como de los ascetas del Himalaya. Por otro lado, se considera a los chamanes «dueños del fuego»: tragan carbones en ascuas, tocan el hierro candente, caminan sobre el fuego, etc.[25].

De experiencias y concepciones similares tenemos constancia igualmente en pueblos más civilizados. El vocablo sánscrito *tapas* terminó designando el esfuerzo ascético en general, pero su sentido inicial era «calor extremado». Prajâpati creó el Universo «encendiéndose» mediante la ascesis: lo creó por medio de una sudación mágica, al igual que en ciertas cosmogonías norteamericanas. La *Dhammapada* (387) asegura que Buda «quema»,

---

[23] ONIANS, *op. cit.*, p. 164 ss.

[24] M. ELIADE, *Mythes, rêves et mystères*, p. 196 ss.

[25] M. ELIADE, *Le Chamanisme*, p. 412 ss. La «prueba del fuego» forma parte también de la iniciación de los *berserkir;* cf. L. WEISER, p. 75 ss. Los *berserkir* poseen la facultad de pasar impunemente sobre fuego (*ibid.*, pp. 76-77), como los chamanes y los extáticos. La *Wilde Jagd* recibe a veces el nombre de «feurige Jagd». Acerca de las relaciones entre el fuego y el culto a los Antepasados en Japón y entre los Germanos, véase A. SLAWIK, p. 746 ss.

y los textos tántricos precisan que el despertar de la *kundalinî* se manifiesta por una quemadura[26]. En la India moderna, creen los mahometanos que el hombre en comunicación con Dios se pone «candente». Todo aquel que hace milagros será denominado «hirviente». Por extensión, de toda clase de personas o acciones que poseen cualquier «poder» mágico-religioso se dirá que «queman»[27].

La fuerza sagrada que produce tanto el «calor» de los chamanes como el «ardimiento» de los guerreros, puede transformarse, diferenciarse, matizarse, mediante un trabajo ulterior. El término védico *kratu*, que empezara designando la «energía propia del ardoroso guerrero, principalmente de Indra», luego «la fuerza victoriosa, fuerza y ardor heroicos, arrojo, afición por el combate», y, por extensión, «poder» y «majestad» en general, terminó expresando «la fuerza del hombre piadoso, que le capacita para seguir las prescripciones del *rta* y alcanzar la felicidad»[28]. La mayoría de los hombres temen la «cólera» y el «calor» producidos por un acrecentamiento violento y excesivo del poder sagrado. El término *çânti*, que en sánscrito designa tranquilidad, paz del alma, ausencia de pasiones, alivio de los sufrimientos, deriva de la raíz *çam*, que en un principio significaba apagar el «fuego», la cólera, la fiebre, en una palabra, el «calor» provocado por los poderes demoníacos[29].

Nos hallamos, pues, ante una experiencia mágico-religiosa fundamental, universalmente atestiguada en los niveles arcaicos de cultura: el acceso a la sacralidad se pone de manifiesto, entre otras cosas, mediante un prodigioso incremento del «calor». No podemos extendernos acerca de este importante problema, mostrando, por ejemplo, la vinculación existente entre las técnicas y las místicas del fuego, vinculación que se trasluce en la estrecha relación entre herreros, chamanes y guerreros[30]. Añadiremos únicamente que el «dominio del fuego» se

---

[26] Cf. *Mythes, rêves et mystères*, p. 195 ss.; *Le Chamanisme*, p. 370 ss.
[27] Cf. *Mythes, rêves et mystères*, p. 196.
[28] G. DUMÉZIL, citado en *Mythes, rêves et mystères*, p. 198.
[29] *Mythes, rêves et mystères*, p. 198.
[30] Cf. M. ELIADE, *Forgerons et Alchimistes* (París, 1956), página 100 ss. y *passim*.

traduce indistintamente tanto en «calor interior» como en insensibilidad a la temperatura de la brasa. Desde la perspectiva de la historia de las religiones, estas múltiples proezas indican que la condición humana ha quedado abolida y que chamán, herrero o guerrero participan, cada uno en su propia esfera, de una condición superior. Esa condición superior podrá ser la de un dios, un espíritu o un animal. Las iniciaciones respectivas, si bien siguen caminos radicalmente diferentes, persiguen idéntico fin: hacer que el neófito muera a la condición humana para resucitarle a una nueva existencia, transhumana. Naturalmente, la muerte iniciática resulta menos evidente en las iniciaciones militares que en las iniciaciones chamánicas, dado que la prueba principal del novicio consiste precisamente en acabar con el adversario. Con todo, no saldrá victorioso de esta prueba si no se «calienta» y consigue el «furor de los *berserkir*» —síntomas que translucen la muerte a la condición humana. La obtención del «calor mágico» demostrará de modo patente que en adelante se pertenece a un mundo no humano.

INICIACIONES CHAMÁNICAS

Vengamos ahora a las iniciaciones chamánicas. A fin de simplificar nuestra exposición, utilizaremos el término «chamán» en su sentido más amplio. Tendremos en cuenta, tanto el chamanismo *stricto sensu*, tal como se desarrolló sobre todo en Asia septentrional y central, y en América del Norte, como determinadas categorías de hombres-medicina y hechiceros, florecientes en las sociedades primitivas [31].

Puede uno convertirse en chamán por: 1) vocación espontánea («llamamiento» o «elección»); 2) transmisión hereditaria de la profesión chamánica y 3) por decisión personal o, rara vez, por voluntad del clan. Pero, sea cual fuere el método de selección, un chamán será iden-

---

[31] Acerca de las distintas interpretaciones de los términos «chamán» y «chamanismo», *cf.* nuestro libro *Le Chamanisme et les techniques de l'extase*, p. 17 ss., 430 ss. y *passim*. Las páginas que siguen reproducen en parte la exposición general ofrecida en *Mythes, rêves et mystères*, pp. 101-109.

tificado como tal, sólo después de recibir una doble instrucción: 1) de orden extático (sueños, visiones, trances, etc.) y 2) de orden tradicional (técnicas chamánicas, nombres y funciones de los espíritus, mitología y genealogía del clan, lenguaje secreto, etc.) [32]. Doble instrucción que, asegurada por espíritus y viejos maestros chamanes, constituirá la iniciación. A veces, la iniciación es pública, comportando un ritual rico y animado: tal es el caso, por ejemplo, de algunos pueblos siberianos. Pero la ausencia de un ritual de este tipo no implica en modo alguno carencia de iniciación: ésta puede muy bien operarse en sueños o en la experiencia extática del neófito.

Es el síndrome de la vocación mística lo que ante todo nos interesa. Entre los siberianos, el llamado a convertirse en chamán se singulariza por una conducta extraña: busca la soledad, se vuelve soñador, gusta de pasear ociosamente por los bosques o los lugares desiertos, tiene visiones, canta mientras duerme, etc. En ocasiones este período de incubación se caracteriza por síntomas un tanto graves: entre los yakutas, sucede que el joven se vuelve furioso, y fácilmente pierde conciencia, se refugia en la selva, se nutre de cortezas de árbol, se arroja al agua y al fuego, se hiere con cuchillos. Los futuros chamanes tunguses, al llegar a la edad adulta, atraviesan por una crisis histérica o histeroide, aunque a veces la vocación se manifiesta en edad más temprana: el muchacho huye a las montañas y allí permanecerá siete o más días, alimentándose de animales que desgarra directamente con los dientes. Regresa a la aldea sucio, ensangrentado, con las ropas hechas jirones y el pelo enmarañado, y sólo al cabo de diez días empezará a balbucir palabras incoherentes.

Incluso cuando se trata de chamanismo hereditario, la elección del futuro chamán viene precedida por un cambio en la conducta. Las almas de los antepasados chamanes escogen a un joven de la familia; éste se torna ausente y soñador, busca la soledad, tiene visiones proféticas y en ocasiones ataques que le dejan inconsciente. En ese intervalo, al decir de los Buriatos, los espíritus se llevan el alma del joven: recibida en el palacio de los

---

[32] M. ELIADE, *Le Chamanisme*, p. 26 ss.; véase también A. P. ELKIN, *Aboriginal Men of High Degree* (Sydney, 1946), p. 25 ss.

dioses, los antepasados-chamanes le van instruyendo acerca de los secretos del oficio, formas y nombres de los dioses, culto y nombres de los espíritus, etc. Sólo tras esta primera iniciación volverá el alma al cuerpo.

Se adquiere también la condición de chamán tras un accidente o acontecimiento insólito: por ejemplo, para los buriatos, soyotas y esquimales, si alguien es alcanzado por el rayo, o se cae de un árbol muy alto, o logra superar impunemente' una dificultad equiparable a una prueba iniciática —como aquel esquimal que permaneció cinco días en agua helada sin que sus ropas se mojaran [33].

El extraño comportamiento de los futuros chamanes no ha cesado de llamar la atención de los investigadores, y ya desde mediados del siglo pasado se intentó explicar el fenómeno del chamanismo como una enfermedad mental [34]. Esto era plantear mal el problema. No es exacto que los chamanes sean o tengan que ser siempre neurópatas; en segundo lugar, todos aquellos que estaban ya enfermos *únicamente llegaron a ser chamanes por haber conseguido sanar*. En Siberia, cuando la vocación chamánica se revela a través de una enfermedad cualquiera o de un ataque epiléptico, la iniciación equivale frecuentemente a la curación. La obtención del don de chamanizar supone precisamente la solución de la crisis psíquica producida por los primeros síntomas de la «elección».

Pero si el chamanismo no puede ser identificado con un fenómeno psico-patológico, no es menos verdad que la vocación chamánica implica con bastante frecuencia una crisis que confina algunas veces en la «locura». Y dado que no es posible convertirse en chamán sino luego de resolver dicha crisis, dedúcese de ahí que ésta desempeña el papel de una *iniciación mística*. La enfermedad producida en el futuro chamán por el sentimiento

---

[33] Véanse ejemplos en *Le Chamanisme*, p. 28 ss., 68 ss., etc.
[34] KRIVOSHAPKIN, 1861; V. G. BOGORAZ, 1910; VITASHERVSKI, 1911; M. A. CZAPLICKA, 1910; *Cf.*, finalmente, AKE OHLMARKS, *Studien zum Problem des Schamanismus* (Lund-Kopenhague, 1939), pp. 11, 100 ss., 122 ss. y *passim*. Véase la crítica del método de Ohlmarks en nuestro artículo «Le problème du chamanisme» (*Revue de l'Histoire des Religions*, vol. 131, 1946, pp. 5-52), espec. p. 9 ss., y *Le Chamanisme*, p. 36 ss. Véase también A. P. ELKIN, *Aboriginal Men of High Degree*, pp. 22-25, acerca de la «normalidad» de los hombres-medicina australianos.

angustioso de haber sido «escogido» por los dioses o por los espíritus, será, por ello mismo, valorada como «enfermedad iniciática». La precariedad existencial, la soledad o el sufrimiento que se ponen de manifiesto en toda enfermedad, vienen agravados, en este caso concreto, por el simbolismo de la muerte iniciática: puesto que el hecho de asumir la «elección» sobrenatural se traduce en el sentimiento de verse abandonado a las potencias divinas y demoníacas, y, por consiguiente, condenado a una muerte inminente.

Se pueden designar todas las crisis psico-patológicas del «elegido» con el nombre genérico de «enfermedades iniciáticas», porque su síndrome sigue muy de cerca el ritual clásico de la iniciación. Los sufrimientos del «elegido» se asemejan punto por punto a las torturas iniciáticas: al igual que en los ritos de pubertad, o en las ceremonias de entrada a una sociedad secreta, los Seres semidivinos o demónicos «matan» al novicio, el futuro chamán asistirá en sueños a su propio despedazamiento por los demonios, verá cómo los demonios le cortan la cabeza, le sacan los ojos, etc. Los rituales iniciáticos propios del chamanismo siberiano y centroasiático incluyen una ascensión simbólica al Cielo a lo largo de un árbol o de un poste; el enfermo «elegido» por los dioses o espíritus emprenderá, en un sueño o en una serie de sueños desvelados, el viaje celeste hasta el Arbol del Mundo.

Citaremos en seguida algunos ejemplos típicos de tales pruebas iniciáticas, experimentadas en sueños o durante el período de aparente inconsciencia y «locura» del futuro chamán. Pero es preciso subrayar desde ahora que la psico-patología de la vocación chamánica no es «profana», no pertenece a la sintomatología usual: *tiene una estructura y una significación iniciáticas;* en resumen, reproduce un *pattern,* un «patrón» místico tradicional. La crisis total del futuro chamán, que en múltiples ocasiones conduce a la desintegración de la personalidad y a la «locura», puede ser valorada no sólo como muerte iniciática, sino también como regresión simbólica al caos pre-cosmogónico, al estado amorfo e indescriptible que precede a toda cosmogonía. Ahora bien, se sabe que para las culturas arcaicas y tradicionales, la vuelta simbólica al caos equivale a la preparación de

155

una nueva «creación»[35]. Podemos, por tanto, interpretar el «caos psíquico» de los futuros chamanes como un signo de que el hombre profano se está «disolviendo» y que una personalidad nueva está a punto de nacer.

PRUEBAS INICIÁTICAS DE LOS CHAMANES SIBERIANOS

Veamos lo que se dice acerca de las pruebas que tienen que sufrir los chamanes siberianos durante sus enfermedades iniciáticas. Estos yacen inconscientes, casi inánimes, de tres a nueve días, a veces incluso más, en la yurta o en algún lugar solitario. Durante todo ese tiempo no hablan ni comen. Algunos de ellos incluso parece como si hubieran dejado de respirar, y a punto estuvieron de ser enterrados. Sus ropas y su lecho se empapan de sangre. Al volver a la vida cuentan que fueron cortados a trozos por los demonios o por los espíritus de los antepasados: su carne raída, sus huesos mondados, los humores corporales expulsados y sus ojos extirpados. Algunos tuvieron la carne a cocer durante un tiempo más o menos largo; otros recibieron carne nueva y sangre fresca. Por último, fueron resucitados, mas con un cuerpo enteramente renovado y poseyendo el don de chamanizar[36].

Según una referencia yakuta, los espíritus llevan al futuro chamán a los Infiernos, encerrándole tres años en una casa. Allí es donde sufrirá su iniciación: los espíritus le cortan la cabeza, poniéndola a un lado (pues el novicio debe asistir con sus propios ojos a su despedazamiento), y van cortándole a trocitos que serán distribuidos a continuación entre los espíritus de las distintas enfermedades. Así obtendrá el futuro chamán el poder de curar. Los huesos son luego cubiertos de carne fresca y en algunos casos recibe también sangre nueva.

---

[35] Los significados del «retorno ritual al Caos» quedaron ya analizados en otro lugar; cf. Traité d'Histoire des Religions, p. 306 ss., 340 ss.; Le Mythe de l'Éternel Retour, p. 38 ss., 83 ss.

[36] G. W. KSENOFONTOV, Legendy i rasskazy o schamanach u jakutov, buryat i tungusov (2.ª edic., Moscú, 1930), p. 44 ss., utilizada en Le Chamanisme, pp. 47-48. Véase ahora la traducción alemana de ADOLF FRIEDRICH y GEORG BUDDRUS, Schamanengeschichten aus Sibirien (Munich, 1955), p. 137 ss. Cf. también HANS FINDEISEN, Schamanentum (Stuttgart, 1957), p. 50 ss.

Según otra información yakuta, unos «diablos» negros despedazan el cuerpo del futuro chamán, arrojando los trozos de carne en diferentes direcciones en señal de ofrenda; le hunden luego una lanza en la cabeza y le cortan la quijada [37]. Un chamán samoyedo contó a Lehtisalo que los espíritus le asaltaron y le cortaron en trozos, cercenándole también las manos. Siete días y siete noches permaneció inconsciente, echado en el suelo, mientras su alma se encontraba en el Cielo [38].

De un largo y animado relato autobiográfico que un chamán avam-samoyedo hizo a A. A. Popov, entresacamos algunos episodios significativos. Estando enfermo de viruela, este futuro chamán permaneció tres días inconsciente, medio muerto: hasta el punto de que poco faltó para que le enterraran al tercer día. Viose descender a los Infiernos y tras múltiples peripecias fue transportado a una isla, en medio de la cual un lozano abedul se elevaba hasta el Cielo. Era el Arbol del Señor de la Tierra, y el Señor le dio un ramo para que se hiciera un tambor. Llegó luego a una montaña. Entrando por una abertura, encontró a un hombre desnudo trabajando con un fuelle ante una enorme caldera que estaba al fuego. El hombre le agarró con unas tenazas, le cortó la cabeza, dividióle el cuerpo en trocitos y lo metió todo en la caldera. Le coció de este modo el cuerpo durante tres años, y a continuación le forjó la cabeza en el yunque. Por último, pescó nuevamente sus huesos que flotaban en un río, los recompuso y los cubrió de carne. Durante sus andanzas por el otro mundo, se encontró el futuro chamán con numerosos personajes semidivinos, con forma humana o animal, y cada cual le fue revelando algún aspecto de la doctrina o enseñándole los secretos del arte de curar. Cuando despertó en la yurta junto a los suyos, se encontraba iniciado y podía ya chamanizar [39]. Contó un chamán de los tunguses que, durante su enfermedad iniciática, los antepasados chamanes le habían asaeteado hasta que perdió el conocimiento

---

[37] Ksenofontov, citado en *Le Chamanisme*, p. 48 ss.; A. Friedrich y G. Buddrus, *op. cit.*, p. 139 ss., 156 ss.

[38] T. Lehtisalo, citado en *Le Chamanisme*, p. 49.

[39] A. A. Popov, *Tavgijcy. Materialy po etnografii avamskich i vedeevskich tavgicev* (Trudy Instituta Antropologii i Etnografii, I, 5, Moscú-Leningrado, 1936), p. 84 ss.; Eliade, *Le Chamanisme*, p. 50 ss.

y cayó a tierra; luego le descuartizaron, le arrancaron los huesos y se los contaron: de haberle faltado alguno, no habría podido convertirse en chamán. A decir de los buriatos, el candidato es torturado por los antepasados chamanes, quienes le golpean, le cortan el cuerpo con un cuchillo, le cuecen las carnes, etc. [40]. Una mujer teleuta llegó a ser chamán tras una visión en la que unos hombres desconocidos le cortaban el cuerpo a trozos y lo cocían en una marmita. Según las tradiciones de los chamanes altaicos, los espíritus de los antepasados les abren el vientre, comen su carne y beben su sangre [41].

Bastan estos pocos ejemplos para hacernos ver cómo las enfermedades iniciáticas siguen con bastante aproximación el esquema fundamental de toda iniciación: 1) tortura a mano de demonios o de espíritus, que desempeñan la función de «maestros de iniciación»; 2) muerte ritual, experimentada por el paciente como un descenso a los Infiernos (a veces acompañada de una ascensión al Cielo); 3) resurrección a un nuevo modo de ser: el de hombre consagrado, esto es, capaz de comunicar personalmente con dioses, demonios y espíritus. Las distintas clases de sufrimientos que padece el futuro chamán serán valoradas como otras tantas experiencias religiosas: las crisis psico-patológicas se consideran rapto del alma por parte de los demonios, o viaje extático a los Infiernos o al Cielo; los dolores físicos se consideran provocados por el despedazamiento del cuerpo. Pero, sea cual fuere su naturaleza, los sufrimientos no tienen función alguna en la formación del chamán, sino en la medida en que éste les asigna una significación religiosa, aceptándolos, por ello mismo, como pruebas indispensables para su transformación mística. Pues no hemos de olvidar que a la «muerte» iniciática sigue siempre una «resurrección»; o lo que es lo mismo, en términos de experiencia psico-patológica, la crisis se resuelve y la enfermedad queda curada. La integración de una nueva personalidad por parte del chamán depende en gran parte de su curación.

Hasta aquí no hemos citado más que ejemplos sibe-

---

[40] KSENOFONTOV, en *Le Chamanisme*, p. 54; A. FRIEDRICH y G. BUDDRUS, *Schamanengeschichten*, pp. 212-213, 209-210. *Cf.* H. FINDEISEN, *Schamanentum*, p. 57.

[41] DYRENKOWA y A. V. ANOCHIM, citados en *Le Chamanisme*, p. 54. *Cf.* también H. FINDEISEN, *op. cit.*, p. 58 ss.

rianos, pero el tema del despedazamiento iniciático se encuentra mucho más extendido. Durante la iniciación del chamán araucano, el maestro hace creer a la asistencia que él cambia la lengua y los ojos del neófito y que le atraviesa el vientre con una varilla. Los indios de River Patwin creen que es el propio Kutsu quien atraviesa con una lanza y una flecha el ombligo del aspirante a la sociedad Kutsu; éste muere, siendo luego resucitado por un chamán. Los sudaneses de los montes Nuba llaman «cabeza» a la primera consagración iniciática, pues «abren la cabeza del novicio para que el espíritu pueda entrar». En Malekula, la iniciación del hombre-medicina supone, entre otras cosas, el descuartizamiento del neófito; el maestro le corta los brazos, los pies, la cabeza, volviéndoselos luego a poner en su sitio. Entre los dayaks, aseguran los viejos *manang* que ellos cortan la cabeza del aspirante, le sacan el cerebro y lo lavan, para darle una inteligencia más límpida [42]. Finalmente, como pronto veremos, el descuartizamiento del cuerpo y la sustitución de las vísceras son ritos esenciales en determinadas iniciaciones de los hombres-medicina australianos. El despedazamiento iniciático de los chamanes y de los hombres-medicina merecería un largo estudio comparativo, pues el parecido con el mito y el ritual de Osiris, por un lado, y con la desmembración ritual del *meriah* hindú por otro, resulta sorprendente, sin que hasta el presente haya sido explicado.

Una de las notas peculiares de las iniciaciones chamánicas es, aparte el despedazamiento del candidato, su reducción al estado de esqueleto. Este motivo se encuentra no sólo en el relato de las crisis y enfermedades de los que fueron «elegidos» por los espíritus para convertirse en chamanes, sino también en las experiencias de aquellos que conquistaron los poderes chamánicos por su propio esfuerzo, tras larga y penosa búsqueda. Así, por ejemplo, entre los esquimales ammasilik, el aprendiz se pasará largas horas meditando en su cabaña de nieve. En un determinado momento cae «muerto», permaneciendo inánime tres días y tres noches; mientras tanto, un enorme oso blanco le devora toda su carne reduciéndole al esqueleto. Sólo tras esta experiencia mística recibirá el aprendiz el don de chamanizar. Los *angakut*

---

[42] Véanse referencias en *Le Chamanisme*, p. 63 ss.

de los esquimales iglulik son capaces, con el pensamiento, de despojar de carne y sangre su propio cuerpo, y contemplar largo rato su propio esqueleto [43]. Hemos de añadir que la visualización de su propia ejecución a manos de los demonios y la reducción final al estado esquelético constituyen una de las meditaciones favoritas del budismo indosiberiano y mongol [44]. Debemos asimismo recordar que el esqueleto se halla dibujado con bastante frecuencia en la vestimenta de los chamanes siberianos [45].

Nos encontramos ante una viejísima idea religiosa, propia de las culturas de cazadores: el hueso simboliza la raíz última de la Vida animal, la matriz de donde la carne brota continuamente. Del hueso renacen los animales y los hombres; éstos perduran algún tiempo en una existencia carnal, y al morir, su «vida» se reduce a la esencia concentrada en el esqueleto, del que renacerán nuevamente [46]. Reducidos al esqueleto, los futuros chamanes experimentan la muerte mística que les permite trasladarse al otro mundo —mundo de los espíritus y de los antepasados— y participar de su ciencia. No «nacen» de nuevo; son «revivificados»: su esqueleto es devuelto a la vida al recibir una nueva carne [47].

Trátase de una idea religiosa claramente distinta de la concepción de los agricultores; éstos ven en la Tierra la fuente última de la Vida, y, en consecuencia, asimilan el cuerpo humano a la semilla que ha de ser enterrada en la gleba para que pueda germinar. En efecto, como antes vimos, en los rituales iniciáticos de numerosos pueblos agrícolas, los neófitos serán simbólicamente enterrados o experimentarán la regresión al estado embrionario en el vientre de la Madre Tierra. El cuadro iniciático de los chamanes norasiáticos no implica retorno a la tierra (enterramiento simbólico, engullimiento por

---

[43] Cf. Le Chamanisme, p. 67 ss.
[44] Cf. Le Chamanisme, p. 384 ss. Cf. también cap. VI, p. 220 ss.
[45] Cf. Le Chamanisme, p. 151 ss.
[46] Véase Le Chamanisme, p. 153 ss. Cf. también A. FRIEDRICH y G. BUDDRUS, Schamanengeschichten aus Sibirien, p. 30 ss.; HANS NACHTIGALL, «Die erhöhte Bestattung in Nord-und Hochasien» (Anthropos, XLVIII, 1953, pp. 44-70); H. FINDEISEN, op. cit., p. 86 ss.
[47] Cf. H. NACHTIGALL, «Die Kulturhistorische Wurzel der Schamanenskelettierrung» (Zeitschrift für Ethnologie, LXXVII, 1952, pp. 188-197), espec. p. 191 ss.

un monstruo, etc.), sino aniquilamiento de la carne y, por consiguiente, reducción de la vida a su esencia última e indestructible.

RITOS DE INICIACIÓN

Cuando el neófito yace inconsciente en la yurta, la familia recurre generalmente a un chamán, que más tarde ejercerá la función de instructor. Otras veces, tras el «despedazamiento iniciático» el novicio parte en busca de un maestro, con el propósito de aprender los secretos del oficio. La instrucción es de naturaleza iniciática, siendo a veces recibida en estado de éxtasis; dicho de otro modo, el maestro-chamán instruye a su discípulo de la misma manera que los demonios y los espíritus. Según las informaciones recogidas por Ksenofontov entre los chamanes yakutas, el maestro lleva consigo al alma del novicio a un largo viaje extático. Empiezan subiendo una montaña. Desde lo alto, el maestro muestra al novicio las bifurcaciones del camino desde donde otros senderos suben hacia las crestas: allí es donde residen las enfermedades que atormentan a los hombres. A continuación, el maestro conduce al discípulo a una casa, donde ambos se ponen las vestiduras chamánicas y chamanizan juntos. El maestro le va revelando cómo reconocer y curar las enfermedades que atacan las distintas partes del cuerpo. Cada vez que nombra una parte del cuerpo, le escupe en la boca y el discípulo deberá tragarse el esputo, para que conozca «los caminos de las tribulaciones del Infierno». Por último, conduce a su discípulo al mundo superior, mundo de los espíritus celestes. El chamán dispondrá en lo sucesivo de un «cuerpo consagrado» y podrá ejercer su oficio [48].

Existen también ceremonias públicas de iniciación, sobre todo entre los buriatos, goldos, altaicos, tunguses y manchúes. Las ceremonias de los buriatos se sitúan entre las más interesantes. El rito principal está constituido por una ascensión. Sujetan en la yurta un abedul robusto, con las raíces en el hogar y la punta saliendo

---

[48] KSENOFONTOV, en A. FRIEDRICH y G. BUDDRUS, p. 169 ss.; FINDEISEN, p. 68 ss.

por el agujero del humo. Dicho abedul se denomina *un-deshi burkhan*, «guardián de la puerta», pues abre al chamán la entrada del Cielo. Quedará definitivamente en la tienda para servir de marca distintiva a la morada del chamán. El día de la consagración, el candidato trepa hasta la punta del abedul —según algunas tradiciones, con una espada en la mano— y, al salir por el agujero del humo, grita con fuerza para invocar la ayuda de los dioses. A continuación, el maestro chamán —llamado «padre-chamán»—, el aprendiz y toda la concurrencia se dirigen en procesión a un lugar apartado de la aldea, donde un gran número de abedules habían quedado plantados la víspera con vistas a la ceremonia. En un determinado lugar, la procesión se detiene junto a un abedul: sacrifican un macho cabrío, y el candidato, con el torso desnudo, es ungido con sangre en la cabeza, en los ojos y en los oídos, mientras los demás chamanes tocan el tambor. Entonces el «padre-chamán» trepa a un abedul y hace nueve incisiones en la punta. El candidato trepará a su vez, seguido por los otros chamanes. Mientras van subiendo, caen todos —o fingen caer— en éxtasis. Según las referencias de Potanin, el candidato tiene que subirse a nueve abedules, que, al igual que las nueve muescas, simbolizan los nueve cielos [49].

Como muy bien observó Uno Harva, la iniciación chamánica entre los buriatos nos recuerda asombrosamente ciertas ceremonias de los misterios mitraicos. Así, la purificación del candidato mediante la sangre del macho cabrío es similar al *taurobolium*, rito principal de los Misterios de Mitra, y la subida al abedul recuerda al mistés mitraico subiendo a una escala de siete peldaños que, según Celso, representaba los siete cielos planetarios [50]. El influjo del antiguo cercano Oriente se hace evidente prácticamente por doquier en Asia central y en Siberia, y el rito iniciático del chamán entre los buriatos ha de ser considerado, con toda probabilidad, como una de las pruebas dicho influjo. Pero es preciso añadir que el simbolismo del Arbol del Mundo y el rito de la ascensión iniciática al abedul son *anteriores*, en Asia central y septentrional, a los elementos de cultura prove-

---

[49] *Cf.* M. ELIADE, *Le Chamanisme*, pp. 116-120, según N. N. AGAPITOV, M. N. CHANGALOV y JORMA PARTANEN.
[50] UNO HARVA, en *Le Chamanisme*, p. 121 ss.

nientes de Mesopotamia y del Irán. Si bien es verdad que la concepción —tan característica de Asia y de Siberia— de siete, nueve o dieciséis cielos, proviene en última instancia de la idea babilónica de los siete cielos planetarios, el simbolismo del Arbol del Mundo en tanto que Axis Mundi no es propiamente babilónico. Dicho simbolismo es casi universal, y hay constancia de él en estratos de cultura en los que no se puede presumir razonablemente una influencia mesopotámica.

Lo que hemos de destacar en el rito iniciático del chamán entre los buriatos es el hecho de que el neófito vaya supuestamente al Cielo para ser consagrado. Subir al Cielo por medio de un árbol o de un poste constituye igualmente el rito esencial de las sesiones de los chamanes altaicos[51]. El abedul o el poste serán asimilados al Arbol o al Pilar que se yerguen en el Centro del Mundo, enlazando las tres zonas cósmicas: Tierra, Cielo, Infiernos. El chamán podrá también llegar al Centro del Mundo batiendo el tambor. Pues, como veíamos en el sueño de un chamán samoyedo, la caja del tambor ha sido labrada en una rama desgajada del Arbol Cósmico. Escuchando el son del tambor, el chamán volará en éxtasis junto al Arbol, esto es, al Centro del Mundo[52].

Todos estos ritos chamánicos, así como otras costumbres y creencias que no hemos referido, forman parte de una ideología desarrollada en torno al mito del Arbol Cósmico. Tenemos, por un lado, la idea del Arbol en cuanto Centro del Mundo: enlaza las tres zonas cósmicas, y trepando por su tronco se puede pasar de la Tierra al Cielo. Dicho Arbol Cósmico es, por otro lado, *imago mundi*: simbólicamente contiene el Universo entero, y en primer lugar a la humanidad en su conjunto. Muchos de los mitos siberianos presentan a las almas humanas colgando de las ramas del Arbol. Cuando al alma le llega el momento de nacer, Dios la envía a la tierra. Cuentan otros mitos que las almas de todos los chamanes se hallan reunidas en un solo árbol: cuanto más alta sea la rama en que se encuentra colgada el alma, mayor poder tendrá el chamán. Finalmente, existen múltiples creencias referentes a las relaciones místicas entre los chamanes y sus árboles. Cada chamán posee un árbol,

[51] *Cf. Le Chamanisme*, p. 175 ss.
[52] *Cf.* E. EMSHEIMER, en *Le Chamanisme*, p. 159 ss.

junto al cual se refugia, en espíritu, si otros chamanes le vencen en combate. Cortando el árbol, el chamán muere.

Todo ello indica, al parecer, que el árbol chamánico posee las prerrogativas del Arbol Cósmico; pudiendo, en consecuencia, ser utilizado como medio de acceso al Centro del Mundo, esto es, al corazón de la realidad, de la vida y de la sacralidad.

La ascensión por el árbol conduce al chamán siberiano al Cielo. Habíamos ya encontrado rituales análogos al estudiar algunas ceremonias iniciáticas en América del Sur y del Norte (pp. 116 ss., 128-129). Ahora añadiremos que la subida a los árboles es típica también de las iniciaciones chamánicas de algunas poblaciones americanas. La iniciación de la *machi* araucana incluye la subida ritual a un árbol o a un tronco descortezado, hasta una plataforma desde donde la novicia dirigirá a Dios una plegaria. El *pujai* caribe consigue subir extáticamente al Cielo colocándose encima de una plataforma suspendida del techo de la cabaña por medio de varias cuerdas retorcidas conjuntamente: al desenroscarse las cuerdas hacen girar la plataforma cada vez más deprisa [53].

TÉCNICAS DE ÉXTASIS

Los ejemplos que acabamos de citar nos permiten deslindar las notas esenciales de las iniciaciones chamánicas y al mismo tiempo nos dan idea de la significación del chamanismo para la historia general de las religiones. Podemos definir al chamán o al hombre-medicina como un «especialista de lo sagrado»: individuo que participa en lo sagrado más plenamente, o más correctamente, que el resto de los mortales. Bien por ser el «elegido» de los Seres sobrenaturales, bien porque él mismo trate de atraerse su atención y obtener sus favores —como ocurre en América del Norte— el chamán será un individuo que consigue tener experiencias místicas. En la esfera del chamanismo *stricto sensu*, la experiencia mística se traduce en el trance —fingido o

---

[53] Véanse referencias en *Le Chamanisme*, p. 123 ss., p. 128.

real— del chamán. El chamán es por excelencia un ser extático. Ahora bien, a nivel de las religiones primitivas, el éxtasis significa el vuelo del alma al Cielo, o su vagar por la tierra, o, finalmente, su descenso a las regiones subterráneas, entre los muertos. El chamán emprende dichos viajes extáticos: 1.º, para encontrarse cara a cara con el Dios del Cielo y presentarle una ofrenda en nombre de la comunidad; 2.º para ir en busca del alma de un enfermo, supuestamente extraviada lejos de su cuerpo o raptada por los demonios; 3.º, para acompañar al alma de un difunto hacia su nueva morada; 4.º, y finalmente, para enriquecer su ciencia mediante el comercio con los Seres superiores[54].

Mas el abandono del cuerpo por parte del alma durante el éxtasis, equivale a una muerte provisional. El chaman será, pues, el hombre capaz de «morir» y «resucitar» gran número de veces. Esto nos permite entender la significación de las pruebas e instrucciones indispensables para toda iniciación chamánica: el chamán aprende no sólo la técnica de la «muerte» y de la «resurrección», sino también lo que ha de hacer una vez que el alma abandona el cuerpo, y en primer lugar cómo orientarse en las regiones desconocidas en las que se adentra durante el éxtasis. Aprenderá a explorar los distintos niveles de existencia, que sus experiencias extáticas le van descubriendo. Conocerá el camino que conduce al Centro del Mundo, el agujero de la bóveda celeste por donde podrá volar hasta el más alto Cielo, o el orificio de la Tierra por donde descender a los Infiernos. Está al tanto de los obstáculos que encontrará en sus viajes, y sabe vencerlos. En resumen, está informado de los itinerarios que conducen tanto al Cielo como a los Infiernos. Todo esto lo aprende durante su entrenamiento iniciático en la soledad o bajo la dirección de los maestros chamanes.

Gracias a su capacidad de abandonar impunemente su cuerpo, el chamán puede a voluntad *actuar como un espíritu*: puede volar por el aire, hacerse invisible, discernir a grandes distancias, subir al Cielo o descender a los Infiernos, ver las almas y capturarlas, ser incom-

---

[54] Sobre todo ello, véase nuestro libro *Le Chamanisme. Cf.* también DOMINCK SCHRÖDER, «Zur Struktur des Schamanismus» (*Anthropos*, L, 1955, pp. 848-881).

bustible, etc. La exhibición de ciertas proezas fakíricas durante las sesiones sobre todo con el fuego —los «fire-tricks»— tendrán por objeto convencer a los asistentes de que el *chamán se ha apropiado el modo de ser de los espíritus.* El poder de metamorfosearse en animal, de matar a distancia o de predecir el porvenir forma parte también de las prerrogativas de los espíritus; exhibiéndolas, el chamán proclama estar en posesión de la condición de los seres desencarnados. El deseo de actuar como un espíritu significa, ante todo, deseo de apropiarse una condición sobrehumana; de gozar, en suma, de la libertad, poder y ciencia de los seres espirituales, sean Dioses o espíritus. Dicha condición transcendente, el chamán la obtendrá a través de un esquema iniciático más complicado y dramático que las iniciaciones examinadas en los capítulos anteriores. En efecto, como acabamos de ver, los momentos importantes de una iniciación chamánica comportan: 1.º, tortura y despedazamiento del cuerpo; 2.º, raedura de las carnes hasta la reducción del cuerpo al esqueleto; 3.º, sustitución de las vísceras y renovación de la sangre; 4.º, permanencia bastante larga en los Infiernos, durante la cual el futuro chamán será instruido por las almas de los chamanes muertos y por «demonios»; 5.º, ascensión al Cielo a fin de obtener la consagración del Dios del Cielo. A diferencia de los neófitos de las demás iniciaciones, el futuro chamán padece de modo más radical la experiencia de la muerte mística. Más de una vez correrá el riesgo de naufragar en la «locura», y afrontará este peligro con la esperanza de alcanzar una existencia totalmente diferente a la profana.

INICIACIONES DE LOS HOMBRES-MEDICINA AUSTRALIANOS

Es sorprendente constatar cómo el esquema típico de las iniciaciones de los chamanes siberianos y centroasiáticos se repite casi idéntico en Australia. (Hablamos del esquema en su totalidad y no únicamente de algunos motivos iniciáticos universalmente difundidos, como: la ascensión al Cielo, el descenso a los Infiernos, el despedazamiento del cuerpo.) El paralelismo Siberia-Australia plantea al historiador de las religiones el problema de la posible difusión del chamanismo a partir de un centro único. Pero antes de abordar este difícil problema, es preciso que expongamos el esquema tradicional de la iniciación de los hombres-medicina australianos. Gracias al libro de A. P. Elkin, *Aboriginal Men of High Degree*[55], tal exposición resulta sencilla.

Al igual que en el chamanismo norasiático o americano, en Australia será posible convertirse en hombre-medicina por: 1.º, herencia de la profesión; 2.º, «vocación» o «elección»; 3.º, búsqueda personal. Mas, sea cual fuere el camino seguido, el hombre-medicina sólo será reconocido como tal tras haber sido aceptado por un determinado número de hombres-medicina, o instruido por algunos de ellos, y, sobre todo, luego de una iniciación más o menos laboriosa. La mayoría de las veces, la iniciación consiste en una experiencia extática durante la cual el postulante ha de someterse a ciertas operaciones efectuadas por Seres míticos, emprendiendo ascensiones al Cielo o descensos a las regiones subterráneas. El ritual iniciático, como dice Elkin, «es también una reactualización de lo que ocurrió en el pasado, generalmente a un héroe cultural. Si esto no siempre resulta evidente, de todos modos son seres sobrenaturales, héroes de los Tiempos del Sueño o héroes celestes, o espíritus de los muertos, quienes serán considerados como los operadores, esto es, como los maestros del oficio»[56]. Uno de esos Seres sobrenaturales «mata» al candidato, procediendo a continuación a determinadas operaciones quirúrgicas sobre el cuerpo exánime de aquél: el espíritu o héroe del Tiempo del Sueño le hace una incisión abdominal, le retira los intestinos y los sustituye por otros nuevos, añadiendo ciertas sustancias mágicas[57]; o bien, abre el cuerpo desde el cuello hasta la ingle, le extrae el omoplato y los fémures, a veces también el hueso frontal, inserta unas sustancias mágicas, y le seca los huesos para finalmente colocarlos en su sitio[58].

Ya en una obra anterior ofrecimos cierto número

---

[55] A. P. ELKIN, *Aboriginal Men of High Degree* (Sydney, 1946); cf. también HELMUT PETRI, «Der australische Medizinmann» (*Annali Lateranensi* XVI, 1952, pp. 159-317; XVII, 1953, 157-225); M. ELIADE, *Le Chamanisme*, p. 55 ss.

[56] ELKIN, *op. cit.*, p. 43.

[57] ELKIN, *ibid.*, p. 31. *Cf. también* A. W. HOWITT, *The Native Tribes of South-East Australia*, p. 404 ss.; K. LANGLOH PARKER, *The Euahlayi Tribe*, p. 25 ss.; ELKIN, *op. cit.*, p. 119 ss., etc.

[58] ELKIN, *op. cit.*, p. 31. *Cf.* también *ibid.*, p. 116, etc.

de ejemplos (*Le Chamanisme*, pp. 55-59). Ronald y Catherine Berndt han recogido valiosas informaciones concernientes a la formación de los hombres-medicina en las tribus del desierto occidental del sur de Australia. Mientras todos le lloran como a un muerto, pues saben que será «dividido en pedazos», se dirige el postulante hacia un pozo o sumidero. Una vez allí, los hombres-medicina le vendan los ojos y le arrojan a las fauces de la Serpiente, la cual le traga. El postulante permanece en el vientre de la serpiente por un período indefinido. Cuando, finalmente, los hombres-medicina presentan como ofrenda ante la Serpiente dos ratas-canguro, aquélla lanza al candidato al aire a una gran altura. Este cae al norte de determinada roca, y los maestros parten en su busca. Lo encuentran, pero reducido al tamaño de un niño pequeñito. (Se advierte el tema iniciático del retorno al estado embrionario en el vientre del Monstruo, equiparado al vientre materno.) Uno de los hombres-medicina toma en sus brazos al «recién nacido» y regresa al campamento volando.

Tras esta consagración de orden místico —puesto que es un Ser sobrenatural quien la efectúa— comienza la iniciación propiamente tal, en la que los viejos maestros desempeñan la función principal. Colocado en el interior de un círculo de fuego, el postulante —convertido en niño recién nacido— crecerá con rapidez, recuperando las proporciones de adulto. Afirma conocer bien a la Serpiente, y que incluso son amigos por haber permanecido una temporada en su vientre. Sigue luego un período de reclusión, durante el cual el postulante medita y conversa con los espíritus. Los hombres-medicina le llevan un día a la selva y le untan el cuerpo con ocre rojo. «Se halla tendido de espaldas delante de las hogueras, considerado como muerto. El jefe de los hombres-medicina le tronza el cuello y las muñecas, le disloca las articulaciones de los codos, de los muslos, de las rodillas y de los tobillos». Los demás «doctores» le rellenan el cuerpo con conchas; se las meten también en los oídos y en las mandíbulas, para que el postulante pueda oír y entender a los espíritus, a los pájaros y a los extranjeros. Le llenan también el estómago de conchas, para que disfrute de una vida renovada y se haga invulnerable a toda clase de armas. A continuación, es «cantado» por los hombres-medicina y resucita. Regresan todos al campamento, donde tiene lugar la prueba siguiente: los hombres-medicina arrojan sus lanzas contra el nuevo «doctor», pero las conchas con las que está relleno impiden que sea herido [59].

Es un caso de iniciación sumamente elaborada. Se pueden distinguir los dos temas iniciáticos principales, de los cuales sólo el segundo es específico de las iniciaciones de los hombres medicina: 1.º engullimiento por un monstruo; 2.º, despedazamiento del cuerpo. Se trata en realidad de una iniciación doble, la primera efectuada por un Ser sobrenatural, la segunda por los doctores. Pero, aun experimentando un *regressus ad uterum*, con todo, el postulante no muere en el vientre de la Serpiente, puesto que recuerda su estancia en ella. La verdadera ejecución iniciática es obra de los viejos doctores, y corresponde al modo de operar de los hombres-medicina: despedazamiento del cuerpo, sustitución de los órganos, introducción de sustancias mágicas.

Las operaciones iniciáticas propiamente dichas comprenden la renovación de los órganos y de las vísceras, la limpieza de los huesos y la inserción de sustancias mágicas; cristales de cuarzo o conchas anacaradas, o serpientes-espíritus. El cuarzo se halla relacionado con el mundo celeste y con el arco iris; la concha anacarada

---

[59]   R. y C. BERNDT, «A preliminary Report of Fieldwork in the Ooldea Region, Western South Australia» (*Oceania*, XIV, 1943, páginas 30-66), pp. 56-61; ELKIN, *Aboriginal Men of High Degree*, páginas 112-113. Elkin refiere una iniciación similar entre los aborígenes de Forest River district, Northern Kimberley. El poder de los hombres-medicina viene de la Serpiente-Arco iris, pero eʳ un «doctor» cualificado quien efectúa la iniciación, es decir, lleva al postulante hasta el Cielo, dominios de la Serpiente. El maestro toma la forma de un esqueleto y, transformando al postulante en bebé, le mete en un saquito que se ata a la cintura y se echa a volar. Estando ya bastante alto, proyecta al postulante al Cielo, «matándole». El doctor llega a continuación al Cielo, encuentra el cuerpo del joven y le inserta algunas «serpientes-arco iris» pequeñas y unos cristales de cuarzo. Tras conducirle de nuevo a la tierra, el doctor le inserta más sustancias por el ombligo y al fin le despierta tocándole con una piedra mágica. El joven recupera su tamaño normal y, al día siguiente, trata él mismo de subir al Cielo. Después de esta experiencia extática da comienzo a la instrucción propiamente dicha (ELKIN, *op. cit.*, pp. 139-140). Obselva Elkin acertadamente que la reducción a las proporciones de un bebé y la semejanza entre el saco y la bolsa ventral del canguro, indican que se trata de un ritual de re-nacimiento.

está asociada con la Serpiente-arco iris, es decir, en último término, con el Cielo [60]. Este simbolismo celeste guarda afinidad con las ascensiones extáticas celestes. Efectivamente, en muchas regiones, el postulante supuestamente visita el Cielo, bien por sus propios medios (trepando, por ejemplo, por una cuerda), bien llevado por una serpiente. En el Cielo, conversa con los Seres sobrenaturales y con los Héroes míticos. Otras iniciaciones presentan un descenso al reino de los muertos: el futuro hombre-medicina se duerme en las inmediaciones de los cementerios o se adentra en una caverna, o es transportado bajo tierra o al fondo de un lago, etc. [61]. En algunas tribus, la iniciación comprende también el «asamiento» del novicio rodeado de o junto a un fuego [62]. Finalmente, los mismos Seres sobrenaturales que le mataron, resucitan al postulante, siendo ahora éste «un hombre con poderes» [63].

Durante, y después de, su iniciación se encuentra con los espíritus, con los héroes de los tiempos míticos y con las almas de los muertos —y todos le instruyen en los secretos de hombre-medicina. La formación propiamente dicha termina, claro está, bajo la dirección de los viejos maestros.

En conclusión, se llega a ser hombre-medicina mediante un ritual de muerte iniciática a la que sigue una resurrección a una condición nueva, sobrehumana. Pero la muerte iniciática del hombre-medicina australiano entraña, como la de los chamanes siberianos, dos notas específicas y exclusivas: 1) una serie de operaciones efectuadas en el cuerpo del postulante (apertura de su

---

[60] Cf. ELKIN, op. cit., p. 43 ss. Viajes de los hombres-medicina al Cielo: HOWITT, op. cit., pp. 358 ss., 389, 436, 491, etc.; ELKIN, op. cit., pp. 95 ss., 107, 121 ss., etc. Acerca del valor ritual de los cristales de cuarzo en la formación de los hombres-medicina, ELKIN, op. cit., pp. 93, 98, 103, 107 ss., etc. Se introducen cristales de roca en el cuerpo de los futuros chamanes sudamericanos; cf. Le Chamanisme, pp. 62, 135 ss., etc.

[61] Cf. HOWITT, op. cit., p. 405 ss., 383, 376 (cementerio); ELKIN, op. cit., pp. 90 (viaje al fondo del mar), 93 (inmersión al fondo de un río), 105-106 (cementerio), etc.

[62] ELKIN, op. cit., pp. 91, 129, etc. Los hombres-medicina australianos, al igual que los chamanes asiáticos y americanos, caminan inmunes sobre fuego (ibid., p. 63 ss.). Acerca de este poder específicamente chamánico, cf. nuestro libro Le Chamanisme, páginas 233, 385 ss., 412 ss., etc.

[63] ELKIN, p. 36.

vientre, renovación de los órganos, lavado y secado de los huesos, inserción de sustancias mágicas); 2) una ascensión a los Cielos, acompañada o no de otros viajes extáticos por el mundo de ultratumba. Las revelaciones concernientes a las técnicas secretas de los hombres-medicina se obtienen en trance, en sueños o en estado de vigilia, antes, durante o después del ritual iniciático propiamente dicho.

INFLUENCIAS DE LAS CULTURAS SUPERIORES

Elkin relaciona el esquema iniciático del hombre-medicina australiano con un ritual de momificación existente en Australia oriental; este último proviene, al parecer, de las islas del Estrecho de Torres, donde se practicaba efectivamente cierto tipo de momificación[64]. La influencia melanesia en la cultura del nordeste australiano resulta incuestionable.

Pero Elkin se inclina a pensar que dichas influencias melanesias vehicularon ideas y técnicas pertenecientes originariamente a otras culturas, superiores. No insiste en el posible origen egipcio del ritual melanesio de momificación, si bien ciertas analogías resultan sorprendentes. Pero compara, con gran acierto, los poderes parapsicológicos de los hombres-medicina australianos con las proezas de los yoguís de la India y del Tibet. En efecto, el caminar sobre fuego, el uso de una cuerda mágica, el poder de desaparecer y reaparecer a voluntad, el poder de caminar a enorme velocidad, etc., son tan populares entre los hombres-medicina australianos como entre los yoguís y los fakires. «Puede que existan ciertas relaciones históricas, escribe Elkin, entre el Yoga y otras prácticas ocultas de la India y del Tibet, con las prácticas y poderes psíquicos de los hombres-medicina australianos. El hinduismo se difundió por las Indias orientales. El Yoga se practica en Bali, y ciertas proezas de los hom-

---

[64] ELKIN, *op. cit.*, pp. 40-41. Sobre las relaciones entre el despedazamiento del cuerpo y la momificación, véase ALFRED HERMANN, «Zergliedern und Zusammenfügen. Religionsgeschichtliches zur Mumifizierung» (*Numen*, III, 1956, pp. 81-96).

bres-medicina australianos son comparables a las de sus homólogos de Papuasia» [65].

Si la conjetura de Elkin resulta ser fundada, tendríamos, para Australia, una situación comparable a la que hemos observado en Asia central y en Siberia: de igual modo que el chamanismo del centro y norte de Asia parece acusar la influencia de elementos de cultura provenientes de Mesopotamia, del Irán, de la India y de China, así también el corpus de ritos, creencias y técnicas ocultas de los hombres-medicina australianos habría recibido su actual configuración merced ante todo al influjo de la India. Pero ello no quiere decir en modo alguno que estas dos formas de chamanismo —australiano y norasiático— deban considerarse como resultado de la influencia ejercida por religiones superiores. Tales influencias sin duda modificarían las ideologías y las técnicas místicas chamánicas, pero no las crearon. Rituales chamánicos similares y, lo que es aún más significativo, proezas parapsicológicas comparables a las de los fakires indo-tibetanos o a las de los «doctores» australianos, se hallan en regiones donde resulta difícil presumir un influjo de la India; por ejemplo, en las dos Américas. Universalmente la adquisición de poderes paranormales se manifiesta como resultado del entrenamiento de los hombres-medicina y, sobre todo, de sus experiencias de muerte y resurrección místicas, de su comercio con los dioses, demonios y almas de los muertos, de sus técnicas de posesión y de trance, fingido o real. En ese ambiente de magos y de extáticos que tratan —a veces con medios aberrantes— de modificar radicalmente su comportamiento normal, brota la fe en los poderes paranormales. Ahora bien, de este tipo de magos y extáticos hay ya constancia en los estadios culturales más arcaicos. El posible influjo de la India en Australia, así como la indudable influencia del lamaísmo en Siberia, no han hecho sino confirmar, precisar y perfeccionar las tradiciones locales de una magia inmemorial.

Más aún: técnicas e ideologías propiamente chamánicas —por ejemplo, la ascensión al Cielo por medio de un árbol, o mediante el «vuelo mágico»— son casi universalmente conocidas, y resulta difícil explicarlas mediante influencias indias o mesopotámicas. Igualmente

---

[65] ELKIN, op. cit., pp. 76-77.

difundidas están las creencias relacionadas con un *Axis Mundi* situado en el Centro del Universo, punto por donde resulta posible la comunicación entre las tres zonas cósmicas. Hemos de tener en cuenta además que la característica fundamental del chamanismo es el éxtasis, interpretado como el abandono del cuerpo por parte del alma. Mas no se ha probado todavía que la experiencia extática sea creación de una determinada civilización histórica o de un ciclo cultural concreto. Con toda probabilidad, la experiencia extática, en sus múltiples aspectos, es inherente a la condición humana, en el sentido de ser parte integrante de lo que se denomina la toma de conciencia por parte del hombre de su modo particular de ser en el mundo. El chamanismo no es únicamente una técnica de éxtasis, pero su teología y su filosofía dependen en última instancia del valor otorgado al éxtasis. ¿Qué significan todos esos ritos y mitos chamánicos de ascensión al Cielo y de «vuelo mágico», del poder de hacerse invisible e incombustible? Todos ellos ponen de manifiesto una ruptura efectuada en el universo de la vida cotidiana. La doble intencionalidad de esta ruptura es evidente: lo que por medio de la ascensión, vuelo, invisibilidad, incombustibilidad del cuerpo, etc., se obtiene, es la *transcendencia* y la *libertad* al mismo tiempo. Huelga añadir que los términos que designan «transcendencia» y «libertad» no existen en los estratos culturales arcaicos; pero la experiencia está ahí, y eso es lo importante. El anhelo de libertad absoluta, el deseo de romper los lazos que le amarran a la tierra y liberarse de sus límites, se halla dentro de las nostalgias esenciales del Hombre. Por otro lado, la ruptura de nivel realizada por medio del vuelo o de la ascensión significa asimismo un acto de transcendencia: el «vuelo» prueba que ha quedado superada la condición humana «hacia arriba», que ha sido transmutada por un exceso de espiritualidad. Pues todos los mitos, ritos y leyendas que acabamos de considerar pueden reducirse a la nostalgia de ver al cuerpo humano actuar como «espíritu», de transmutar la modalidad corporal del hombre en modalidad del espíritu [66].

Ahora bien, tal anhelo de «actuar como un espíritu» se encuentra universalmente difundido, no está vinculado

---

[66] M. ELIADE, *Mythes, rêves et mystères*, p. 143; *cf.* p. 133 ss.

a un determinado momento de la historia de la humanidad. El chamán o el hombre-medicina desempeñan, en las religiones arcaicas, el papel de los místicos en las religiones evolucionadas; constituyen un modelo ejemplar para el resto de la comunidad, por el hecho mismo de haber realizado la transcendencia y la libertad, habiéndose hecho semejantes a los espíritus y otros Seres sobrenaturales. Y hay razones para creer que el anhelo por asemejarse a los Seres sobrenaturales ha atormentado al hombre desde el comienzo de la historia.

El fenómeno general del chamanismo desborda la esfera de nuestro estudio; nos hemos limitado a presentar algunos de sus aspectos, en especial la ideología y los rituales iniciáticos. Hemos comprobado, una vez más, la importancia del tema de la muerte y de la resurrección místicas. Pero hemos advertido también la presencia de ciertas notas que pertenecen casi en exclusividad a las iniciaciones chamánicas: el despedazamiento del cuerpo, la reducción al esqueleto, la renovación de los órganos internos; la gran importancia otorgada a las ascensiones místicas y a los descensos al mundo subterráneo; por último, la eminente función de la memoria. Los chamanes y los hombres medicina son *hombres que recuerdan sus experiencias extáticas.* Pretenden incluso algunos chamanes haber conservado el recuerdo de sus vidas anteriores [67]. Se aprecia, pues, un ahondamiento considerable de la experiencia de la muerte iniciática, al tiempo que un refuerzo de la memoria y, en general, de todas las facultades psico-mentales. El chamán se distingue por haber logrado integrar en la conciencia un número considerable de experiencias que, para el mundo profano, están reservadas a los sueños, a la «locura» o a los estados *ante-mortem.* A los chamanes y a los místicos de las sociedades primitivas se les considera, con razón, como seres superiores; sus poderes mágico-religiosos se traducen también en una extensión de su capacidad mental. Por este motivo el chamán se convierte en el modelo ejemplar para todos los que desean adquirir poderes. El chamán es el hombre que *sabe* y que

---

[67] Acerca del recuerdo de las vidas prenatales entre los chamanes norteamericanos, véase PAUL RADIN, *The Road of Life and Death* (Nueva York, 1945), p. 8; AKE HULTKRANTZ, *Conceptions of the Soul among North American Indians* (Estocolmo, 1953), página 418 ss.

recuerda, esto es, que posee la inteligencia de los misterios de la vida y de la muerte, que participa, en una palabra, de la condición de espíritu. No es tan sólo un extático, sino asimismo un contemplativo, un pensador. En las civilizaciones ulteriores, el «filósofo» va a ser reclutado entre esos seres apasionados por los misterios de la existencia e inclinados por vocación al conocimiento experimental de la vida interior.

Capítulo VI

TEMAS INICIATICOS EN LAS GRANDES RELIGIONES

El objetivo de este último capítulo puede parecer temerario. No porque ciertos esquemas tradicionales de iniciación hayan dejado de ser diáfanos en las religiones evolucionadas, sino porque una exposición satisfactoria desbordaría los límites que nos hemos impuesto en el presente estudio. Por lo demás, volveremos sobre estos temas en nuestro libro *Muerte e iniciación*.

Las religiones que ahora consideramos son infinitamente más complejas que las religiones primitivas. Y es más, son —excepto las de la India— religiones muertas, y no siempre estamos seguros de entender bien los escasos documentos de que disponemos. Huelga repetir que la iniciación es, por excelencia, un rito secreto. Si algo conocemos acerca de las iniciaciones de las sociedades primitivas, se debe a que algunos blancos lograron hacerse iniciar o a que algunos indígenas nos proporcionaron alguna información. Con todo, estamos lejos de conocer las dimensiones profundas de las iniciaciones primitivas. ¿Qué diremos entonces de los ritos de Eleusis o de los Misterios greco-orientales? Sobre las ceremonias secretas, apenas poseemos testimonios directos. En general, acerca de las iniciaciones de la antigüedad nuestra información es fragmentaria y de segunda mano; incluso claramente tendenciosa cuando las referencias nos fueron transmitidas por autores cristianos. Si, no obstante, se ha podido hablar de las iniciaciones de la antigüedad, se debe precisamente a que se ha creído posible reconstruir algunos contextos iniciáticos; en último análisis, porque se conocía ya el fenómeno de la iniciación tal como era todavía observable en el mundo primitivo y asiático, o tal como se entendió en determinados momentos de la historia del cristianismo.

En cuanto al enfoque metodológico, la reconstrucción de un cuadro iniciático a base de unos cuantos documentos fragmentarios y valiéndose de ingeniosas comparaciones, es un procedimiento perfectamente válido. Pero, aun en el caso de que pudiéramos reconstruir el esquema iniciático de los Misterios greco-orientales, resultaría imprudente concluir de ahí que quedan por ello mismo esclarecidas las experiencias religiosas de los participantes. Podríamos debatir hasta el infinito acerca de si el contenido de tales experiencias es todavía accesible al investigador moderno, que ha de contentarse —como queda dicho— con una documentación harto pobre. Mas, sea cual fuere la posición adoptada en este debate metodológico, todos están de acuerdo en que no se lograrán resultados válidos más que al precio de una larga y minuciosa exégesis. Tarea que nosotros no podemos acometer en este espacio. Por ello nos veremos obligados, la mayoría de las veces, a contentarnos con aproximaciones, a la espera de ulteriores trabajos.

LA INDIA

Empezaremos por la India, dado que en aquella privilegiada tierra se han conservado considerable número de formas religiosas arcaicas junto a ideas y creencias más recientes. Hemos hablado ya de *upanâyama*, rito de pubertad obligatorio para las tres primeras castas, y a través del cual el novicio «nace» en el *brahman*, convirtiéndose de este modo en *dvija*, «nacido por segunda vez». Asimismo, hemos hablado de la *dîksâ*, ritual iniciático que ha de observar todo sacrificante del *soma*, y que consiste esencialmente en la transformación simbólica del sacrificante en embrión. Por último, habíamos mencionado otro rito iniciático sobre el retorno a la matriz, *hiranyagarbha*, constituido por el alumbramiento místico del postulante por la Madre Tierra.

Tanto la *dîksa* como el *hiranyagarbha* son iniciaciones que abren al postulante el acceso a zonas de sacralidad más honda. Pero la India conoce otras muchas iniciaciones del mismo tipo, esto es, iniciaciones que persiguen una más plena participación en lo sagrado o la modificación radical del régimen existencial del candidato. Esta clase de iniciaciones es la que ante todo nos interesa: iniciaciones que operan el paso del estado mundano al estado transcendente. Desde el punto de vista morfológico, podríamos considerar esta clase de iniciaciones como el equivalente en la India de las iniciaciones a las cofradías secretas del mundo primitivo, y, sobre todo, de las iniciaciones chamánicas. No quiere esto decir, claro está, que sus contenidos respectivos sean homologables, sino únicamente que nos hallamos ante iniciaciones de elevado grado de especialización, a las que se somete un restringido número de individuos con la esperanza de transmutar su modo de ser.

En ocasiones, el esquema de una iniciación arcaica se mantiene casi íntegramente, si bien la experiencia de la muerte iniciática recibe nuevas valoraciones. Los ejemplos más esclarecedores en punto a continuidad y, al mismo tiempo, revalorización de un esquema arcaico, los ofrece el tantrismo indo-tibetano. El tantrismo es la expresión por excelencia de la espiritualidad autóctona, la reacción de las capas populares menos influidas. Resulta, pues, natural que utilice categorías religiosas arcaicas, pre-arias. Así, por ejemplo, los motivos típicos de las iniciaciones chamánicas se encuentran en los mitos, ritos y folklore de los *siddha* tántricos, especialmente los de Matsyendranâth y de Gorakhnâth, personajes que excitaron particularmente la imaginación popular. Según algunas leyendas, Gorakhnâth inició del modo siguiente a los dos hijos de Matsyendranâth: los mató, lavó sus entrañas «a la manera de las lavanderas», tendió sus pieles en las ramas de un árbol —resucitándolos a continuación [1]. El cuadro nos recuerda de modo sorprendente uno de los motivos peculiares de las iniciaciones de los chamanes siberianos y de los hombres-medicina australianos. También la reina Mayanâmati, iniciada asimismo por Gorakhnâth, actuaba como un chamán: era incombustible, flotaba en el agua, podía atravesar un

---

[1] *Cf.* M. ELIADE, *Le Yoga. Immortalité et Liberté* (París, 1954), página 308.

puente hecho con un cabello, caminaba sobre el filo de una navaja, descendía a los Infiernos, entablaba combate con el dios de la Muerte y recuperaba el alma de su marido, etc.[2]. Motivos folklóricos, cuya réplica más exacta se encuentra en la literatura oral de los chamanes centroasiáticos y siberianos[3].

Pero estos motivos folklóricos tienen su equivalente en los ritos tántricos. Baste un ejemplo: en el rito indo-tibetano denominado *tchoed* (*gtchöd*), el novicio ofrece su propia carne a los demonios para que la devoren. Por la fuerza de su meditación, el novicio hace surgir a una diosa, con un sable en la mano, la cual le decapita y le despedaza: ve luego a los demonios y a las fieras salvajes precipitarse sobre sus carnes y devorarlas. Otra meditación tántrica consiste en despojarse con la imaginación de las carnes, viéndose como un «esqueleto blanco, luminoso y enorme»[4]. El mismo tema iniciático que habíamos encontrado en el chamanismo siberiano y esquimal. Pero en el caso del *tchoed* indo-tibetano nos hallamos ante una nueva valorización del tema tradicional del despedazamiento y de la reducción al esqueleto: el novicio afronta una prueba iniciática al provocar con su imaginación una visión aterradora, que él dominará con el poder de su mente. Sabe que se trata de una creación de su propio espíritu, que diosa y demonios son tan irreales como su propio cuerpo y, en suma, como el cosmos todo. El novicio es un budista perteneciente al Gran Vehículo, y sabe por tanto que el mundo es un «vacío», es decir: ontológicamente irreal. Esta meditación iniciática es a un tiempo una experiencia *post-mortem*, por consiguiente un «descenso a los Infiernos» —pero con tal motivo el novicio experimenta la vacuidad de toda experiencia póstuma, a fin de liberarse totalmente del miedo en el momento de la muerte, evitando así un nuevo nacimiento en la tierra. La experiencia tradicional del despedazamiento del cuerpo —provocada en el mundo cha-

---

[2] *Ibid.*, p. 312 ss.
[3] *Cf.* M. ELIADE, *Le Chamanisme*, p. 195 ss. Algunos de los rasgos de la iniciación en la orden de los Ajîvika —movimiento dirigido por Makkali Gosâla, el rival más peligroso de Buda— presentan un carácter sumamente arcaico; por ejemplo, enterraban al candidato hasta el cuello y le arrancaban los cabellos uno a uno; *cf.* M. ELIADE, *Le Yoga*, p. 195.
[4] R. BLEICHSTEINER, citado en *Le Yoga*, p. 321.

mánico mediante ritos apropiados, «enfermedades iniciáticas» o sueños y visiones— no se interpreta ya como una muerte mística, indispensable para la «resurrección» a un nuevo modo de ser. Tal experiencia servirá ahora como instrumento de conocimiento: merced a ella, comprenderá el novicio lo que significa la «vacuidad universal», acercándose de este modo a la liberación final. Otro rito tántrico cuya estructura iniciática claramente se ha conservado, es la entrada ceremonial en un *mandala*. Homólogo del *bora* australiano, y, en general, de todo otro «espacio sagrado», el *mandala* es a la par *imago mundi* y panteón. Entrando en el *mandala*, el novicio se acerca en cierto modo al «Centro del Mundo»: en el corazón mismo del *mandala* le será posible operar la ruptura de niveles y acceder a un modo transcendental de ser[5].

La iniciación se lleva a cabo bajo la dirección de un maestro, quien, mediante un rito especial, hace bajar sobre el discípulo el poder de comprensión y de conocimiento. Le ordena guardar cuidadoso secreto. «Puesto que el conocimiento supremo va a surgir en ti, no dirás nada a quienes no vieron el gran círculo de las divinidades (*i. e.* el *mandala*); de lo contrario el lazo (místico) se romperá.» Y el maestro añade: «Esto constituye el lazo que te une con Vajra (es decir, la doctrina tántrica). Si hablas a cualquiera, tu cráneo estallará hecho trizas»[6].

Pero es sobre todo al considerar en conjunto el corpus de técnicas diversas que constituyen el Yoga, cuando nos damos cuenta del proceso de revalorización de un tema iniciático tradicional. El aspecto externo de la práctica Yoga no es lo único que nos hace pensar en el comportamiento del novicio durante su entrenamiento iniciático: el yoguí abandona la sociedad de los hombres, se retira a la soledad, se somete a una ascesis a veces excesivamente severa, recibiendo luego la enseñanza oral de un maestro, enseñanza secreta por excelencia, comunicada de «boca a oído» en expresión de los textos hindúes. Más aún: el conjunto de prácticas Yoga reproduce un esquema iniciático. Como toda otra iniciación, el Yoga termina por modificar radicalmente el régimen

---

[5] *Cf.* GIUSEPPE TUCCI, *Teoria e pratica del mandala* (Roma, 1949); M. ELIADE, *Le Yoga*, pp. 223-231, 392-393.
[6] Versión tibetana del *Sarva-tathâgata-tattva-samgraha*, traducida por D. L. SNELLGROVE, *Buddhist Himâlaya* (Londres, 1957), página 71 ss.

existencial de quien se somete a sus reglas. Gracias al Yoga, el asceta llega a abolir la condición humana —en términos hindúes, la existencia no iluminada, abocada al sufrimiento— obteniendo un modo de ser incondicionado: que los hindúes llaman liberación, libertad, *moksa*, *muksi*, *nirvâna*. Pero aniquilar la condición profana del hombre con el fin de obtener la libertad absoluta, significa morir a este modo de ser condicionado para renacer a otro, transcendente, no condicionado.

El simbolismo de la muerte iniciática transparece en las distintas técnicas psico-fisiológicas peculiares del Yoga. Si observamos a un yoguí durante su práctica, tendremos la impresión de que trata de hacer *exactamente lo contrario* de lo que «en el mundo» se hace, es decir, lo que hacen los hombres en cuanto hombres, prisioneros de su propia ignorancia. En efecto, en lugar de moverse continuamente, el yoguí se inmoviliza en una posición absolutamente estática, denominada *âsana*, que le asemeja a una piedra o a una planta. A la respiración agitada y arrítmica del hombre que vive en el mundo, él contrapone el *prânâyâma*, espaciamiento rítmico de la respiración, e incluso sueña con llegar a la retención total del aliento. Al fluir caótico de la vida psico-mental —llamémosla— normal, él responde con la fijación del pensamiento en un solo punto (*ekâgratâ*). En una palabra, hace lo contrario de lo que la vida le fuerza al hombre a hacer —y actúa de esta suerte con el propósito de desprenderse de los múltiples sistemas de condicionamiento que constituyen toda existencia profana, para al fin desembocar en un plano no condicionado, de absoluta libertad. Mas no podrá alcanzar tal situación, comparable e incluso superior a la de los Dioses, si no muere a la vida no iluminada, a la existencia profana.

En el caso del Yoga, nos hallamos ante un complejo de creencias, de ideas y de técnicas ascéticas y contemplativas que persiguen la transmutación, la abolición, por tanto, de la condición humana. Ahora bien, conviene dejar claro que este largo y difícil itinerario ascético se lleva a cabo según los bien conocidos signos de un esquema de iniciación: la práctica Yoga, en resumidas cuentas, «mata» al hombre normal, es decir, metafísicamente «ignorante», presa de ilusiones, y «engendra» a un hombre nuevo, des-condicionado y libre. Cierto que el fin último del Yoga no es homologable con los fines perseguidos por las diferentes iniciaciones chamánicas o de las cofradías secretas, analizadas en los dos capítulos precedentes. Pues si bien es verdad que algunos yoguís buscan la *unio mystica* con la Deidad, el auténtico yoguín se propone ante todo obtener la perfecta autonomía espiritual. Pero lo importante en orden a nuestro estudio es que todas esas metas divergentes, a las que tienden místicos o magos, chamanes o yoguís, exigen un esfuerzo ascético y unos ejercicios espirituales que dejan traslucir en su estructura misma el vademecum clásico de la iniciación: la transmutación del neófito mediante una muerte mística.

Ello aparecerá aún con mayor evidencia si examinamos algunos ejercicios de meditación yoguí. Ya veíamos hace unos instantes en qué sentido el simbolismo de la muerte mística había quedado revalorizado por el *tchoed* tántrico. El conocimiento de los estados *post-mortem* se adquiere también mediante un ejercicio al que alude la *Shiva Samhita*: una meditación determinada permite al yoguí anticipar el proceso de reabsorción que tiene lugar tras la muerte. Y dado que el *sâdhana* yoguí presenta un contexto cósmico, tal meditación revela igualmente el proceso por el que el Cosmos se reabsorbe periódicamente [7].

Otro tema iniciático tradicional recogido y revalorizado por el Yoga y el budismo es el del «nuevo cuerpo» en el que renace el iniciado. El propio Buda proclama que él ha mostrado a sus discípulos los medios para constituirse, a partir de un cuerpo carnal, «otro distinto», hecho de una sustancia intelectual (*rûpim manomayam*) [8]. De igual modo, athayoguís, tántricos y alquimistas tratarán de obtener mediante sus técnicas respectivas, un «cuerpo divino» *(dyvia deha)*, absolutamente espiritual *(cinmaya)*, o convertir el cuerpo natural que está «verde» *(apakva)* en un cuerpo perfecto, «maduro» *(pakva)* [9]. La ordenación de los monjes budistas comprende ciertos rituales que conservan aún su estructura

---

[7] *Shiva-Samhitâ*, I, 69-77; M. ELIADE, *Le Yoga*, p. 272 ss.

[8] *Majjhima-Nikâya*, II, 17; *cf.* ANANDA K. COOMARSWAMY, «Some pâli words» (*Harvard Journal of Asiatic Studies*, IV, 1939, pp. 116-190), p. 144 ss.

[9] M. ELIADE, *Le Yoga*, pp. 282, 315.

iniciática [10]. Por lo demás, los tópicos iniciáticos abundan en los mitos y leyendas budistas. Entre las pruebas que habrá de afrontar Ananda en el Concilio de Rajagriha, para poder ser recibido en la *samgha*, se cuenta también el paso por el ojo de la cerradura [11], prueba bien conocida del tipo de las symplegades. Por otra parte, las leyendas de Buda y otros santos y sabios, tanto budistas como hindúes, repiten infatigablemente los viejos temas iniciáticos del «calor interior» y las llamas que brotan de la cabeza de quien ha transcendido la condición humana [12]. En el momento en que Ananda llega al *nirvâna*, se inflama y su cuerpo se consume enteramente [13].

En una palabra, en la India volvemos a encontrar, si bien cargadas de otros valores, las mismas imágenes primordiales de las iniciaciones tradicionales: despedazamiento del cuerpo, muerte y resurrección, generación y nuevo nacimiento, pruebas y symplegades, adquisición de un cuerpo nuevo, sobrenatural, calor mágico. Por diferentes que puedan ser los fines que persigue el sabio, el mago o el místico, cree siempre poderlos realizar mediante técnicas corporales y psico-mentales encaminadas a la abolición de la condición humana. Más aún: el proceso de liberación o divinización del hombre puede siempre equipararse a los momentos esenciales de una iniciación, nunca expresada con mayor claridad que en el acervo de imágenes y en la terminología tradicional de las iniciaciones.

HUELLAS DE RITOS DE PUBERTAD EN LA GRECIA ANTIGUA

Si ahora volvemos la mirada hacia las religiones del Mediterráneo, hallaremos asimismo las tres grandes categorías de iniciación: ritos de pubertad, cofradías secretas e iniciaciones místicas. Pero no las tres a la vez

[10] *Cf.* PAUL LÉVY, *Buddhism: a «Mystery Religion?»* (Londres, 1957).

[11] Véanse los textos en JEAN PRZYLUSKI, *Le Concile de Rajagrha* (París, 1926-1928), p. 68.

[12] *Cf.* M. ELIADE, «Significations de la "Lumière intérieure"» (*Eranos-Jahrbuch*, XXVI, 1958, pp. 189-242), p. 196 ss.

[13] *Cf.* PAUL LÉVY, p. 95 ss., etc.

en una misma época histórica. Cuando Grecia o Roma hacen su entrada en la historia, los ritos de pubertad parecen haber perdido el aura religiosa que, a juzgar por los mitos y leyendas, tuvieron durante la protohistoria. Limitándonos a Grecia, en época histórica los ritos de pubertad se presentan bajo la forma atenuada de la educación cívica, comportando, entre otras cosas, la introducción no dramática de los muchachos a la vida religiosa de la ciudad. Sin embargo, los personajes y los cuadros mitológicos dominantes en este conjunto de ceremonias cívicas recuerdan estadios más arcaicos, no sin semejanzas con la atmósfera en que se desarrollan los ritos de pubertad. Se ha señalado, por ejemplo, que la figura legendaria de Teseo y los ritos vinculados a su nombre son más fácilmente explicables haciéndolos derivar de un contexto iniciático. Muchos de los episodios de la saga de Teseo son, efectivamente, pruebas iniciáticas: así, su inmersión ritual en el mar, prueba equivalente a un viaje al más allá, y precisamente en el palacio submarino de las Nereidas, hadas por excelencia, *curotrophoi;* asimismo el adentramiento de Teseo en el laberinto y su combate con el monstruo, tema ejemplar de las iniciaciones heroicas; así, finalmente, el rapto de Ariadna, una de las múltiples epifanías de Afrodita, en el que Teseo pone fin a su iniciación mediante una hierogamia. Según H. Jeanmaire, las ceremonias que constituyen las *Theseia* provendrían de rituales arcaicos que, en época anterior, señalaban el retorno de los adolescentes a la ciudad, al final de su estancia iniciática en la espesura de la selva [14].

Se ha podido de igual modo señalar la supervivencia de un antiguo esquema iniciático de pubertad en la célebre disciplina espartana de Licurgo, que exigía entre otras cosas el endurecimiento en el dolor y la *crypteia.* Esta última era de todo punto similar a las pruebas iniciáticas arcaicas. El adolescente era enviado a las montañas, obligado a vivir allí todo un año de sus rapiñas, cuidando de no ser visto por nadie; el que se dejaba ver era castigado [15]. En otras palabras, el *curos* lacedemonio

---

[14] *Cf.* H. JEANMAIRE, *Couroï et Courètes* (Lilla, 1939), pp. 232 y ss., 338 ss., y *passim.*

[15] *Cf.* Escoliasta, en PLATÓN, *Leyes* 633 B, reproducido por JEANMAIRE, *op. cit.*, p. 552. Acerca de la *crypteia* y de la licantropía, véase *ibid.*, p. 540 ss.

llevaba durante un año vida de lobo. Existen, por otra parte, rasgos comunes entre la cripteia y la licantropía. Metamorfosearse en lobo o conducirse ritualmente como un lobo son, como antes vimos (p. 72 ss.), notas peculiares de las iniciaciones guerreras y chamánicas. Creencias y ritos arcaicos que sobrevivieron durante largo tiempo, tanto en el norte como en el sur de Europa.

Podríamos alargar fácilmente la lista de figuras y cuadros iniciáticos que perviven en los mitos y leyendas griegos. En la figura de los curetes míticos se puede vislumbrar aún su función de Maestros de iniciación: educan a los adolescentes en los bosques, enseñándoles las técnicas arcaicas de la colección y de la caza, la danza y la música. Así también, algunos momentos de la vida de Aquiles pueden interpretarse como pruebas iniciáticas: fue criado por los Centauros, es decir, iniciado en los bosques por Maestros enmascarados o manifestándose con apariencias animalescas; hubo de pasar por el fuego y por el agua, pruebas clásicas de la iniciación, e incluso vivió algún tiempo entre muchachas, vistiendo como una muchacha, conforme a una costumbre típica de ciertas iniciaciones primitivas de pubertad.

En los mitos y leyendas de Hefaistos se pueden distinguir algunos rasgos iniciáticos. Este dios, arrojado del cielo, permaneció nueve años en el mar; tiene cortados los tendones, o los pies vueltos del revés, mutilaciones típicas de las iniciaciones de magos y herreros; finalmente «hace el aprendizaje de su arte en la fragua subterránea de Cedalión o en la cueva de Eurinomea (la Muerte), que le recibe en su seno (*Ilíada*, XVIII, 398), lo cual implica adopción y cambio de personalidad»[16].

De las iniciaciones de las jóvenes en la Grecia antigua se ignora prácticamente todo. H. Jeanmaire ha mostrado, no obstante, que en las Tesmoforias se advierte un esquema iniciático femenino[17]. La misma agrupación de jóvenes en torno a Safo conservaba todavía la significación de los antiguos ritos de pubertad. Las novicias permanecían bajo la dirección de Safo —u otra maestra rival— hasta su boda; se iniciaban en las labores típicamente femeninas (tejer, etc.), aprendiendo al mismo

---

[16] MARIE DELCOURT, *Hephaistos ou la légende du magicien* (París, 1957), p. 136 y *passim*.
[17] H. JEANMAIRE, *op. cit.*, p. 301 ss.

tiempo las «buenas costumbres»; dicha instrucción tenía un modelo mítico [18]. La homosexualidad lesbiana era la réplica del amor «dórico» de las efebías. Nos consta que en gran número de sociedades primitivas existieron igualmente relaciones homosexuales entre instructores y novicios.

ELEUSIS Y LOS MISTERIOS HELENÍSTICOS

Pasemos ahora a las iniciaciones todavía vigentes en los tiempos históricos, con el fin de apreciar en qué sentido y hasta qué punto un contexto ritual arcaico puede ser revalorizado en una sociedad con alto grado de evolución. Los Misterios de Eleusis, los ritos dionisíacos, el orfismo, constituyen fenómenos de infinita complejidad, cuya importancia en la historia religiosa de Grecia es considerable. Nosotros no habremos de ocuparnos sino de sus ritos iniciáticos; pero, como queda dicho, es precisamente de este tema del que tenemos menos datos. Con todo, podemos reconstruir sus contextos rituales. Los Misterios de Eleusis [19], al igual que las ceremonias dionisíacas, se basaban en un mito divino: los ritos reactualizaban el acontecimiento primordial narrado por el mito, y los participantes eran progresivamente introducidos en la presencia divina. Un ejemplo: la noche de la llegada a Eleusis, los iniciados interrumpían sus danzas y sus regocijos al oír la noticia

[18] *Cf.* REINHOLD MERKELBACH, «Sappho und ihr Kreis» (*Philologus*, 101, 1957, pp. 1-29).
[19] Sobre las fuentes literarias, véase L. R. FARNELL, *Cults of the Greek States*, vol. III (Oxford, 1907), pp. 29-213. Sobre la exploración arqueológica, véase F. NOACK, *Eleusis: die baugeschichtliche Entwicklung des Heiligtums* (Berlín-Leipzig, 1927); K. KURUNIOTIS, «Das eleusinische Heiligtum von den Anfangen bis zur vorperikleische Zeit» (*Archiv. f. Religionswissenschaft*, XXXII, 1935, pp. 52-78); G. E. MYLONAS, *The Hymn to Demeter and her sanctuary at Eleusis* (Washington University Studies in Languages and Literature, XIII, S. Luis, 1942). *Cf. también* M. P. NILSON, «Die Eleusinische Gottheiten» (*Archiv. f. Religionswiss.*, XXXII, 1935, pp. 79-141); S. EITREM, «Eleusis: les mystères et l'agriculture» (*Symbolae Osloenses*, XX, 1940, pp. 133-151); WALTER F. OTTO, «Der Sinn der eleusinischen Mysterien» (*Eranos-Jahrbuch*, IX, 1939, pp. 83-112; «The Meaning of the Eleusinian Mysteries», en: *The Mysteries, Papers from the Eranos Yearbooks*, II, Nueva York, 1955, pp. 14-31).

del rapto de Perséfone. Con antorchas en la mano, lanzando gritos y gemidos, erraban en todas direcciones en busca de Perséfone. De pronto, un heraldo les anunciaba que Helios había revelado el lugar donde se encontraba la joven diosa, y de nuevo volvía la alegría, la música y las danzas. El mito de Demeter y Perséfone se hacía de nuevo contemporáneo: el rapto de la joven, las lamentaciones de Demeter, tienen lugar ahora, *hic et nunc*, y es esta vecindad de las Diosas, y finalmente su presencia, lo que permitirá al *mistês* vivir la inolvidable experiencia de la iniciación.

El *mistês*, como ya advirtiera Aristóteles (fr. 15), no aprendía nada nuevo: el mito ya lo conocía, y no se le enseñaba una doctrina secreta propiamente dicha; únicamente *hacía* unos gestos litúrgicos y *veía* objetos sagrados. La iniciación propiamente tal se efectuaba en el telesterion de Eleusis. Daba comienzo con las purificaciones. A continuación, con la cabeza tapada con un velo, era introducido en el telesterion e instalado en un asiento cubierto con una piel de animal.

Acerca de todo lo que ocurría luego, hemos de limitarnos a meras conjeturas. El secreto iniciático fue bien guardado. «Un gran pavor a los dioses contiene la voz», proclamaba el *Himno a Demeter* (479). Y el coro de *Edipo Rey* (1052) decía que los sacerdotes Eumólpidas ponían llave de oro en la lengua de los mortales. Clemente de Alejandría (*Protréptico*, II, 21, 2) nos ha transmitido la fórmula sagrada de los Misterios: «He ayunado; he bebido el *kykeon;* he cogido de la cesta y, después de manipularlo, he dejado en la canasta, luego, volviendo a coger de la canasta, lo he puesto otra vez en la cesta.» Las dos primeras partes del rito se entienden: el ayuno y la bebida del *kykeon*. Este último era una mezcla de cebada, agua y poleo, que, según el mito, la reina Metanira había ofrecido a Demeter, extenuada por la larga búsqueda de Core. En cuanto al resto de la fórmula sagrada transmitida por Clemente de Alejandría, se han propuesto numerosas interpretaciones que no podemos examinar aquí [20]. En cierta forma, la muerte ini-

---

[20] *Cf.*, entre otros, K. H. E. DE JONG, *Das antike Mysterienwesen in religionsgeschichtlicher, ethnologischer und psychologischer Beleuchtung* (Leiden, 1909), p. 20 ss.; A. KÖRTE, «Zu den eleusinischen Mysterien» (*Archiv f. Religionswiss.*, XVIII, 1915, páginas 116-127). Pero véanse las observaciones pertinentes de

ciática, esto es, un descenso simbólico a los Infiernos, no quedaba excluida, toda vez que el juego de palabras entre «iniciación» (*teleîsthai* = ser iniciado) y «muerte» (*teleutân* = morir) era bastante popular en griego[21]. «Morir es ser iniciado», decía ya Platón. Si la cesta ritual simbolizaba el mundo inferior, al destaparla el *mistês*, descendía a los Infiernos. Hemos de hacer hincapié en que, tras esa misteriosa manipulación de objetos sagrados, el iniciado nacía de nuevo, considerándose en adelante como adoptado por la Diosa.

Según una referencia transmitida por Hipólito, el hierofante anunciaba en el momento culminante: «La Magnífica ha dado a luz a un niño sagrado, Brimo (ha engendrado) a Brimos»[22]. El segundo grado de iniciación comprendía la *epopteia*: el *mystês* se convertía en *epóptês*, «el que ve». Sabemos que, una vez apagadas las antorchas, descorríase una cortina y aparecía el hierofante con un cofre. Abriéndolo, sacaba una espiga de trigo en sazón. Según Walter Otto, «no cabe duda respecto a la naturaleza milagrosa del acontecimiento. La espiga de trigo que crece y grana con rapidez sobrenatural forma parte de los misterios de Demeter, así como la viña que crece en unas horas forma parte de las fiestas de Dionisio... Milagros parecidos en torno a una planta se encuentran en las ceremonias de los pueblos primitivos»[23]. Asterias asegura que poco después tenía lugar el *hieros gamos* entre el hierofante y la sacerdotisa de Demeter.

Pecaríamos de ingenuidad si quisiéramos ofrecer en unas cuantas líneas lo esencial de un Misterio que durante más de mil años dominó la vida religiosa de Grecia, y que, desde hace más de un siglo, ha dado lugar a apasionadas controversias entre eruditos. Los Miste-

WALTER OTTO, dirigidas sobre todo contra las interpretaciones sexuales de Albrecht Dieterich y de Körte, «The Meaning of the Eleusinian Mysteries», p. 22 ss. Acerca del Kykeon, véase A. DELATTE, «Le Cycéon, breuvage rituel des mystères d'Eleusis» (*Bull. Classe des Lettres*, Acad. Royale de Belgique, 5.ª serie, T. 40, 1954, pp. 690-752).

[21] ESTOBEO, *Florilegio*, 120, 28, reproduce un fragmento de Temistio o Plutarco.

[22] HIPOLITO, *Philosophumena*, V, 8; *cf.* FARNELL, *Cults*, III, página 177; A. DIETERICH, *Eine Mithrasliturgie* (3.ª edic., Leipzig, 1922), p. 138.

[23] WALTER F. OTTO, *op. cit.*, p. 25, desarrolla una conjetura de LUDWIG DEUBNER, *Attische Feste* (Berlín, 1932), p. 86.

rios de Eleusis, como también el dionisianismo y el orfismo, plantean innumerables problemas al investigador, sobre todo problemas de origen, y por lo tanto, de antigüedad —toda vez que en cada uno de los casos citados hemos de habérnoslas con ritos y creencias enormemente arcaicos. Ninguno de los cultos iniciáticos mencionados puede ser considerado como creación del espíritu griego. Sus raíces se hunden en las profundidades de la protohistoria. Tradiciones cretenses, asiáticas, tracias, que fueron recuperadas e integradas en un nuevo horizonte religioso. Eleusis vino a ser un centro religioso panhelénico gracias a Atenas, pero hacía ya siglos que en Eleusis se celebraban los Misterios de Demeter y Core. La iniciación eleusica desciende directamente de un ritual agrario, estructurado en torno a la muerte y resurrección de una divinidad que preside la fertilidad de los campos. La bramadera, presente en las ceremonias órfico-dionisíacas [24], es un objeto típico de las culturas de los primitivos pueblos cazadores. Los mitos y los ritos que ilustran el despedazamiento de Dioniso y de Orfeo o de Osiris nos recuerdan de modo sorprendente los hechos australianos y siberianos analizados en el capítulo anterior. Los mitos y los ritos de Eleusis poseen su equivalente en las religiones de determinadas culturas tropicales de estructura agrícola y matriarcal [25].

El hecho de que estos elementos de la religiosidad primitiva se hallen igualmente en el corazón mismo de los Misterios griegos y greco-orientales, demuestra su extraordinaria vitalidad, a la vez que su importancia para la vida religiosa de la humanidad. Se trata de experiencias religiosas primordiales y ejemplares a un mismo tiempo. Por lo que hace a nuestro estudio, conviene destacar lo siguiente: dichas experiencias vienen ocasionadas por unos ritos que, tanto en el mundo greco-oriental como en el primitivo, son de esencia iniciática, es decir, su finalidad es la transmutación espiritual del novicio. En Eleusis, así como en las ceremonias órficas y en los Misterios greco-orientales de época helenística, la iniciación busca trascender la condición humana y lograr un

---

[24] A. DIETERICH, *Eine Mithrasliturgie*, p. 10; W. K. C. GUTHRIE, *Orpheus and the Greek Religion* (Londres, 1935; 2.ª ed. 1952), página 121 ss.
[25] *Cf.* AD. E. JENSEN, *Die religiöse Weltbild einer frühen Kultur* (Stuttgart, 1948), p. 66 ss.

modo superior de ser, sobrehumano. Los ritos iniciáticos reactualizan un mito de origen, que narra las aventuras, muerte y resurrección de una divinidad. Si bien es verdad que sabemos relativamente poco sobre los ritos secretos, sabemos al menos que los más importantes se referían a la muerte y resurrección místicas del neófito. Con motivo de su iniciación en los Misterios de Isis, Apuleyo se somete a «una muerte voluntaria» (ad instar voluntariae mortis) y «se acerca al reino de la muerte» con el fin de alcanzar su «día de nacimiento espiritual» (natalem sacrum)[26]. El modelo ejemplar de dichos ritos estaba constituido por el mito de Osiris. Es probable que en el Misterio de la Gran Madre frigia, quizá también en otros lugares, el iniciado fuera enterrado simbólicamente en una tumba[27]. Según Fírmico Materno se le consideraba moriturus, «a punto de morir»[28]. A esta muerte mística sucedía un nuevo nacimiento, espiritual. En el rito frigio, escribe Salustio, los nuevos iniciados «eran alimentados con leche como si fueran recién nacidos»[29]. Y en el texto conocido con el nombre de Liturgia de Mitra —que está impregnado de gnosis hermética— se lee: «... Hoy, siendo engendrado de nuevo por Ti, entre miríadas habiéndome hecho inmortal...», o: «Nacido por segunda vez a fin de renacer en este nacimiento creador de Vida...»[30].

En todos estos casos se trata de una regeneración espiritual, de una palingenesia, que se traduce en un cambio radical del régimen existencial del iniciado. Merced a la iniciación, el neófito tenía acceso a un modo diferente de ser: se hacía igual a los Dioses, se identificaba con los Dioses. Apoteosis, deificación, «des-mortalización» (apathanatismos), son concepciones familiares en todos los Misterios helenísticos[31]. La divinización del

---

[26] Metamorfosis, XI, 21, 24, leyendo sacrum con S. ANGUS (The Mystery-Religions and Christianity, Londres, 1925, p. 96, n. 4); cf. también DE JONG, op. cit., p. 207 ss.

[27] H. HEPDING, Attis, seine Mythen u. sein Kult (Giessen, 1903), página 196; S. ANGUS, op. cit., p. 97.

[28] FÍRMICO MATERNO, De Errore profanarum religionum, 18. Cf. DE JONG, op. cit., p. 203 ss.

[29] SALUSTIO, De Diis et Mundo, 4.

[30] A. DIETERICH, Eine Mithrasliturgie, p. 10.

[31] Cf. R. REITZENSTEIN, Die hellenistische Mysterienreligionen (2.ª ed., Leipzig, 1920), p. 29 ss.; S. ANGUS, op. cit., p. 106 ss. Hemos de precisar que se trata de concepciones de época hele-

hombre no era en absoluto una fantasía extravagante para el mundo antiguo tardío. «Sábete, pues, que eres un dios», escribía Cicerón (*De Republ.*, VI, 17). Y en un texto hermético se leía: «Yo te conozco, Hermes, y tú me conoces: yo soy Tú, y Tú eres yo»[32]. Expresiones similares se encuentran en los escritos cristianos. El verdadero gnóstico (cristiano), como dice Clemente de Alejandría, «se ha convertido ya en Dios» (*Protr.* VIII, 4). Y para Lactancio, el hombre casto terminará por hacerse *similis Deo*, «en todo semejante a Dios» (*Instit. Divinae*, VI, 23).

La transmutación ontológica del iniciado se verifica sobre todo en la existencia posterior a la muerte. Ya en ciertos pueblos primitivos (melanesios, africanos, etc.) se hace especial hincapié en la diferencia existente entre el destino *post-mortem* de los iniciados en las cofradías, y el de los no iniciados. El *Himno a Demeter* exaltaba la felicidad de los iniciados en el otro mundo, compadeciéndose de aquéllos que fallecían sin haber tomado parte en los Misterios. «¡Dichoso el hombre que, viviendo en la tierra, vio tales cosas! Quien no conoció las santas orgías y quien en ellas tomó parte no tendrán, tras la muerte, igual destino en las sombrías moradas» (*Himno a Demeter*, 480-482). «¡Dichoso el que esto vio antes de bajar a la tierra! —exclamaba Pindaro—. ¡Conoce el término de la vida! Conoce también el comienzo...» (*Threnoi*, fragmento 10). «Oh, tres veces dichosos los mortales que, después de contemplar estos Misterios, partan a la morada de Hades; sólo ellos podrán vivir allí; para los demás, todo será sufrimiento.» (Sófocles, fragmento 719 Dindorf, 348 Didot.)

En época helenística, la idea de que el iniciado en los Misterios gozaba de una situación espiritual privilegiada, tanto en vida como después de la muerte, vino a ser aún más popular. La iniciación era, pues, la manera de obtener un «status» ontológico sobrehumano, más o menos divino, y de asegurarse la supervivencia *post-mortem*, si no ya la inmortalidad. Pues bien, como hace un instante hemos podido ver, los Misterios utili-

---

nística, radicalmente diferentes del horizonte religioso de Homero y de Hesíodo. Sobre el Egipto de la época greco-romana, *cf.* H. Idris Bell, *Cults and Creeds in Graeco-Roman Egypt* (Liverpool, 1953), p. 87 ss., 102 ss.

[32] *Cf.* S. Angus, *op. cit.*, p. 110, n. 5.

zan el esquema clásico: muerte mística del novicio acompañada de nuevo nacimiento, espiritual. Para la historia de las religiones, la importancia de los Misterios greco-orientales reside ante todo en que ilustran la necesidad de una experiencia religiosa personal, empeñando en ello la existencia total del hombre, es decir —utilizando términos cristianos—, su eterna «salvación». Una experiencia religiosa personal de esta índole no podía alcanzar su plenitud en el marco de los cultos públicos, cuya principal función consistía en asegurar la santificación de la vida cívica y la pervivencia del Estado. En las grandes civilizaciones históricas en las que proliferaron los Misterios, no encontramos ya la situación típica de las culturas primitivas; en éstas, tal como insistentemente hemos ido señalando, las iniciaciones de los jóvenes eran al mismo tiempo ocasión de regeneración total, tanto de la colectividad como del Cosmos. Muy otra era la situación en la época helenística: el éxito enorme de los Misterios deja entrever la ruptura existente entre las élites religiosas y la religión del Estado, ruptura que el cristianismo ahondará, haciéndola, por algún tiempo al menos, definitiva [33].

Pero, en orden a nuestro estudio, el interés de los Misterios radica en que ponen de manifiesto la perennidad de los temas tradicionales de iniciación y la capacidad que éstos tienen para ser indefinidamente reactivados y enriquecidos con nuevos valores. En el mundo helenístico se repite la misma situación que en la India: un cuadro ritual arcaico puede ser nuevamente utilizado para fines espirituales múltiples y variados, desde la *unio mystica* con la Deidad hasta la conquista mágica de la inmortalidad o la obtención de la liberación final, el nirvâna. Ocurre como si los esquemas rituales se hallaran indisolublemente vinculados a la estructura misma de la vida espiritual. Como si la iniciación fuera un proceso indispensable para todo intento de regeneración total, para todo empeño por trascender la condición natural del hombre a fin de acceder a un modo santificado de ser.

Igualmente significativo resulta el hecho de que el acervo de imágenes de los Misterios terminara impreg-

---

[33] *Cf.* A. D. NOCK, *Conversion* (Oxford, 1933), espec. pp. 138-155 (Conversión de Lucius).

nando una vasta literatura filosófica y espiritualista, sobre todo en época tardía. La equivalencia entre filosofía e iniciación fue un «leit-motiv» desde los comienzos del pitagorismo y del platonismo. Incluso la mayéutica (de *maia*, «comadrona»), mediante la cual trataba Sócrates de «dar a luz» a un hombre nuevo, tenía su prototipo en la labor de los maestros de iniciación de las sociedades arcaicas: también ellos «daban a luz» a los novicios, es decir, les ayudaban a nacer a la vida espiritual. El motivo del «alumbramiento» iniciático viene acompañado, al final del mundo antiguo, por el tema de la paternidad espiritual, presente ya en el brahmanismo y en el budismo (véanse p. 89 y ss.). San Pablo tiene «hijos espirituales», hijos que él ha engendrado por la fe.

Aún más. Al tiempo que evitaban revelar el secreto de los distintos Misterios helenísticos, muchos filósofos y teósofos propusieron interpretaciones alegóricas de los ritos iniciáticos. La mayor parte de dichas interpretaciones referían los ritos de los Misterios a las etapas sucesivas que ha de atravesar el alma humana en su ascensión hacia Dios. Basta leer a Jamblico, Proclo, Sinesio, Olimpiodoro, y a tantos otros neoplatónicos o misteriósofos de los últimos siglos de la antigüedad, para darse cuenta de hasta qué punto asimilan la iniciación en los Misterios a un psicodrama merced al cual podría el alma desprenderse de la materia para volar, regenerada, hacia su verdadera patria, el mundo inteligible. Prolongaban de este modo un proceso de revalorización espiritual ya articulado en los Misterios de Eleusis; en los cuales, a su vez, un ritual agrícola se había cargado, en determinada época de la historia, con nuevos valores religiosos. El Misterio, si bien conserva la estructura agrícola primitiva, no se refiere ya a la fecundidad de la gleba o al bienestar de la comunidad, sino al destino espiritual de cada iniciado en particular. Los comentaristas tardíos «innovaban», en el sentido de que leían en los ritos antiguos su propia situación espiritual, inseparable de las crisis profundas de su tiempo.

No es probable, pues, que se pueda utilizar esta enorme masa de escritos hermenéuticos para esclarecer el sentido original de los Misterios eléusicos, órficos o helenísticos. Pero, si bien tales interpretaciones alegóricas no son apropiadas para comunicarnos «realidades históricas», no por ello dejan de tener un valor considerable. De hecho, estas interpretaciones pusieron su cuño en toda la historia de la espiritualidad sincretista ulterior. Las innumerables gnosis, cristianas y heterodoxas, de los primeros siglos de nuestra era tomaron de ahí sus ideologías, sus símbolos, sus imágenes clave. El drama patético del alma humana, sumida en la oscuridad y en la aflicción tras el olvido de sí misma, lo narraron los autores gnósticos con ayuda de esquemas provenientes en último término de la exégesis filosófica de los Misterios. Fue a través de dichas gnosis sincretistas como la valorización de los Misterios helenísticos en cuanto experiencia ritualmente guiada de la «caída» y de la regeneración del alma, se difundió por Europa y Asia. Ciertos aspectos de esta misteriosofía sobrevivieron incluso hasta bien avanzada la Edad Media. Por último, la doctrina entera fue reavivada en los círculos de letrados y filósofos, tras el descubrimiento del neoplatonismo en la Italia del Renacimiento.

CRISTIANISMO E INICIACIÓN

Hacia el final del siglo XIX y hasta hace unos treinta años, cierto número de eruditos creyeron poder explicar los orígenes del cristianismo por una influencia más o menos directa de los Misterios greco-orientales. Las recientes investigaciones no han confirmado tales hipótesis. Por el contrario, se ha llegado a plantear la cuestión de si el «renacimiento» de los Misterios en los primeros siglos de nuestra era no estaría relacionado con la expansión del cristianismo; de si ciertos Misterios no habrían reinterpretado sus antiguos ritos a la luz de los nuevos valores religiosos traídos por el cristianismo.

No es de nuestra incumbencia discutir todos los aspectos de este problema [34]. Conviene, no obstante, dejar

---

[34] Estado actual del problema y bibliografía en KARL PRÜMM, *Religionsgeschichtliches Handbuch für den Raum des altchristlichen Umwelt* (Friburgo de B., 1943), pp. 308-353; A. D. NOCK, «Hellenistic Mysteries and Christian Sacraments» (*Mnemosyne*, serie 4, V, 1952, pp. 117-213); HUGO RAHNER, «The Christian mysteries and the Pagan Mysteries» (en *The Mysteries*, Papers from the Eranos Yearbooks, III, Nueva York, 1955, pp. 337-401). *Cf.* tam-

en claro que la presencia eventual de temas iniciáticos en el cristianismo primitivo no implica necesariamente influencia de las religiones de Misterios. Dichos temas podrían haber sido tomados directamente de algunas de las sectas esotéricas judías, entre las que en primer lugar figura la de los Esenios, sobre los cuales los manuscritos del Mar Muerto nos han proporcionado últimamente informaciones sensacionales [35]. Más aún, no es preciso ni siquiera suponer que el cristianismo haya «tomado» algún tema iniciático de otra religión. Como queda dicho, la iniciación acompaña siempre a toda nueva revalorización de la vida espiritual. Estamos, pues, ante dos problemas que no sería procedente confundir. El primero plantea la cuestión de la presencia de elementos iniciáticos (esquemas rituales, ideología, vocabulario) en el cristianismo primitivo. El segundo se refiere a los posibles contactos históricos entre el cristianismo y las religiones de los Misterios.

Precisaremos en primer lugar en qué sentido se puede hablar de elementos iniciáticos en el cristianismo primitivo. Resulta claro que el bautismo cristiano equivalía, ya desde el comienzo, a una iniciación: el bautismo introducía al converso en una nueva comunidad religiosa, haciéndole digno de la vida eterna. Se sabe que, entre el 150 a. C. y el 300 después de J. C., existía en Palestina y en Siria un movimiento baptista bastante difundido. Los Esenios, por su parte, practicaban baños rituales o bautismos. Tratábase, como entre los cristianos, de un rito iniciático; a diferencia de los cristianos, los Esenios repetían periódicamente dichos baños cultuales. Sería ocioso, por tanto, buscar un paralelo al bautismo cristiano entre los ritos de lustración de los Misterios u otras ceremonias de la antigüedad pagana. No sólo los conocían los Esenios, sino también otros movimientos religiosos judíos. Pero si el bautismo llegó a ser sacramento para los primeros cristianos, se debe precisa-

bién O. Casel, *Das christliche Kultusmysterium* (2.ª ed., Ratisbona, 1935); *id., Das christliche Festmysterium* (Paderborn, 1941).

[35] Para todo lo que sigue, utilizamos las traducciones y comentarios de Theodor H. Gaster, *The Scriptures of the Dead Sea Sect* (Nueva York, 1956), y sobre todo los estudios de Krister Stendhal, Oscar Cullman y Karl Georg Kuhn en el volumen colectivo *The Scrolls and the New Testament*, en edición de Krister Stendhal (Nueva York, 1957). *Cf.* también A. Dupont-Sommer, *The Jewish Sect of Qumran and the Essenes* (Londres, 1954).

mente a que fue instituido por Cristo. En otros términos: el valor sacramental del bautismo estribaba en el hecho de que los cristianos reconocían en Jesús al Mesías, al Hijo de Dios.

Todo esto viene ya indicado por San Pablo (I *Cor.*, 10) y desarrollado en el evangelio de San Juan: el bautismo es un *don* libre de Dios que hace posible un segundo nacimiento a partir del agua y del Espíritu (San Juan, 3, 5). Como en seguida veremos, la simbología del bautismo se enriquece considerablemente después del siglo III. Será entonces cuando se encuentren elementos tomados del lenguaje y del legado de imágenes de los Misterios. Pero ninguna de esas innovaciones trasluce en el cristianismo primitivo.

Otro acto cultual de estructura iniciática es la eucaristía, instituida por Jesús en la Cena. Por la eucaristía el cristiano participa del cuerpo y de la sangre del Señor. Los banquetes rituales eran frecuentes en los Misterios. Pero los precedentes históricos de la Cena no hemos de ir a buscarlos tan lejos. Los textos de Qumran nos han dado a conocer que los Esenios consideraban las comidas hechas en común como un anticipo del Banquete Mesiánico. Como recuerda Krister Stendhal (*op. cit.*, página 10), esta idea se encuentra igualmente en los Evangelios. «... vendrán muchos de oriente y occidente a ponerse a la mesa con Abraham, Isaac y Jacob en el Reino de los Cielos» (Mateo, 8, 11). Pero en este punto va a aparecer una nueva idea: los cristianos consideraban a Jesús como ya resucitado y elevado al Cielo, mientras que los Esenios esperaban que el Maestro de Justicia resucitara como Mesías sacerdotal al tiempo que el Ungido de Israel. Y aún más, la eucaristía dependía para los cristianos de una persona y de un acontecimiento históricos (Jesús y la Cena), pero en los textos de Qumran no vemos que se conceda sentido redentor a ningún personaje histórico [36].

Vemos, pues, en qué sentido el cristianismo primitivo presentaba elementos iniciáticos: por un lado, el bautismo y la eucaristía santificaban al fiel, modificando radicalmente su régimen existencial; por otro, los sacramentos le sacaban de la masa de los «profanos», integrándole en una comunidad de elegidos. La organización

---

[36] K. G. KUHN, en *The Scrolls and the New Testament*, p. 78.

iniciática de la comunidad se hallaba ya muy avanzada entre los Esenios. Así como los cristianos se llamaban «santos» y «elegidos», los Esenios se tenían por iniciados. Unos y otros tenían conciencia de estar separados del resto de la sociedad gracias a su «iniciación».

Los textos de Qumran nos ayudan a comprender mejor el contexto histórico del evangelio de Jesús y el despliegue de las primeras comunidades cristianas. Esto nos permite apreciar hasta qué punto el cristianismo pertenecía a la historia de Israel y a las esperanzas del pueblo judío. Con todo, no podemos pasar por alto todo lo que distingue al cristianismo de los Esenios y, en general, a todos los demás cultos esotéricos de su tiempo. Ante todo, el sentimiento de *gozo* y de *novedad*. Se ha hecho notar (Nock, p. 10), que los términos que designan «novedad» y «gozo» son característicos del lenguaje cristiano primitivo. La *novedad* del cristianismo viene constituida por la historicidad misma de Jesús —y el *gozo* surge de la certeza de su resurrección. Para las primeras comunidades cristianas, la resurrección de Jesús no podía equipararse a la muerte y resurrección periódicas de los Dioses de los Misterios. Al igual que su vida, su agonía y su muerte, la resurrección de Cristo también había tenido lugar *en la historia*, «en tiempos de Poncio Pilato». La resurrección era un acontecimiento irreversible, no se repetía anualmente como, por ejemplo, la resurrección de Adonis. No era un exponente de la santidad de la vida cósmica, como ocurría con los Dioses llamados de vegetación, ni un ceremonial iniciático, como en los Misterios. Era un «signo» que formaba parte de la expectación mesiánica del pueblo judío, y, como tal, se integraba en la historia religiosa de Israel. Efectivamente, la resurrección de los muertos figuraba entre los síntomas del advenimiento del Tiempo. La resurrección de Jesús proclamaba que el *eschaton* acababa de empezar. Como dice San Pablo, Jesús resucita como «el Primogénito de entre los muertos» (Colosenses, I, 18). De ahí la creencia señalada por los evangelios sinópticos de que numerosas resurrecciones habían seguido a la de Jesús: «Se abrieron los sepulcros, y muchos cuerpos de santos difuntos resucitaron» (Mateo, XXVII, 52). Para los primeros cristianos, la resurrección fundaba una nueva era de la historia: la «validación» de Jesús como Mesías y, por consiguiente, la transmutación espiritual del hombre y la renovación total del Mundo. Esto constituía, claro está, un «misterio», pero un misterio que era preciso «gritar desde los tejados». Precisamente, la «iniciación» al misterio cristiano era accesible a todos.

En suma, los elementos iniciáticos del cristianismo primitivo se deben al hecho de que la iniciación es una dimensión que acompaña a toda revalorización de la vida religiosa. Sólo será posible acceder a un modo superior de ser, sólo podremos participar en una nueva irrupción de la sacralidad en el mundo o en la historia, «muriendo» a la existencia profana, no iluminada, y renaciendo a una vida nueva, regenerada. Habida cuenta de la «inevitabilidad» de la iniciación, es extraño encontrar tan pocos rastros de esquemas y de vocabularios iniciáticos en el cristianismo primitivo. San Pablo no emplea nunca *telete*, nombre técnico de los Misterios. Y si utiliza *mysterion*, lo hace en el sentido que le dan los Setenta, esto es, «secreto»[37]. En el Nuevo Testamento, *mysterion* no se refiere a un acto cultual, como en las religiones antiguas. Para San Pablo, el «misterio» es el *secreto* de Dios, es decir, la decisión de salvar al hombre por mediación de su Hijo, Jesucristo. Se trata, en el fondo, del misterio de la redención. Ahora bien, la redención es una idea religiosa que no se entiende sino en el contexto de la tradición bíblica; únicamente en esta tradición el hombre, en un principio hijo de Dios, perdió por el pecado dicho privilegio[38].

Jesús habla de los «misterios del Reino de los Cielos» (Mateo, XIII, 11; Marcos, IV, 11; Lucas, VIII, 10), pero esta expresión no es sino el equivalente del «secreto del rey» del Antiguo Testamento (Tob. XII, 7). En este sentido se habla de los «misterios» referentes al Reino que Jesús hace accesible a los creyentes. Los «misterios del Reino de los Cielos» son los «secretos» que un Rey comunica únicamente a sus allegados (*cf.* Judit, II, 2), escondiéndoselos a los demás en parábolas, «para que viendo no vean y oyendo no oigan» (Mateo, XIII, 13). En conclusión, si bien el mensaje de Jesús entraña una estructura iniciática —y ello precisamente porque la iniciación forma parte de toda nueva revelación religio-

---

[37] A. D. NOCK, *Hellenistic Mysteries and Christian Sacraments*, p. 200.

[38] HUGO RAHNER, «The Mysteries and the Pagan Mysteries», página 362.

sa—, esto no nos autoriza a considerar el cristianismo primitivo como influenciado por los Misterios helenísticos.

Pero con la difusión del cristianismo por todas las provincias del Imperio romano, sobre todo tras el triunfo definitivo bajo Constantino, asistimos a un cambio progresivo de perspectiva. A medida que el cristianismo se convierte en religión universalista, su historicidad pasa a segundo plano. No es que la Iglesia abandone la historicidad de Cristo, como hicieron algunas herejías cristianas y el gnosticismo; pero, al convertirse en ejemplar para toda la *ecumene*, tiende el mensaje cristiano paulatinamente a formularse en términos ecuménicos. El cristianismo primitivo estaba ligado a una historia local, la de Israel. En cierto modo, toda historia local está amenazada de «provincianismo». Cuando una historia local se convierte en historia sagrada y al mismo tiempo ejemplar, es decir, paradigma para la salvación de la humanidad entera, necesita expresarse en un lenguaje universalmente inteligible. Ahora bien, el único lenguaje religioso universal es el de los símbolos. Los autores cristianos recurrirán de modo progresivo a los símbolos para hacer accesibles los misterios del Evangelio. Pero en el Imperio romano existían dos movimientos espirituales «universalistas», es decir, no confinados a las fronteras de una cultura local: los Misterios y la filosofía. El cristianismo triunfante se servirá tanto de los primeros como de la segunda. Tenemos, pues, un triple proceso de enriquecimiento del cristianismo primitivo: 1) a través de los símbolos arcaicos redescubiertos y revalorizados, otorgándoles nuevas significaciones, cristológicas; 2) adoptando imágenes y temas iniciáticos de los Misterios; 3) asimilando la filosofía griega.

En orden a nuestro trabajo nos interesa únicamente la integración de los motivos iniciáticos en el cristianismo victorioso. Pero es preciso hacer una alusión al empleo que los Padres de la Iglesia hacen de los símbolos arcaicos y universalmente difundidos. Por ejemplo, los símbolos del Arbol Cósmico y del Centro del Mundo se encuentran integrados en el simbolismo de la Cruz. Describen la Cruz como un «árbol que sube de la Tierra a los Cielos», como «el Arbol de Vida plantado en el Calvario», árbol que, «surgiendo de las profundidades de la Tierra, se elevó al Cielo y santifica hasta los confines del Universo» [39]. Dicho de otro modo, a fin de hacer inteligible el misterio de la Redención universal por la Cruz, los autores cristianos utilizaron símbolos del Antiguo Testamento y del antiguo Oriente próximo (alusión al Arbol de Vida), así como los símbolos arcaicos del Arbol Cósmico situado en el Centro del Mundo, que garantiza la comunicación entre el Cielo y la Tierra. La Cruz es el signo visible de la Redención efectuada por Jesucristo: había, por tanto, de pasar a ocupar el sitio de los antiguos símbolos de elevación al Cielo. Y puesto que la Redención se extiende a la humanidad entera, la Cruz había de situarse en el Centro del Mundo, para santificar el Universo entero.

En cuanto al bautismo, los Padres subrayan de forma cada vez más plástica su función iniciática acumulando imágenes de muerte y resurrección. La piscina bautismal será comparada a la vez al sepulcro y a la matriz: sepulcro donde el catecúmeno entierra su vida terrestre, y matriz donde será engendrado para la vida eterna [40]. La identificación de la vida prenatal con la inmersión en el agua bautismal así como con la muerte iniciática, aparece claramente manifiesta en una liturgia siria: «Así, oh Padre, Jesús vivió, aunque por voluntad tuya y por voluntad del Espíritu Santo, en tres mansiones terrestres: en la matriz de la carne, en la matriz del agua bautismal y en las oscuras cavernas del mundo subterráneo» [41]. En esta ocasión, podríamos decir, hay un intento por reconsagrar un tema iniciático arcaico al vincularlo directamente a la vida y muerte de Jesús.

Pero a partir del siglo III y sobre todo después del IV, las imitaciones del lenguaje y de la simbología de los Misterios se hacen frecuentes. Ya con la asimilación del lenguaje filosófico griego los motivos iniciáticos del platonismo habían penetrado en los escritos de los Padres. Al dirigirse a los paganos, Clemente de Alejandría utiliza el lenguaje de los Misterios: «¡Oh misterios ciertamente santos! ¡Oh luz pura! Las antorchas me alumbran para

---

[39] Véanse las referencias a los textos patrísticos en nuestro libro *Images et Symboles* (París, 1952), p. 213 ss., y H. RAHNER, *op. cit.*, p. 380 ss.

[40] *Cf.* referencias en H. RAHNER, *op. cit.*, p. 392, n. 20.

[41] JACOB DE SARUG, *Consécration de l'eau baptismale*, citado por H. RAHNER, p. 395.

contemplar los cielos y a Dios, me hago santo mediante la iniciación» [42].

En el siglo IV el advenimiento de la *arcana disciplina* será completo; en otros términos, la idea de que los misterios cristianos hayan de ser cuidadosamente ocultados a los no iniciados terminará triunfando. Como escribe el Padre Hugo Rahner, «los misterios del bautismo y del altar del sacrificio se rodearon de un ritual de reverencia y de secreto, y pronto el iconostasio ocultó el santo de los santos a las miradas de los no iniciados: se convirtieron en "misterios que hacen estremecerse de reverencia al hombre". "Esto se da a conocer a los iniciados", era fórmula corriente en todas los homilías griegas, y un autor tan reciente como el pseudo-Areopagita advierte al iniciado cristiano que ha experimentado la mistagogia divina: "Cuida de no divulgar de manera sacrílega los misterios más santos de todos los misterios. Sé prudente y honra el secreto divino..., guárdalo al abrigo de todo contacto, de toda mancha profana; no comuniques las santas verdades sino de modo santo a hombres santos por medio de una santa iluminación"» [43].

Se trata, en suma, de una sublimación de los temas iniciáticos de los Misterios. Este proceso pudo tener lugar porque formaba parte de un movimiento considerablemente más amplio: «la cristianización» de las tradiciones religiosas y culturales del mundo antiguo. Como se sabe, el cristianismo triunfante terminó por apropiarse no sólo la filosofía griega, lo esencial de las instituciones jurídicas romanas y la ideología oriental del Soberano-Cosmócrata, sino también toda la herencia inmemorial de los dioses y de los héroes, de los ritos y costumbres populares, sobre todo los cultos a los muertos y los ceremoniales de fertilidad. Dicha asimilación masiva se debía a la dialéctica misma del cristianismo. En cuanto religión universalista, el cristianismo se veía obligado a homologar todos los «provincialismos» religiosos y culturales de la *ecumene*, buscándoles un denominador común. Tamaña empresa de unificación no podía lle-

---

[42] *Protreptico*, XII, 119, 3; 120, 1 (trad. de Cl. Mondésert, página 189 [Sources Chrét. 2]).

[43] H. RAHNER, *op. cit.*, p. 365, citando a ANRICH, *Antike Mysterienreligionen und Urchristentum* (Münster, 1932), pp. 157, 158, y *Ecclesiastica hierarchia*, I, 1 (PG, III, 372 A, traducción francesa M. de Gandillac).

varse a efecto más que traduciendo a términos cristianos todas aquellas formas, figuras y valores.

Tocante a nuestro estudio, es importante la constatación de que la filosofía neoplatónica, los temas iniciáticos y la simbología de los Misterios fueron los primeros valores aceptados por el cristianismo. Sin embargo, no se puede hablar de una incorporación del contenido mismo de los Misterios. El cristianismo sustituyó a los Misterios, como hiciera con las demás formas religiosas de la antigüedad. La «iniciación» cristiana no podía coexistir con las iniciaciones a los Misterios. De otro modo, esta religión que luchaba por conservar al menos la historicidad de Cristo, corría peligro de confundirse con las innumerables gnosis y religiones sincretistas. La intolerancia del cristianismo victorioso es la prueba más notoria de que ninguna confusión podía tener lugar con los Misterios helenísticos.

PERVIVENCIA DE LOS MOTIVOS INICIÁTICOS EN LA EUROPA CRISTIANA

El triunfo definitivo del cristianismo puso fin a los Misterios y a las gnosis iniciáticas. La regeneración espiritual que antes se buscaba en las iniciaciones a los Misterios se obtuvo en lo sucesivo por medio de los sacramentos cristianos. Pero ciertos motivos iniciáticos, más o menos cristianizados, sobrevivieron durante muchos siglos todavía. Nos encontramos ahí con un problema considerable, no suficientemente estudiado: la supervivencia y las sucesivas transformaciones de los esquemas iniciáticos en la Europa cristiana, desde el medievo hasta la edad moderna. No pudiendo abordar este problema en toda su amplitud, nos contentaremos con tocarlo por encima. Conviene precisar desde el comienzo en qué forma se conservaron en Europa los distintos tipos de iniciaciones que acabamos de estudiar: no siempre perduraron en cuanto ritos propiamente dichos, sino más que nada en forma de costumbres folklóricas, juegos y motivos literarios.

Las iniciaciones que, en general, lograron conservar su realidad ritual son las ceremonias de pubertad. En casi toda la Europa rural y hasta fines del siglo XIX, las ceremonias que marcaban el paso de una clase de edad a otra reproducían todavía ciertos temas típicos de las iniciaciones tradicionales de pubertad. La integración de los niños en el grupo de los «jóvenes» implicaba siempre un rito de entrada y cierto número de pruebas iniciáticas. Si bien el simbolismo de la muerte y resurrección había quedado prácticamente olvidado la mayoría de las veces, la estructura iniciática de las pruebas se conservó bastante bien. Puede igualmente observarse cómo la constitución iniciática de los *Männerbünde* de época precristiana se prolonga en las organizaciones de juventudes más o menos militares, en sus símbolos y tradiciones secretas, en sus ritos de entrada, sus danzas (por ejemplo, la danza de la espada, etc.) e incluso en sus atuendos [44]. Por otro lado, se vislumbra un antiguo tema iniciático en el ceremonial de las corporaciones de oficios, sobre todo en la Edad Media. El aprendiz debía pasar un determinado tiempo al lado del maestro. Entraba en contacto con los «secretos del oficio», las tradiciones de la corporación, el simbolismo del arte. El aprendizaje exigía cierto número de probaciones, y la promoción del novicio como miembro efectivo de la corporación venía acompañada del juramento de silencio. Rastros de antiguos esquemas iniciáticos pueden apreciarse todavía en los ritos específicos de albañiles y herreros, especialmente en Europa oriental [45].

Este puñado de ejemplos ilustra las distintas modalidades de supervivencia de los ritos iniciáticos en la Europa cristiana; pues, sea cual fuere su grado de desacralización, todas esas ceremonias se pueden considerar todavía como *ritos*: llevan consigo pruebas, una instrucción especial y, sobre todo, el secreto. Junto a este grupo de vestigios, hay que citar cierto número de costumbres populares, que provienen sin duda de rituales iniciáticos precristianos, pero cuyo sentido original se perdió con

---

[44] Se puede encontrar material de documentación en OTTO HÖFLER, *Kultische Geheimbünde der Germanen*, I (Frankfurt a. M., 1934); RICHARD WOLFRAM, *Schwerttanz und Männerbund* (Kassel, 1935); HANS MÉTRAUX, *Schweizer Jugendleben in fünf Jahrhunderten. Geschichte und Eigenart der Jugend und ihre Bünde im Gebiet der protestantischen deutschen Schweiz* (Aarau, 1942); ULRICH HELFENSTEIN, *Beiträge zur Problematik der Lebensalter in der mittleren Geschichte* (Zurich, 1952).

[45] *Cf.* nuestros libros *Comentarii la legenda Mesterului Manole* (Bucarest, 1943) y *Forgerons et Alchimistes* (París, 1956).

el transcurso del tiempo, habiendo sufrido además una fuerte presión eclesiástica en orden a su cristianización. Entre estas costumbres populares de traza mistérica destacan en primer lugar las mascaradas y las ceremonias dramáticas que acompañan a las fiestas cristianas de invierno, celebradas entre Navidad y Carnaval.

Pero también se dan casos en los que determinadas tradiciones iniciáticas se conservaron en círculos muy cerrados, llevando casi vida clandestina. La alquimia merece mención especial. Ya importante por haber conservado y transmitido las doctrinas herméticas de la antigüedad tardía, lo es igualmente por la función que desempeñó en la historia de la cultura occidental. Resulta significativo encontrar de nuevo en el *opus alchymicum* el viejo tema de la tortura, de la muerte y resurreción iniciáticas, mas esta vez aplicado a un plano de experiencia completamente distinto: la experimentación con sustancias minerales. Para transmutar la Materia, los alquimistas la tratan como se trataba a los Dioses —y, por consiguiente, al iniciado— en los Misterios helenísticos: las sustancias minerales «sufren», «mueren» y «renacen» a un modo distinto de ser, esto es, son transmutadas. Zósimo, uno de los más grandes alquimistas de la época helenística, narra una visión que tuvo en sueños: un personaje llamado Ion le revela cómo fue atravesado a espada, cortado en pedazos, decapitado, despellejado, quemado en el fuego, y cómo todo esto lo sufrió «para poder transformar su cuerpo en espíritu». Al despertar, se pregunta Zósimo si todo lo que ha visto en sueños no tendría relación con algún proceso alquímico [46].

En la tortura y despedazamiento de Ion se advierte fácilmente el esquema típico de las iniciaciones chamánicas. Pero ahora ya no es el novicio quien sufre la tortura iniciática, sino una sustancia mineral, y ello con el propósito de cambiar su modalidad, de transmutarla. A lo largo del *opus alchymicum* encontramos asimismo otros motivos iniciáticos: por ejemplo, la fase denominada *nigredo* corresponde a la «muerte» de las sustancias minerales, a su *dissolutio* o *putrefactio*, en una palabra, a su reducción a la *prima materia*. En algunos textos de alquimistas occidentales tardíos, la reducción

[46] M. Eliade, *Forgerons et Alchimistes*, p. 153.

de las sustancias a la *materia prima* se equipara a un *regressus ad uterum*. Todas esas fases del *opus alchymicum* parecen indicar no sólo las etapas de un largo proceso de transmutación de las sustancias minerales, sino también las experiencias íntimas del alquimista. Existe un sincronismo entre las operaciones alquímicas y las experiencias misteriosas del alquimista, que terminan efectuando su entera regeneración. Como dice Gichtel a propósito de la operación *albedo*: «Nosotros no recibimos únicamente una nueva Alma con esta regeneración, sino también un cuerpo nuevo...» [47].

Todo ello merecería ampliaciones y precisiones que no podemos llevar a cabo aquí. Invitamos al lector a referirse a nuestro libro *Herreros y Alquimistas*. Pero estas breves indicaciones se hacían necesarias para dejar en claro que la alquimia prolongó en Europa ciertos esquemas iniciáticos de estructura arcaica hasta los albores de los tiempos modernos. Más aún: los alquimistas utilizaron dichos procesos iniciáticos con el fin de realizar el sueño grandioso de la transmutación mineral, es decir, del «perfeccionamiento» de los metales por medio de la «espiritualización», por la transformación final en oro; pues el oro era el único metal «perfecto», el único que, a nivel de vida mineral, correspondía a la perfección divina. Desde una perspectiva cristiana, podríamos decir que los alquimistas trataban de «liberar» a la Naturaleza de las consecuencias de la caída; «salvándola» finalmente. Para esta ambiciosa empresa de soteriología cósmica, los alquimistas utilizaron el esquema clásico de toda iniciación tradicional: «muerte» y «resurrección» de las sustancias minerales, a fin de regenerarlas.

MOTIVOS INICIÁTICOS Y TEMAS LITERARIOS

Durante la Edad Media es probable que otros tipos de iniciación estuvieran en vigor en pequeños grupos cerrados. Se han encontrado símbolos y alusiones a ritos iniciáticos en el proceso a los Templarios u otros «herejes», e incluso en los procesos por brujería. Pero estas

---

[47] GICHTEL, *Theosophia Practica*, III, 13, 5, citado en *Forgerons et Alchimistes*, p. 164.

iniciaciones, en la medida en que realmente se practicaban, concernían a ambientes restringidos y se rodeaban del mayor sigilo. Es el momento, si no de la total desaparición de las iniciaciones, sí al menos de su ocultamiento casi definitivo. Circunstancia que confiere tanto mayor interés a la presencia de gran número de motivos iniciáticos en la literatura elaborada, desde el siglo XII, en torno a la *Matière de Bretagne*, sobre todo en las novelas protagonizadas por el rey Arturo, el Rey Pescador, Parsifal y otros héroes cuyo empeño era la Búsqueda del Grial. La mayoría de los investigadores parecen aceptar hoy el origen céltico de los motivos del ciclo arturiano. George Lymon Kittredge, Arthur Brawn, Roger Sherman Loomis [48] —para limitarnos a eruditos americanos— han probado abundantemente la continuidad entre los temas y las figuras de la mitología céltica —tal como todavía se puede apreciar en los relatos gálicos e irlandeses— y los temas y personajes arturianos. Pues bien, la mayoría de esos esquemas son iniciáticos: el asunto es siempre una larga y azarosa «Búsqueda» de objetos maravillosos que implica, entre otras cosas, el adentramiento del héroe en el otro mundo.

En qué medida este Ciclo de Bretaña conservaba no sólo restos de la mitología céltica, sino también el recuerdo de ritos reales, resulta difícil de dilucidar. En las reglas de admisión al grupo guerrero conducido por Arturo, se vislumbran ciertas pruebas de entrada a una sociedad secreta de tipo *Männerbund*. Pero en orden a nuestro estudio, lo significativo es la proliferación de símbolos y motivos iniciáticos en las novelas arturianas. En el castillo del Grial, Parsifal deberá pasar la noche en una capilla donde yace un caballero muerto; mientras el trueno retumba, ve una mano negra que apaga el único cirio encendido [49]. Modelo típico de vela nocturna iniciática. Las pruebas que han de afrontar los héroes son incontables: deben atravesar un puente hundido en el agua, o hecho de cortante espada, o custodiado por leones o monstruos. Además, a la entrada de

---

[48] De la inmensa literatura dedicada a este problema, destacaremos: G. L. KITTREDGE, *A Study of Sir Gawain and the Green Knight* (Cambridge, Harvard Univ. Press, 1963); R. S. LOOMIS, *Celtic Myth and Arthurian Legend* (Columbia Univ. Press, 1927).
[49] *Cf.* el análisis de JEAN MARX, *La Légende arthurienne et le Graal* (París, 1952), p. 281 ss.

los castillos vigilan autómatas, hadas, o demonios. Todo ello nos recuerda el paso al más allá, el descenso peligroso a los Infiernos; y tales viajes, cuando son seres vivos quienes los emprenden, forman siempre parte de una iniciación. Al asumir los riesgos de dicho viaje a los Infiernos, el héroe va tras la conquista de la inmortalidad o de otra meta igualmente extraordinaria. Las pruebas sin cuento que deben sufrir los personajes del ciclo arturiano se alinean en la misma categoría: al término de su Búsqueda, los héroes podrán curar la enfermedad del Rey, y, de este modo, regenerar al «Gaste Pays»; o incluso alcanzarán ellos mismos la Soberanía. Ahora bien, como se sabe, la Soberanía se halla generalmente vinculada a un ritual iniciático.

Toda esta literatura, cuajada de motivos y esquemas iniciáticos [50], es de inestimable valor para nuestro estudio por su masivo «éxito popular». El hecho de que se escucharan con deleite unas historias novelescas en que los tópicos iniciáticos se repetían a saciedad, demuestra, a nuestro modo de ver, que tales aventuras respondían a una necesidad profunda del hombre medieval. Los temas iniciáticos únicamente nutrían la imaginación, pero la vida imaginaria, como la onírica, es tan importante para la totalidad psíquica del ser humano como la vida diurna. Lindamos aquí con un problema que desborda la competencia del historiador de las religiones, pues por derecho pertenece al psicólogo. Pero es preciso tocarlo para ver en qué se convirtieron la mayor parte de los esquemas iniciáticos, una vez que hubieron perdido su realidad ritual; llegaron a ser lo que, por ejemplo, vemos en las novelas arturianas: «motivos literarios». Es decir, ahora decantan su mensaje espiritual en otro plano de la experiencia humana, dirigiéndose directamente a la imaginación.

Algo parecido ha ocurrido, y desde hace mucho tiempo, con los cuentos de hadas. Paul Saintyves había ya intentado demostrar que cierto tipo de cuentos de hadas son de estructura —y añadía él: de origen— iniciáticos. Otros folkloristas han repetido la misma tesis, y recientemente el germanista holandés Jan de Vries ha puesto

---

[50] ANTOINETTE FIERZ-MONNIER, *Initiation und Wandlung. Zur Geschichte des altfranzösischen Romans im XII. Jahrhundert* («Studiorum Romanorum», vol. V, Berna, 1951).

de relieve los elementos iniciáticos de las sagas y *Märchen*[51]. Cualquiera que sea la posición que se adopte en esta cuestión del origen y significación de los cuentos de hadas, parece innegable que las pruebas y aventuras de los héroes y heroínas son casi siempre traducibles a términos iniciáticos. Ahora bien, hay algo que nos parece de importancia capital: desde los tiempos —difíciles de precisar— en que los cuentos de hadas se constituyeron como tales, los hombres, tanto los primitivos como los civilizados, los escucharon con una avidez insaciable. Esto equivale a decir que los esquemas iniciáticos —incluso camuflados como están en los cuentos— son la expresión de un psicodrama que responde a una necesidad profunda del ser humano. Todo hombre desea conocer ciertas situaciones peligrosas, afrontar pruebas excepcionales, aventurarse en el «otro mundo»; y todo esto lo puede experimentar en el plano de la vida imaginaria, escuchando o leyendo cuentos de hadas, o —en el plano de su vida onírica— en sueños.

Otro movimiento en apariencia principalmente «literario», pero que sin duda entrañaba una organización iniciática, es el de los *Fedeli d'Amore*[52]. En el siglo XIII consta que existieron representantes de este movimiento, tanto en Provenza e Italia como en Francia y Bélgica. Los *Fedeli d'Amore* constituían una milicia secreta y espiritual; tenían por finalidad el culto a la «Mujer única» y la iniciación al misterio del «amor». Todos utilizan un «lenguaje oculto» *(parlar cruz)*, para que su doctrina no fuera accesible a «la gente grossa», como dice uno de los más ilustres *Fedeli*, Francesco da Barberino (1264-1348). Otro *fedele d'amore*, Jacques de Baisieux, en su poema *C'est des fiez d'Amours*, ordena «que no se revelen los consejos de Amor, sino que se oculten con

---

[51] P. SAINTYVES, *Les Contes de Perrault et les récits parallèles* (París, 1923); JAN DE VRIES, *Betrachtungen zum Märchen, besonders in seine Verhältnis zu Heldensage und Mythos* (FF Comm. N. 150, Helsinki, 1954). *Cf.* también HEDWIG VON BEIT, *Symbolik des Märchens. Versuch einer Deutung*, I (Berna, 1952), para una interpretación de los temas iniciáticos en términos de la psicología de C. G. Jung.

[52] *Cf.* LUIGI VALLI, *Il linguaggio segreto di Dante e dei Fedeli d'Amore* (Roma, 1928); R. RICOLFI, *Studi sui «Fedeli d'Amore»*, vol. I (Milán, 1933).

todo cuidado»[53]. La iniciación por el Amor era de orden espiritual; esto viene afirmado por el propio Jacques de Baisieux al interpretar el significado de la palabra «Amor»:

> «*A* senefie en sa partie
> *Sans*, et *mor* senefie *mort;*
> Or l'assemblons, s'aurons *sans mort*»[54].

La «mujer» simboliza el intelecto transcendente, la Sabiduría. El Amor a una mujer despierta al adepto del letargo en el que había caído el mundo cristiano por culpa de la indignidad espiritual del Papa. Efectivamente, en los textos de los *Fedeli d'Amore* encontramos alusiones a una «viuda que no es viuda»: es la *Madonna Intelligenza*, que se quedó viuda porque su esposo, el Papa, murió a la vida espiritual al dedicarse exclusivamente a los asuntos temporales.

No se trata de un movimiento herético propiamente dicho, sino de un grupo que no otorgaba a los papas la prerrogativa de jefes espirituales de la cristiandad. Nada sabemos de sus ritos iniciáticos, pero debían existir, porque los *Fedeli d'Amore* constituían una milicia y tenían reuniones secretas. Pero los *Fedeli d'Amore* son importantes más que nada porque ilustran un fenómeno que se perfilará más tarde: la comunicación de un mensaje espiritual secreto mediante la «literatura». Dante es el más célebre ejemplo de esta tendencia —anticipo ya del mundo moderno— que considera el arte, sobre todo la literatura, como medio ejemplar para comunicar una teología, una metafísica e incluso una soteriología.

Estas breves observaciones nos ayudan a comprender en qué han venido a convertirse los elementos constitutivos de la iniciación en el mundo moderno, y con el término de «mundo moderno» designamos las distintas categorías de individuos que no tienen ya experiencias religiosas propiamente dichas, llevando una vida de-sacralizada en un mundo de-sacralizado. Una consideración atenta de sus actitudes, creencias e ideales, podría des-

---

[53]   «D'Amur ne doivent reveler.
          Les consiaus, mais très bien celer...»
   (*C'est des fiez d'Amours*, versos 499-500, citado por RICOLFI, *op. cit.*, pp. 68-69.)
[54]   Citado por RICOLFI, p. 63.

cubrir toda una mitología camuflada, y retazos de una religión olvidada o degradada. Lo cual no es de extrañar, puesto que el hombre ha tomado conciencia de su particular modo de ser en cuanto *homo religiosus*. Quiéralo o no, el hombre arreligioso de los tiempos modernos prolonga las actitudes, creencias y lenguaje del *homo religiosus*, desacralizándolos, vaciándolos de su significado original. Podríamos demostrar, por ejemplo, cómo las festividades y las diversiones de una sociedad arreligiosa, o que se tiene por tal, las ceremonias públicas, los espectáculos, las competiciones deportivas, las organizaciones juveniles, la propaganda por medio de imágenes y «slogans», la literatura de amplio consumo popular, todo ello conserva todavía la estructura de los símbolos, de los ritos y de los mitos, si bien desprovistos de contenido religioso [55]. Más aún: la actividad imaginaria y la experiencia onírica del hombre moderno siguen estando impregnadas de símbolos, figuras y temas religiosos. Como algunos psicólogos gustan de repetir: el inconsciente es religioso [56]. En cierto modo podríamos decir que, en el hombre de las sociedades desacralizadas, la religión se ha hecho «inconsciente»; yace enterrada en las capas más hondas del ser; pero ello no quiere decir que no continúe desempeñando una función esencial en la economía de la psique.

Por lo que se refiere a los elementos iniciáticos, todavía transparecen, junto a otras estructuras de la experiencia religiosa, en la vida imaginaria y onírica del hombre moderno. Pero también se dejan entrever en ciertos tipos de pruebas *reales* que afronta el hombre actual en las crisis espirituales, en la soledad y en la desesperación por la que todo ser humano ha de atravesar para acceder a una vida responsable, auténtica y

---

[55] Véase nuestro artículo «Les mythes du monde moderne», en *Mythes, rêves et mystères*, pp. 17-36.

[56] Se podría incluso considerar el psicoanálisis como una forma degradada de iniciación, es decir, una iniciación accesible a un mundo desacralizado. Se trasluce todavía el esquema iniciático: el «descenso» a los profundidades de la psique, pobladas de «monstruos», equivale a un *descensus ad inferos;* el peligro real que tal «descenso» entraña podría equipararse a las pruebas típicas de las sociedades tradicionales, etc. El resultado de un análisis acertado es la integración de la personalidad, proceso psíquico que no deja de tener semejanza con la transformación espiritual operada por las iniciaciones auténticas.

creadora. Y aun cuando el carácter iniciático de las pruebas no se aprecia como tal, no por ello deja de ser verdad que el hombre únicamente llega a ser él mismo tras resolver una serie de situaciones desesperadamente difíciles, y hasta peligrosas; esto es, tras haber sufrido las «torturas» y la «muerte», a las que se sigue el despertar a otra vida, cualitativamente distinta al estar «regenerada». Mirándolo bien, toda vida humana se halla constituida por una serie de pruebas, de «muertes» y de «resurrecciones». Verdad es que, en el caso del hombre moderno, la «iniciación» no ejerce ya una función ontológica, al no intervenir una experiencia religiosa plena y conscientemente asumida; no pone ya en juego la transformación radical del candidato, ni su salvación. Los esquemas iniciáticos sólo funcionan en el plano vital y psicológico. Pero no por ello han dejado de ejercer su función, y esto era el motivo por el que decíamos que el proceso de iniciación parece acompañar a toda condición humana.

Algunas observaciones finales

Llegados al término de nuestro estudio, echemos una ojeada al camino recorrido. Como se ha podido ver, los distintos tipos de iniciación pueden clasificarse en dos categorías importantes: 1) ritos de pubertad, gracias a los cuales los jóvenes tienen acceso a lo sagrado, al conocimiento y a la sexualidad, en una palabra, se hacen verdaderamente *seres humanos;* 2) iniciaciones especializadas, que algunos individuos emprenden con el fin de transcender la condición humana y llegar a ser los protegidos de los Seres sobrenaturales o incluso sus semejantes. Veíamos igualmente que, aun cuando dispone de ciertos rituales que le están en cierto modo reservados, esta segunda categoría de iniciaciones utiliza la mayoría de las veces los temas propios de los ritos de pubertad.

Al no poder presentar aquí la distribución geográfica [57] de ambas categorías de iniciación, ni esbozar sus respectivas historias, nos contentaremos con pasar re-

---

[57] *Cf.* H. Webster, *Primitive Secret Societies*, p. 191 ss.

vista a algunas conclusiones que se desprenden de nuestro trabajo.

1) Aun cuando los ritos de pubertad de los primitivos se hallan generalmente asociados al rombo (bramadera) y a la circuncisión, *no siempre ocurre así*. De ahí que podamos concluir que la iniciación constituye un fenómeno autónomo y *sui generis*, que puede darse —y de hecho se da— sin mutilaciones corporales ni ritos dramáticos con los que la iniciación se encuentra generalmente asociada.

2) Las iniciaciones de pubertad están enormemente difundidas entre los pueblos más arcaicos: australianos, fueguinos, californianos, bosquimanos, hotentotes, etc. Hay, no obstante, sociedades primitivas en que, al parecer, no existen ritos de pubertad, o éstos son muy rudimentarios; tales, por ejemplo, algunas sociedades árticas y norasiáticas. Pero la vida religiosa de estas poblaciones se halla dominada por el chamanismo, y, como ya hemos visto, el que llega a ser chamán ha de seguir el camino de una larga y a veces dramática iniciación. Del mismo modo, aun cuando actualmente los ritos de pubertad casi han desaparecido en Polinesia, las sociedades secretas son florecientes en esa región; y tales sociedades utilizan siempre esquemas iniciáticos. De ahí se sigue que, de uno u otro modo, los ritos iniciáticos se hallan universalmente difundidos en el mundo primitivo, ya en forma de ceremonias de pubertad, ya como ritos de entrada a los *Männerbünde*, o bien, finalmente, como pruebas iniciáticas indispensables para la realización de una vocación mística.

3) A los ojos de quienes las practican, las iniciaciones se tienen como revelaciones de los Seres divinos o sobrenaturales. La ceremonia iniciática es, pues, una *imitatio dei;* con su celebración, reviven el Tiempo sagrado primordial y los neófitos entran a participar, junto con la masa de los iniciados, en la presencia de los Dioses o de los Antepasados míticos. La iniciación es, efectivamente, una recapitulación de la historia sagrada del Mundo y de la tribu. Con motivo de ella, la sociedad entera se sumerge nuevamente en los Tiempos míticos del origen para volver a salir regenerada.

4) Los esquemas iniciáticos difieren notablemente: bastará comparar la simplicidad de la iniciación de los kurnai con ceremonias similares australianas o melane-

213

sias. Ciertos tipos de iniciación de pubertad se encuentran orgánicamente vinculados a determinadas culturas; hemos visto la conexión estructural entre tal o cual motivo iniciático y las sociedades de cazadores o agricultores. Como cualquier otro hecho cultural, el fenómeno de la iniciación es también un hecho histórico. En otros términos, las expresiones concretas de la iniciación están en relación, tanto con la estructura de la sociedad respectiva como con su historia. Por otra parte, la iniciación implica una experiencia existencial: la experiencia de la muerte ritual y la revelación de lo sagrado, lo cual significa que presenta una dimensión metacultural y trans-histórica. Por esto es por lo que los mismos temas iniciáticos siguen operantes en sociedades culturalmente heterogéneas. Ciertos esquemas de los Misterios greco-orientales están ya en culturas tan primitivas como las de los australianos o las de los africanos.

5) Para comodidad del lector, recordemos aquí los temas y motivos iniciáticos más frecuentes y de mayor difusión: *a*) el tema más sencillo, que únicamente comprende la separación del neófito de su madre y su introducción en lo sagrado; *b*) el tema más dramático, que incluye circuncisión, pruebas, torturas, es decir, muerte simbólica seguida de resurrección; *c*) el ritual en que la idea de muerte viene sustituida por una segunda gestación acompañada de nuevo nacimiento; en él, la iniciación se expresa sobre todo en términos embriológicos y ginecológicos; *d*) el esquema cuyo elemento esencial es el retiro individual en la selva y la búsqueda de un espíritu protector; *e*) el cuadro típico de las iniciaciones heroicas, en las que el acento se coloca en la victoria lograda por medios mágicos (metamorfosis en fiera salvaje, «furor», etc.); *f*) el modelo propio de las iniciaciones de chamanes y otros especialistas de lo sagrado, que comprende un descenso a los Infiernos, así como una ascensión a los Cielos (temas esenciales: despedazamiento del cuerpo y renovación de las vísceras; subida a los árboles); *g*) el motivo que podríamos llamar «paradójico», ya que se trata principalmente de pruebas inconcebibles a nivel de experiencia humana (pruebas del tipo de las symplegades). Si bien es verdad que tales pruebas-symplegades intervienen de algún modo en todos los patrones o modelos precedentes (menos el primero), po-

demos, no obstante, seguir hablando de un tema «paradójico» por su peculiaridad dentro del conjunto ritual, y por el hecho de desempeñar, como símbolo, una importante función en los mitos y folklores: especialmente la de poner de manifiesto las estructuras de la realidad última y del Espíritu.

6) Como hemos visto, varios esquemas iniciáticos pueden coexistir en una misma cultura. Tal pluralidad puede explicarse históricamente por las sucesivas influencias que a lo largo del tiempo se fueron ejerciendo sobre la cultura respectiva. Pero además es preciso tener en cuenta el carácter metacultural de la iniciación: encontramos los mismos motivos iniciáticos en los sueños y en la vida imaginaria, tanto del hombre moderno como del primitivo. Digámoslo una vez más, se trata de una experiencia existencial constitutiva de la condición humana. Por eso existe siempre la posibilidad de reanimar esquemas arcaicos de iniciación en sociedades de alto grado de evolución.

7) No se puede decir que haya «revolución» cuando se trata de pasar de un tema iniciático a otro, ni que un tema se derive genéticamente del anterior, ni que tal otro sea superior a los demás. Cada uno representa una creación que se basta a sí misma. Con todo, conviene advertir lo siguiente: la intensidad dramática de los esquemas iniciáticos aumenta en las culturas de mayor complejidad; es en este tipo de culturas donde hacen su aparición los rituales elaborados, las máscaras, las pruebas crueles y aterradoras. Todas estas innovaciones tienen por objeto hacer más patética la experiencia de la muerte ritual.

8) Ya en las culturas arcaicas la muerte iniciática viene justificada por un rito de origen que puede resumirse como sigue: un Ser sobrenatural se habría propuesto «renovar» a los hombres, matándolos primero para resucitarlos luego «cambiados»; por el motivo que fuere, los hombres habrían dado muerte a este Ser sobrenatural, pero luego celebran ritos secretos en torno a este drama; más exactamente, la muerte violenta del Ser sobrenatural se convirtió en el Misterio central, que se reactualiza con ocasión de cada nueva iniciación. La muerte iniciática es, pues, repetición de la muerte del Ser sobrenatural, fundador del Misterio. Desde el momento en que, durante la iniciación, se *repite* el drama

primordial, se *reproduce* asimismo el destino del Ser sobrenatural: su muerte violenta. Merced a la anticipación ritual, la muerte queda, a su vez, santificada, cargada de valor religioso —valorizada en cuanto momento esencial de la existencia del Ser sobrenatural—. Muriendo ritualmente, el iniciado participa de la condición sobrenatural del Fundador del Misterio. Gracias a esta valorización, muerte e iniciación se harán intercambiables; lo cual equivale a decir que, en definitiva, la muerte concreta terminará siendo asimilada a un rito de paso a una condición superior.

La muerte iniciática se convierte en la condición *sine qua non* de toda regeneración espiritual y, en suma, de la supervivencia del alma e incluso de la inmortalidad. Precisamente, una de las consecuencias más importantes que los ritos e ideologías iniciáticas tuvieron en la historia de la humanidad, fue la de que esta valorización religiosa de la muerte ritual condujera finalmente a la victoria sobre el miedo a la muerte real, a la creencia en la posibilidad de una supervivencia puramente espiritual del ser humano.

No hemos de perder de vista que la muerte iniciática significa a un tiempo el fin del hombre «natural», no cultural, y el paso a una nueva modalidad de vida: la de un ser «nacido para el espíritu», esto es, que no vive tan sólo en una realidad «inmediata». La muerte iniciática se integra por tanto en el proceso místico mediante el cual el hombre se convierte en *otro*, conformado según el modelo revelado por los dioses o por los antepasados míticos. Lo cual equivale a decir que uno se hace *verdaderamente hombre* en la medida en que deja de ser hombre «natural» para asemejarse a un Ser sobrehumano. El interés de la iniciación, para entender la mentalidad arcaica, reside sobre todo en lo siguiente: hacernos ver que el *hombre verdadero* —el hombre espiritual— no viene dado, no es el resultado de un proceso natural. Le «hacen» los viejos maestros, según los modelos revelados por los Seres divinos y conservados en los mitos. Estos viejos maestros constituyen la élite espiritual de las sociedades arcaicas. *Ellos saben*, conocen el mundo del espíritu, el mundo verdaderamente humano. Su función es revelar a las nuevas generaciones el sentido hondo de la vida, ayudándoles a asumir la responsabilidad de ser un «hombre auténtico», y, por

216

consiguiente, de tomar parte en la cultura. Mas, para las sociedades arcaicas, la «cultura» es la suma de los valores recibidos de los Seres sobrenaturales, y, por consiguiente, la función de la iniciación viene a reducirse a lo siguiente: revelar a cada nueva generación un mundo abierto a lo transhumano, un mundo —diríamos— transcendente.

EPÍLOGO

Como antes dijimos, el mundo moderno no conoce ya iniciaciones de tipo tradicional. Ciertos temas iniciáticos perviven aún en el cristianismo, pero las distintas confesiones cristianas no les otorgan ya valor de «iniciación». Los rituales, la simbología y el vocabulario tomados de los Misterios de época tardía, si bien se conservaron a través de las diversas confesiones cristianas, perdieron su aura iniciática: desde hace quince siglos forman parte del bagaje simbólico y del ceremonial de la Iglesia.

No quiere esto decir que no hayan existido, y que no existan, grupos reducidos que trataran de «reavivar» el sentido «esotérico» de las instituciones de la Iglesia católica. El caso de J. K. Huysmans es el más conocido, pero no es el único. Sus tentativas apenas tuvieron resonancia, fuera de algunos círculos de escritores y ocultistas «amateurs». Cierto que, desde hace unos treinta años, las autoridades católicas manifiestan gran interés por las imágenes, símbolos y mitos; pero ello se debe más que nada al renacimiento del movimiento litúrgico, al redescubrimiento de la patrología griega y a la creciente importancia que se concede a la experiencia mística. Ninguna de esas corrientes ideológicas ha sido suscitada por un grupo «esotérico». Al contrario, se aprecia en la Iglesia católica el mismo deseo de vivir en la historia y de preparar a sus fieles para hacer frente a los problemas de la actualidad histórica, que se observa en las Iglesias reformadas. Si gran número de sacerdotes católicos se interesan hoy día mucho más que hace treinta años por el estudio de los símbolos, no lo hacen en el sentido en que lo entienden Huysmans y su grupo, sino para mejor comprender las dificultades y crisis de sus fieles. Por esta misma razón los sacerdotes de las distintas confesiones cristianas estudian y aplican cada vez más el psicoanálisis.

Cierto es que existe hoy día un número considerable de sectas ocultas, sociedades secretas, agrupaciones pseudoiniciáticas, movimientos herméticos, neoespiritualistas, etcétera. La sociedad teosófica, la antroposofía, el neovedantismo o el neobudismo, no son sino las más conocidas expresiones de un fenómeno cultural acreditado prácticamente por todo el mundo occidental. Este fenómeno no es nuevo. El interés por el ocultismo, así como la tendencia a agruparse en sociedades secretas más o menos iniciáticas, hace su aparición en Europa ya en el siglo xvi, para alcanzar su punto culminante en el xviii. El único movimiento secreto que presenta cierta coherencia ideológica, que posee ya una historia y que goza de prestigio social y político, es la masonería. Las demás organizaciones con pretensiones iniciáticas son, en su mayor parte, improvisaciones recientes e híbridas. Su interés es más que nada de orden sociológico y psicológico: ilustran la desorientación de una parte del mundo moderno, el anhelo de hallar un sustituto a la fe religiosa. Ilustran asimismo la irreductible atracción por los «misterios», por lo oculto, por el más allá, que forma parte del ser humano, y que puede comprobarse en todas las épocas y a todos los niveles de cultura, sobre todo en tiempo de crisis.

No todas las organizaciones secretas y esotéricas del mundo moderno presentan rituales de entrada o ceremonias iniciáticas. La «iniciación» se reduce, la mayoría de las veces, a una instrucción libresca. (El número de libros y revistas «iniciáticas» que se publican en el mundo es impresionante.) Por lo que se refiere a las agrupaciones ocultas que practican alguna iniciación, lo poco que sabemos es que se trata de «ritos» inventados o inspirados por ciertos libros que pasan por ser custodios de las iniciaciones de la antigüedad. Los rituales llamados «iniciáticos» denotan con frecuencia una deplorable pobreza espiritual. Si los adeptos han podido ver en ellos un medio infalible para alcanzar la gnosis suprema, ello demuestra hasta qué punto el hombre moderno ha perdido el sentido de la iniciación tradicional. Pero el éxito de tales intentos demuestra al mismo tiempo la necesidad profunda de ser «iniciado», es decir, de regenerarse, de tomar parte en la vida del espíritu. En cierto modo, las sectas y agrupaciones pseudoiniciáticas ejercen una función positiva, ya que ayudan al hombre moderno a encontrar un sentido espiritual a su vida drásticamente desacralizada. Un psicólogo diría incluso que la extravagante inautenticidad de estos pseudo-ritos iniciáticos importa poco; lo que cuenta es que la psique profunda de quienes en ellos toman parte vuelva a recuperar, gracias a los «ritos», un cierto equilibrio.

La mayor parte de estos grupos pseudo-ocultos son de una irremediable esterilidad. Ninguna creación cultural de importancia puede anotarse en su haber. Por el contrario, las escasas obras modernas en que se traslucen temas iniciáticos —por ejemplo: el *Ulysses* de James Joyce, *The Waste Land* de T. S. Elliot— son creaciones de escritores y artistas que no se consideran «iniciados» ni pertenecen a ningún círculo oculto.

De este modo volvemos al problema que ya antes apuntábamos: los temas iniciáticos viven sobre todo en el inconsciente del hombre moderno. Esto viene confirmado por el simbolismo iniciático de ciertas creaciones artísticas —poesías, novelas, obras plásticas, el cine actual—, pero también por su resonancia en el público. Tal adhesión masiva y espontánea demuestra, a nuestro juicio, que en lo profundo de su ser el hombre moderno es sensible todavía a esquemas o mensajes «iniciáticos». Incluso en el vocabulario que se utiliza para interpretar dichas obras se aprecian motivos iniciáticos. Dícese que tal o cual libro, o tal o cual película descubre de nuevo los mitos y las pruebas del Héroe en busca de la Inmortalidad, que toca el misterio de la redención del Mundo, que revela los secretos de la regeneración por medio de la Mujer o del Amor, etc.

No es de extrañar que los críticos se vean cada vez más atraídos por las implicaciones religiosas, y muy particularmente por el simbolismo «iniciático», de las obras literarias modernas. La literatura desempeña un papel considerable en las civilizaciones occidentales contemporáneas. La lectura en sí misma, como «distracción» y medio de evasión de la actualidad histórica, constituye una de las características del hombre moderno. Resulta, pues, natural que éste trate de satisfacer sus necesidades religiosas, inhibidas o insuficientemente satisfechas, mediante la lectura de ciertos libros en apariencia «seculares», pero que de hecho contienen Figuras mitológicas camufladas en personajes contemporáneos, y que presentan esquemas iniciáticos bajo la apariencia de aventuras cotidianas.

La autenticidad de este deseo semiconsciente o inconsciente de tomar parte en las «pruebas» que regeneran a un Héroe y finalmente le «salvan», viene demostrado, entre otras cosas, por la presencia de temas iniciáticos en los sueños y en la actividad imaginaria del hombre moderno. C. G. Jung ha hecho hincapié en el hecho de que el proceso que él llama de individuación y que, según él, constituye la meta última de la vida humana, se realiza a través de una serie de «pruebas» de tipo iniciático.

Como queda dicho, la «iniciación» se da en toda vida humana auténtica. Por dos razones: de un lado, porque toda vida humana auténtica lleva consigo crisis de profundidad, pruebas, angustia, pérdida y reconquista del propio yo, «muerte y resurrección»; de otro lado, porque sea cual sea su plenitud, toda existencia se revela, en determinado momento, como una existencia malograda. No se trata de un juicio moral acerca del pasado, sino de un sentimiento confuso de haber malogrado la vocación, de haber traicionado lo mejor de uno mismo. En tales momentos de crisis total, sólo una esperanza parece capaz de salvar: la esperanza de poder empezar de nuevo la vida. Quiere esto decir, en suma, que soñamos con una nueva existencia, regenerada, pletórica y significativa. No es el deseo oscuro, oculto en el fondo de toda alma humana, de renovarse periódicamente, según el modelo de la renovación cósmica. Lo que en esos momentos de crisis total se sueña y espera es lograr una renovación definitiva y total, una *renovatio* que pueda transmutar la existencia. Una *renovatio* de esta naturaleza será el resultado de toda conversión religiosa auténtica.

Pero las conversiones auténticas y definitivas son un tanto escasas en las sociedades modernas. Tanto más significativo nos parece por ello el hecho de que hombres arreligiosos sientan a veces, en lo más hondo de su ser, el deseo de esta transmutación espiritual, que, en otras culturas, constituye la meta misma de las iniciaciones. No nos toca a nosotros juzgar hasta qué grado cumplían sus promesas las iniciaciones tradicionales. Lo importante es que proclamaban la intención, y reivindicaban el poder de transmutar la existencia humana. La nostalgia de una *renovatio* iniciática, que esporádicamente surge de lo más recóndito del hombre moderno arreligioso, nos parece por lo dicho profundamente significativa: sería, en definitiva, la expresión moderna de la eterna nostalgia del hombre por encontrarle un sentido positivo a la muerte, por aceptar la muerte como un rito de paso a un modo superior de ser. Si cabe decir que la iniciación constituye una dimensión distintiva de la existencia humana, ello se debe sobre todo a que sólo la iniciación confiere a la muerte una función positiva: preparar el «nuevo nacimiento», puramente espiritual, el acceso a un modo de ser sustraído a la acción devastadora del Tiempo.

I N D I C E

PRÓLOGO   7
INTRODUCCIÓN   9

CAPÍTULO PRIMERO

RITOS DE PUBERTAD E INICIACIONES TRIBALES
EN LAS RELIGIONES PRIMITIVAS

Notas preliminares   17
Iniciaciones australianas: el terreno o «campo» sagrado ...   20
Separación de la madre   25
El «jeraeil» de los Kurnai   28
Daramulun y la iniciación entre los Yuin   30
Simbolismo de la muerte iniciática   33
Significación de las pruebas iniciáticas   35
Iniciación y regeneración colectiva   41

CAPÍTULO II

RITOS DE PUBERTAD E INICIACIONES TRIBALES
EN LAS RELIGIONES PRIMITIVAS
(CONTINUACIÓN)

Pruebas iniciáticas: la bramadera y la circunscisión   45
Simbolismo de la subincisión   51
La iniciación en Tierra del Fuego   56
Cuadro de la muerte iniciática   60

Engullidos por un monstruo   66
Grados de revelación   70

Capítulo III

DE LOS RITOS DE PUBERTAD A LOS CULTOS SECRETOS

Iniciación de las jóvenes   75
Grados en las iniciaciones femeninas   80
Kunapipi   84
Simbolismos iniciáticos del «regressus ad uterum»   89
Simbolismos del nuevo nacimiento en las iniciaciones de
   la India   91
Plurivalencia del simbolismo embriológico   97

Capítulo IV

INICIACIONES INDIVIDUALES Y SOCIEDADES SECRETAS

Descenso a los infiernos e iniciaciones heroicas   103
Simbolismo iniciático de las symplegades   108
Iniciaciones individuales: América del Norte   111
Sociedades de Danza Kwakiutl   114
Sociedad secreta y Männerbund   119
Ascensión ritual a los árboles entre los indios americanos ...   127
Sociedades secretas femeninas   133
Antagonismo y atracción recíproca   136

Capítulo V

INICIACIONES MILITARES E INICIACIONES CHAMANICAS

Convertirse en berserkr   141
Iniciación de Cuchulainn   147
Simbolismo del calor mágico   150
Iniciaciones chamánicas   152
Pruebas iniciáticas de los chamanes siberianos   156
Ritos de iniciación   161
Técnicas de éxtasis   164
Iniciaciones de los Hombres-medicina australianos   166
Influencias de las culturas superiores   171

Capítulo VI

TEMAS INICIATICOS EN LAS GRANDES RELIGIONES

La India   178
Huellas de ritos de pubertad en la Grecia antigua   184
Eleusis y los misterios helenísticos   187
Cristianismo e iniciación   195
Pervivencia de los motivos iniciáticos en la Europa cris-
     tiana   203
Motivos iniciáticos y temas literarios   206
Algunas observaciones finales   212
Epílogo   217

ESTE LIBRO SE TERMINÓ DE IMPRIMIR EN LOS
TALLERES GRÁFICOS DE UNIGRAF, S. A., EN
FUENLABRADA (MADRID) EN EL MES DE
OCTUBRE DE 1984

OTROS TÍTULOS DE LA COLECCIÓN
ENSAYISTAS

1. Mircea Eliade: **Imágenes y símbolos.**
8. José Luis Aranguren: **Crítica y meditación.**
39. Theodor Viehweg: **Tópica y jurisprudencia.**
44. Theodor W. Adorno y Max Horkheimer: **Sociologica.**
45. Víctor Kraft: **El Círculo de Viena.**
47. Jean Duvignaud: **El actor. Para una sociología del comediante.**
48. Bertrand Russell: **Lógica y conocimiento.**
50. Edgar Wind: **Arte y anarquía.**
51. Jean Paris: **El espacio y la mirada.**
58. Antoine Vergote: **Psicología religiosa.**
61. Theodor W. Adorno: **Tres estudios sobre Hegel.**
62. Bertrand Russell: **Anádisis de la materia.**
63. Paul Ricoeur: **Finitud y culpabilidad.**
64. José Luis L. Aranguren: **Memorias y esperanzas españolas.**
71. Maurice Merleau-Ponty: **La prosa del mundo.**
73. Aranguren, Bataillon, Gilman, Laín, Lapesa y otros: **Estudios sobre la obra de Américo Castro.**
74. Carlos Moya: **Teoría sociológica: una introducción crítica.**
75. Eugenio Trías: **La dispersión.**
76. Alexander Mitscherlich: **La idea de la paz y la agresividad humana.**
79. Elías Díaz: **Sociología y Filosofía del Derecho.**
81. George Edward Moore: **Defensa del sentido común.**
83. E. M. Cioran: **Breviario de podredumbre.**
84. Georges Bataille: **Sobre Nietzsche.**
85. Fernando Savater: **La filosofía tachada,** precedido de **Nihilismo y acción.**
86. Gustavo Bueno: **Ensayos materialistas.**
87. Joseph Lortz: **Historia de la Reforma.** 2 vols.
89. Varios: **Presentación del lenguaje.** (Compilación de Francisco Gracia.)
90. Emmanuel Mounier: **Manifiesto al servicio del personalismo.**
91. Walter Benjamin: **Discursos interrumpidos.**
92. Georges Bataille: **La experiencia interior.**
93. E. Trías, F. Savater y otros: **En favor de Nietzsche.**
94. Kostas Axelos: **Hacia una ética problemática.**
95. José Luis L. Aranguren: **Moralidades de hoy y de mañana.**
96. Roland H. Baiton: **Servet, el hereje perseguido.**
97. Charles Fourier: **La armonía pasional del nuevo mundo.**
98. E. M. Cioran: **La tentación de existir.**
99. Friedrich Nietzsche: **Inventario.**
100. Américo Castro: **Sobre el nombre y el quién de los españoles.**
101. Fernando Savater: **Apología del sofista.**
102. Stanislav Andreski: **Las ciencias sociales como forma de brujería.**
103. John Chadwick: **El enigma micénico.**
104. Giordano Bruno: **Mundo, magia, memoria.**
105. Georg Groddeck: **El libro del Ello.**
106. Hannah Arenbdt: **Crisis de la República.**
107. Ben Rekers: **Arias Montano.**
108. José Luis L. Aranguren: **El futuro de la Universidad y otras polémicas.**
109. Friedrich Nietzsche: **El libro del filósofo.**

110. Jean Baelen: **Flora Tristán: Socialismo y feminismo en el siglo XIX.**
111. M. Defourneaux: **Inquisición y censura de libros en la España del siglo XVIII.**
112. Martín Jay: **La imaginación dialéctica. (Una historia de la Escuela de Frankfurt.)**
113. Frances A. Yates: **El arte de la memoria.**
114. Víctor Gómez Pin: **El drama de la Ciudad Ideal.**
115. Julio Caro Baroja: **De la superstición al ateísmo. Meditaciones antropológicas.**
117. Georges Bataille: **El culpable.**
118. (Serie Maior.) Emile Poulat: **La crisis modernista. (Historia, dogma y crítica.)**
119. (Serie Maior.) Jean Pierre Faye: **Los lenguajes totalitarios.**
120. Walter Benjamin: **Haschisch.**
121. E. M. Cioran: **El aciago demiurgo.**
122. (Serie Maior.) Hannah Arendt: **Los orígenes del totalitarismo.**
124. Clément Rosset: **La anti-naturaleza.**
125. Gilles Deleuze: **Presentación de Sacher-Masoch.**
126. Allan Janik y Stephen Toulmin: **La Viena de Wittgenstein.**
127. Jean Starobinski: **La relación crítica. (Psicoanálisis y literatura.)**
128. Klaus Dörner: **Ciudadanos y locos. (Historia social de la psiquiatría.)**
129. Alfred Schmidt: **Feuerbach o la sensualidad emancipada.**
130. Fernando Savater: **Ensayo sobre Cioran.**
131. Theodor Reik: **Variaciones psicoanalíticas sobre un tema de Mahler.**
132. Carmen Martín Gaite: **Macanaz, otro paciente de la Inquisición.**
133. Theodor W. Adorno: **Dialéctica negativa.**
134. Mircea Eliade: **Iniciaciones místicas.**
135. Carlos Castilla del Pino: **El humanismo «imposible», seguido de Naturaleza del saber.**
136. Georges Bataille: **Teoría de la Religión.**
137. José Luis L. Aranguren: **La cultura española y la cultura establecida.**
138. G. W. F. Hegel: **Historia de Jesús.**
139. Jean Starobinski: **La posesión demoníaca. Tres estudios.**
140. Marc Oraison: **El problema homosexual.**
141. Maurice Blanchot: **La risa de los Dioses.**
142-143. Theodor W. Adorno: **Terminología filosófica** (2 vols.).
144. Quentin Bell: **El grupo de Bloomsbury** (edición ilustrada).
145. Bertrand Russell: **La América de Bertrand Russell.**
146. Varios: **El club del Harschisch. (La droga en la literatura.)** (Edición de Peter Haining.)
147. Igor Strawinsky: **Poética musical.**
148. Javier Muguerza: **La razón sin esperanza.**
149. Jean Bécarud: **De La Regenta al «Opus Dei».**
150. Theodor W. Adorno: **Teoría estética.**
151-152-153. François Châtelet y otros: **Los marxistas y la política** (tres volúmenes).
154. Bertrand Russell: **El conocimiento humano.**
155. Roberto Mesa: **Teoría y práctica de Relaciones Internacionales.**
156. Víctor Gómez Pin: **Ciencia de la Lógica y Lógica del sueño.**
157. Alma Mahler: **Gustav Mahler: Recuerdos y cartas.**
158. Eugenio Trías: **La memoria perdida de las cosas.**
159. Renato Treves: **Introducción a la Sociología del Derecho.**
160. Thomas Mermall: **La retórica del humanismo. (La cultura española después de Ortega.)**
161. Sigmund Freud y C. G. Jung: **Correspondencia.**

162. José Luis L. Aranguren: **La democracia establecida.**
163. Jürgen Habermas: **Conocimiento e interés.**
164. Eduardo Subirats: **Figuras de la conciencia desdichada.**
165. Ludwig Wittgenstein: **Cartas a Russell, Keynes y Moore.**
166. F. Secret: **La kabbala cristiana del Renacimiento.**
167. Alfredo Fierro: **Sobre la religión. Descripción y teoría.**
168. Johannes Cremerius: **Neurosis y genialidad. Biografías psicoana-líticas.**
169. Alfredo Deaño: **Las concepciones de la Lógica.**
170. Eugenio Trías: **Tratado de la pasión.**
171. Varios autores: **En favor de Bloch.**
172. Pierre Klossowski: **Tan funesto deseo.**
173. Varios autores: **Homenaje a J. Ferreter Mora.**
174. E. M. Cioran: **Del inconveniente de haber nacido.**
175. Javier Echeverría: **Sobre el juego.**
176. Pierre Aubenque: **El problema del ser en Aristóteles.**
177. Isidoro Reguera: **La miseria de la razón. (El primer Wittgenstein.)**
178. **La polémica Leibniz-Clarke.** (Edición de Eloy Rada.)
179. Emmanuel Le Roy Ladurie: **Montaillou, aldea occitana, de 1294 a 1324.**
180. Henri Arvon: **El anarquismo en el siglo XX.**
181. Georges Duby: **San Bernardo y el arte cisterciense. (El nacimiento del gótico.**
182. Eduardo Subirats: **La ilustración insuficiente.**
183. Erik H. Erikson: **Identidad. (Juventud y crisis.)**
184. (Serie Maior.) Mario Praz: **Mnemosyne. (El paralelismo entre la literatura y las artes visuales.)**
185. Varios autores: **Picasso 1881-1981.**
186. David Matza: **El proceso de desviación.**
187. Carlos García Gual: **Mitos, viajes, héroes.**
188. Eugenio Garin: **Medioevo y Renacimiento.**
189. Miguel A. Quintanilla: **A favor de la razón.**
190. Jürgen Habermas: **La reconstrucción del materialismo histórico.**
191. Diego Romero de Solís: **Poiesis. (Las relaciones entre filosofía y poesía.)**
192. Elías Díaz: **Estado de Derecho y Sociedad democrática.**
193. Manuel Villegas López: **La nueva cultura.**
194. Hermann Bauer: **Historiografía del Arte.**
195. Louis Gernet: **Antropología de la Grecia antigua.**
196. E. E. Evans-Pritchard: **La religión Nuer.**
197. Marcel Détienne: **Los maestros de verdad en la Grecia arcaica.**
198. Eduardo García de Enterría: **Revolución francesa y Administración contemporánea.**
199. Fernando Savater: **La tarea del héroe.**
200. Émile Benveniste: **Vocabulario de las instituciones indoeropeas.**
201. José Luis L. Aranguren: **Sobre imagen, identidad y heterodoxia.**
202. Gilbert Durand: **Las estructuras antropológicas de lo imaginario.**
203. Jean Gimpel: **La revolución industrial en la Edad Media.**
204. Robert Klein: **La forma y lo inteligible.**
205. Mircea Eliade: **Memoria, I. (Las promesas del equinoccio.)**
206. Jean Steznec: **La supervivencia de los dioses antiguos.**
207. Georges Duby: **El caballero, la mujer y el cura.**
208. Josef Simon: **El problema del lenguaje en Hegel.**
209. Denis Hollier: **El Colegio de Sociología.**
210. Karl Kraus: **Contra los periodistas.**
211. Eugenio Garin: **Ciencia y vida civil en el Renacimiento italiano.**

212. José Luis L. Aranguren: **Moral y sociedad. (La moral social españo-la en el siglo XIX.)**
213. José Enrique Rodríguez-Ibáñez: **El sueño de la razón. (La moderni-dad a la luz de la Teoría Social.)**
214. Manuel Martín Serrano: **Los profesionales en la sociedad capita-lista.**
215. Alexander Murray: **Razón y sociedad en la Edad Media.**
216. Elias Canetti: **La provincia del hombre.**
217. Nigel Gelndinning: **Goya y sus críticos.** (Serie Maior.)
218. Louis Dumont: **Homo æqualis. (Génesis y apogeo de la ideología económica.)**
219. Henri-Charles Puech: **En torno a la gnosis I.**
220. Leszek Kolakowski: **Cristianos sin iglesia.** (Serie Maior.)
221. María del Carmen Pena López: **Pintura de paisaje e ideología. (La generación del 98.)**
222. Ernest Newman: **Wagner. El hombre y el artista.**
223. José Ángel Valente: **La piedra y el centro.**
224. Ignacio Gómez de Liaño: **El idioma de la imaginación.**
225. Wladimir Jankelevitch: **La ironía.**
226. Marcel Detienne: **La muerte de Dionisos.**
227. Víctor Gómez Pin y Javier Echeverría: **Límites de la conciencia y del matema.**
228. Jacques Le Golf: **Tiempo, trabajo y cultura en el Occidente me-dieval.**
229. (Serie Maior) Philippe Ariès: **El hombre ante la muerte.**
230. Jean Starobinski: **Jean-Jacques Rousseau: La transparencia y el obstáculo.**
231. Hans M. Wingler (ed.): **Las escuelas de Arte de vanguardia (1900-1933).**
232. Felipe Martínez Marzoa: **La filosofía de «El Capital» de Marx.**
233. Julio Caro Baroja: **Paisajes y ciudades.**
234. Ernst Bloch: **El ateísmo en el cristianismo.**
235. Miguel Morey: **Lectura de Foucault.**
236-237-238. Max Weber: **Ensayos sobre Sociología de la Religión** (3 vo-lúmenes).
239. Alfredo Deaño: **El resto no es silencio.**
240. Lester K. Little: **Pobreza voluntaria y economía de beneficio en la Europa medieval.**
241-242-243. Frank E. Manuel y Fritzie P. Manuel: **El pensamiento utópi-co en el mundo occidental** (3 vols.).
244. Alfred Einstein: **Schubert. Retrato musical.**
245. Ernst Bloch: **Entremundos en la historia de la Filosofía.**
246. William Austin: **La música en el siglo XX.**
247. José María Maravall: **La política de la transición.**